V. C. ANDREWSOVÁ

Úder hromu

iKAR

V. C. Andrews
Eye of the Storm

Copyright © 2000 by Vanda General Partnership
Translation © 2003 by Adela Böhmerová
Jacket design © 2003 by Viera Fabianová
Slovak edition © 2003 by Ikar

Po smrti Virginie Andrewsovej rodina Andrewsovcov
spolupracuje s najlepšími spisovateľmi na kompletizácii
a dotváraní príbehov Virginie Andrewsovej, ako je tento,
a na tvorbe ďalších románov, inšpirovaných
jej rozprávačským talentom.

V. C. Andrews je ochranná značka obchodnej
spoločnosti The Virginia C. Andrews Trust.

ISBN 80-551-0636-3

Prológ

Niekedy si myslím, že mama Arnoldová mi dala meno Rain teda dážď, lebo vedela, že mi z očí potečie veľa sĺz. Deti si ma neraz doberali a rapkali: *„Dážď, dážď, choď preč od nás. Radšej príďi v iný čas."* Keď som bola staršia, chlapci za mnou po chodbách a na ulici pokrikovali: *„Na mňa, dievča, môžeš pršať, kedy chceš."* Ak bol nablízku môj brat, čosi také nehrozilo, vedel však, že inokedy ma často otravujú. Raz sa preto tak nahneval, že rozzúrený kričal na mamu, prečo mi dala meno Rain.

Pozrela sa naňho a na zvráskavenej tvári mala vpísanú nevinnosť a zmätok.

„Tam, odkiaľ pochádzam," odpovedala pokojne, „a odkiaľ pochádza moja rodina, je dážď čosi dobré a dôležité. Bez neho by sme hladovali, Roy. Ty si, chvalabohu, voľačo také nezažil, lenže ja si to pamätám. Vravievali sme tomu hlad až po dno, lebo človek mal svoj úbohý žalúdok prázdny až po samé dno."

„A spomínam si na pocit, keď som po mnohých dňoch vytrvalého sucha zacítila prvú požehnanú kvapku. Môj otec a mama bývali vtedy takí šťastní, že stáli vonku v daždi a nechali sa do nitky zmáčať. Spomínam si," pokračovala s úsmevom, „že raz sme sa spolu pochytali za ruky a tancovali v daždi, všetci zmoknutí ako myši, ale nám to bolo jedno. Asi sme vyzerali ako kopa bláznov, dážď však pre nás znamenal nádej a dosť peňazí na to, aby sme si mohli kúpiť, čo potrebujeme."

„Niektorí ľudia chodia na modlitebné zhromaždenia a všakovaké obradné seansy, len aby privolali dážď. Prvého indiánskeho šamana, čo privolával dážď, som videla, keď som mala asi desať rokov. Bol to nízky tmavý muž s ligotavými očami, čiernymi ako pelendrek. Všetky deti boli presvedčené, že je nabitý elektrinou, lebo doňho nespočetnekrát udrel blesk a hrozili sme sa jeho dotyku."

„Platil ho kostol. Nech robil čokoľvek, dažďa nebolo. A tak vyhlásil, že sme nejako strašne museli najvyššieho nahnevať, keď nám nechce odpustiť, a odišiel. Vieš si predstaviť, Roy, čo také niečo spraví s náboženskou obcou? Každý striehne na toho druhého, z očí sa mu zračí obvinenie, ktorým svoje problémy pripisuje na vrub hriechov tých ostatných. Počula som, ako kdesi vyštvali preč celú rodinu, lebo vraj ona bola na vine, že je sucho."

„Keď sa ti narodila sestra a videla som, aká je krásna, pomyslela som si, že je peknučká a prináša nám toľko nádejí ako blahodarný dážď, a vtedy som sa rozhodla, že pre ňu bude vhodné meno Rain."

Roy na ňu hľadel očividne celkom vyjavený. Beni namosúrene klopila zrak, lebo jej dali meno podľa nejakej príbuznej a to nebolo bohviečo v porovnaní s príbehom, ktorý mama rozprávala o mne. Spomínam si, ako mi preblesklo hlavou, že to meno pre mňa znamená väčšiu zodpovednosť. Veď podľa mamy budem prinášať šťastie.

Dnes, keď som sa obliekala, aby som šla na hrob starej mamy Hudsonovej, som mala pocit, že mama sa strašne mýlila. Videlo sa mi, že jediné, čo prinášam, je smola. Keď stará mama umierala, rozhodne si to nemyslela. Nie je vylúčené, že si to spočiatku aj myslela, keď moja skutočná matka vybavila, že u nej budem bývať, pričom to malo vyzerať ako nejaká dobročinnosť. Tak totiž moja skutočná matka Megan Hudsonová Randolphová mohla utajiť svoje tehotenstvo a porodiť ma počas štúdií bez toho, že by o tom vedel jej manžel a najmä nie jej dve deti Brody a Alison. Jej rodičia zaplatili môjmu nevlastnému otcovi Kenovi, aby si ma hneď po pôrode odniesol. O mnoho rokov neskôr si ma so značnou nevôľou vzala stará mama ako niekto, kto sa musí zmieriť s dôsledkami hriechov svojho dieťaťa.

Mama bola zrejme omnoho nešťastnejšia, než by si ktokoľvek z nás uvedomoval, a keď moju mladšiu sestru Beni zavraždili členovia jedného gangu a môj nevlastný otec Ken od nás odišiel a uväznili ho za ozbrojenú lúpež, mama si chcela byť istá, že som v bezpečí. Často si spomínam na ten deň, keď zavolala moju skutočnú matku, aby s nami išla na obed, a presvedčila ju, aby si ma vzala späť. Je mi jasné, že mama bola skutočne silná žena. Stará mama Hudsonová a mama si vlastne boli dosť podobné pokiaľ ide o ich dôležitosť v rodine a obete, ktoré pre rodinu prinášali.

Ľudia ako mama, ktorí napriek chudobe a ťažkým časom predsa nejako naškriabu na živobytie, na prvý pohľad ani nie sú pozoruhodní. Väčšinou sa krivkajúc pohybujú pomaly, vyzerajú unavení, predčasne zostarnutí, cynickí, sklesnutí, s pohľadom prázdnym ako vyhorené žiarovky. Čo však ľudia nevidia, je ich nesmierna sila, odvaha a optimizmus, ktorý ženy ako mama potrebujú na to, aby zdolávali všetko zlé okolo nich a ochránili svoje deti.

Teraz sa môže zdať hlúpe myslieť si, že tá krehká malá osôbka bola mocná, ale v skutočnosti naozaj bola. Ona a ja sme neboli pokrvné príbuzné, napriek tomu ma naučila, ako si v živote poradiť. Vďaka nej som si viac verila a jedna z vecí, pre ktorú sme sa so starou mamou Hudsonovou navzájom obľúbili, bola tá, že aj ona mamu uznávala a obdivovala.

Stará mama a ja sme sa veľmi rýchlo zblížili. Úprimne som tú ženu milovala a viem, že aj ona mňa, napriek jej začiatočnej nevôli. Koniec koncov narodila sa a vyrastala na starom Juhu, teda istým spôsobom to bola upätá a strohá žena, no a ja som zasa bola mulatka a jej nemanželská vnučka. Bola to žena, ktorá by nezniesla, keby mala čo

i len škvrnku na šatách, o škvrne na cti jej rodiny už ani
nehovoriac. Nakoniec však svoju hlbokú náklonnosť ku
mne prejavila tým, že mi vybavila štúdium na dramatickej
škole v Londýne, a tým, že mi zanechala veľkú časť svojej
pozostalosti: päťdesiatjeden percent tohto domu a majetku
v ňom, päťdesiat percent podielu v rodinnom podniku
a dvojmiliónové portfólio investícií, ktoré ma finančne
viac než bohato zabezpečovali.

Victoria, staršia dcéra starej mamy Hudsonovej a moja
teta, bola taká naštvaná, že sa dušovala, že na súde napad-
ne testament. Bola slobodná, viedla rodinný investičný
a rozvojový podnik a dohliadala na jednotlivé ekonomické
aktivity rodiny, a tak mala pocit, že jej zásluhy nie sú oce-
nené. Počas svojho krátkeho pobytu u starej mamy som vy-
badala, že Victoria s ňou neustále mala nejaké spory. Vic-
toria neznášala svoju mladšiu sestru, moju matku Megan,
ktorú podľa nej ich otec mal radšej ako ju, a ktorá podľa
nej bola riadny vetroplach. Možno neznášala moju matku
aj preto, že mala za manžela Granta, atraktívneho, inteli-
gentného a ambiciózneho muža, presne takého, akého si
želala pre seba. Bola presvedčená, že by ho vedela oceniť
a uspokojiť omnoho lepšie ako Megan.

Na konci posledného ročníka na strednej škole mi stará
mama vybavila, že počas štúdia na anglickej dramatickej
škole budem bývať u jej sestry Leonory a jej manžela Ri-
charda. Ani moja prateta Leonora, ani môj prastrýko Ri-
chard nevedeli, kto vlastne som. Mysleli si, že stará mama
robí nejakú dobročinnosť a stará sa o chudobné farebné
dievča. Celú pravdu sa dozvedeli až po jej smrti.

Keď mňa aj môjho prastrýka a pratetu po smrti starej
mamy zavolali z Anglicka do Ameriky, moja matka a jej
manžel sa pokúšali presvedčiť ma, aby som urobila kom-
promis a prenechala im veľkú časť toho, čo mi stará mama
zanechala v závete. Myslím, že obaja svoju ponuku chápali
ako spôsob, ako ma vyplatiť a navždy sa ma zbaviť, ja som

však bola presvedčená, že stará mama všetko dobre zvážila, a nemienila som v testamente zmeniť ani čiarku.

Moja teta Victoria sa naďalej vehementne rozčuľovala, že bude na súde protestovať, a mne bolo jasné, akú hrôzu z toho mal Grant vzhľadom na svoje politické ambície. Vyťahovať na svetlo niekdajšiu aféru svojej ženy s americkým černochom a moju existenciu bolo to posledné, čo by si želal. Dokonca ani po pohrebe a po všetkom okolo neho on a moja matka nepovedali svojim deťom celú pravdu. Viem, že Brody ma mal celkom rád, ale Alison vôbec nechápala, prečo som toho tak veľa zdedila a vďaka čomu mi jej rodina venuje toľko pozornosti. Opovrhovala mnou, no nezdalo sa mi, že by na tom pravda mohla niečo zmeniť, a tak tajomstvá a klamstvá naďalej krúžili po tomto dome a okolo členov rodiny ako nejaký zatúlaný roj včiel.

Keď som teraz bývala v dome sama, akoby som tie lži priam počula bzučať. Čoskoro nás začnú štípať, všetkých rad-radom, a budú nám spôsobovať ešte väčšiu bolesť, lenže každý v tejto rodine bol sústredený na svoje vlastné záujmy a mal klapky na očiach. Nevideli to. Mama mi vždy hovorievala, že nikto nie je taký slepý ako ten, kto odmieta vidieť, a hľadí radšej dolu, bokom alebo na výplody fantázie, ako by sa pozrel pravde do očí. Práve v tom bola táto rodina výnimočná, počínajúc čudným fantazírovaním môjho prastrýka Richarda v jeho londýnskom dome až po odmietanie mojej matky čeliť realite a jej zvyku vybúriť sa nakupovaním pri akomkoľvek náznaku nedorozumenia či napätia.

Teta Victoria sa na ňu hundravo ponosovala a vravela, že je to ďalšia Scarlett O'Harová, pretože hovorievala: „S tým si budem robiť starosti zajtra." „Zajtra, zajtra, lenže to, prirodzene, nebude nikdy," s obľubou každému pripomínala Victoria.

Či sa s tým moja matka zmieri, alebo nie, to zajtra už pre celú rodinu prišlo. Stará mama vo svojej poslednej vôli nástojila na tom, aby to tak bolo. Dokonca aj po smrti, a možno viac ako predtým, sa vznášala nad svojou rodinou a mračiac sa na všetkých sa dožadovala, aby konečne prevzali zodpovednosť za svoje skutky a za to, kým a čím sú.

Nechystala som sa tomu zabrániť, ukrutne ma však ľakalo, čo mi prinesie budúcnosť. Nemala som na výber veľa možností. Je pravda, že v Anglicku som našla svojho skutočného otca Larryho Warda a stretla som sa s jeho rodinou. Dosiahol svoj sen: stal sa odborníkom na Shakespeara a učil na miestnej vyššej strednej škole. Chcel, aby som u nich pobudla a spoznala jeho rodinu a aby ma aj oni, vrátane jeho ženy Leanny, mohli bližšie spoznať, ale posledná rada starej mamy Hudsonovej bola, že sa im nemám veľmi vnucovať. Obávala sa, že začnú ku mne pociťovať odpor. A tak som sa rozhodla, že prípadnú návštevu otca a jeho rodiny odložím na neskôr, keď si budem istejšia sama sebou.

Keďže môj nevlastný brat Roy bol ešte vždy v armáde v Nemecku, jediným mojím priateľom bol Jake, šofér starej mamy. Za ten čas, čo som tu bola, sme sa veľmi zblížili a deň pred mojím odchodom do Anglicka ma riadne prekvapil, keď ma zaviedol ku svojmu práve kúpenému koňovi, ktorému dal meno Rain.

Jaka k rodine starej mamy a jej majetku viazala dlhá história. Usadlosť kedysi patrila jeho rodine, ale pred mnohými rokmi o ňu prišla a prevzali ju Hudsonovci. Jake počas svojho života veľa cestoval. Slúžil v námorných silách, nikdy sa však neoženil a nemal žiadne deti ani vlastnú rodinu. Zavše som mala pocit, že si ma adoptoval.

Dnes na mňa vonku čakal, aby ma zaviezol na cintorín. Prirodzene, bola som tam už predtým so všetkými, ale tentoraz som sa šla rozlúčiť len sama.

Po pohrebe a prečítaní závetu som sa presunula do izby starej mamy. Nič som nezmenila, nepremiestnila som ani jeden obraz a neposunula ani stoličku. Dodávalo mi to pocit, že je ešte vždy tam a drží nado mnou ochrannú ruku.

Teta Victoria už poprehrabúvala veci starej mamy, aby sa uistila, že našla všetky jej vzácne šperky, hodinky a dokonca aj nejaké šatstvo. Niektoré časti izby, zásuvky bielizníkov a skrine vyzerali ako úplne vyplienené. Zásuvky zívali takou prázdnotou, že tam nezostal dokonca ani nijaký chuchvalec prachu, a celé časti skríň boli prázdne, zmizli dokonca aj vešiaky.

Keďže som tu bývala a pomáhala pri udržiavaní domu, dobre som sa vo všetkom vyznala, najmä v kuchyni. Pamätala som si, aké jedlá som varila pre starú mamu, a ako si ich cenila. Jej právnik mi poskytol všetky potrebné informácie, aby som mohla spravovať dom a celý majetok. Navrhol, že ak chcem, môže naďalej viesť právne záležitosti týkajúce sa majetku a dozerať na ne, a ja som hneď súhlasila. Mala som pocit, že stará mama mu o mne rozprávala samé pekné veci. Zrejme bol rád, že som dokázala čeliť svojej matke, jej manželovi a Victorii.

„Doteraz, Rain," povedal, „si nesklamala očakávania svojej starej mamy."

Poďakovala som sa mu za kompliment a aj napriek nedostatku času som mu stihla povedať, že znamenala pre mňa nasledovaniahodný príklad. Nebola som si však istá, ako dlho budem schopná skutočne ju nasledovať.

Ešte raz som sa na seba pozrela v zrkadle a zbehla som po schodoch, aby som sa mohla vydať na cestu na cintorín. Deň bol dosť zamračený a chladnejšie závany vetra oznamovali neodvratný príchod jesene. Perfektný deň na návštevu cintorína, vravela som si, keď som vykročila z domu. Jake ma čakal so založenými rukami, oprety o Rolls-Royce starej mamy. Len čo som sa objavila, usmial sa a vzpriamil.

„Dobré ránko, princeznička," zvolal, keď som cez príjazdovú cestu prechádzala k nemu.

„Dobré ráno, Jake."

„Pekne vyspinkaná?" spýtal sa.

Vedela som, že všetci pochybovali o tom, či budem schopná žiť celkom sama v tomto veľkom dome. Teta Victoria dúfala, že sa zľaknem, prídem za ňou a budem doslova modlikať, že chcem prijať ponuku, ktorú mi urobila prostredníctvom Granta Randolpha.

„Áno, Jake, spala som dobre."

Usmial sa. Jake bol vysoký, štíhly, plešivejúci muž, ktorého výrazne husté obočie akoby chcelo kompenzovať úbytok vlasov. Mal tmavohnedé oči, v ktorých podchvíľou prebleskoval šibalský výraz a rozžiaril jeho úzku tvár. V brade mal malú jamku a nos mal trochu pridlhý a priúzky. Na mňa sa však takmer vždy prívetivo a priateľsky usmieval, presne tak ako dnes ráno.

V poslednom čase mával líca sfarbené dočervena. Vedela som, že pije o trochu viac než zvyčajne. Hovorieval, že je to jeho pohonná látka, a nemôžem povedať, že by niekedy vyzeral opitý alebo tak konal.

Otvoril mi zadné dvere Rolls-Roycea. Na chvíľu som zaváhala a uprene som sa zahľadela na sedadlo, na ktorom vzpriamene sedávala stará mama. Ešte vždy som cítila jej parfum, ktorého vôňa akoby zavanula ku mne. Opäť som zneistela.

„Je všetko v poriadku, Rain?"

„Áno, Jake, je," odvetila som a chytro som si sadla do auta. Zavrel dvere a vydali sme sa na cintorín.

„Volala mi Victoria, že mám zajtra na letisku vyzdvihnúť Megan a Granta," rozprával ďalej. „Vedela si o tom?"

„Nie."

„Myslel som si to," povedal, pritakávajúc a potriasajúc hlavou. „Nečakaný prepad."

„Ako vôbec vedeli, že som doma?" spýtala som sa.

Mykol plecami.

„Victoria iba predpokladá, že si o tom vedela." Opäť sa na mňa pozrel s očami dokorán. „Tá žena si bezmedzne verí," dodal a usmial sa. „Pamätám si ju ešte ako malé dievčatko. Kráčala celkom vystreto a bezchybne a vždy vyzerala, akoby rozmýšľala. Dokonca už aj vtedy bola veľmi seriózna a spomínam si, ako sa zvykla dívať na Megan zvrchu, akoby tým chcela povedať: ‚Ako sa takáto háveď dostala do nášho domu?‘"

„Megan jej však nevenovala veľkú pozornosť. Victoriine poznámky z nej padali, akoby hádzala hrach o stenu."

„Čo Victoriu zrejme doháňalo do zúrivosti," komentovala som.

„Presne tak, presne tak," zasmial sa. „Ak by jej Megan bola venovala väčšiu pozornosť, predpokladám, že by ju to znepokojilo. Ešte v tých časoch som jej dal prezývku Korytnačka. Mávala taký istý neprítomný zasnený výraz tváre a zvykla sa odplaziť pod svoj pancier fantázie, aby unikla Victorii."

„Megan je taká ku každému," zamumlala som si pod nos skôr pre seba než preňho.

„Mhm," pritakal.

Jakovi som nič nepovedala o tom, že Megan je moja skutočná matka, a nevravela som mu ani o mojom skutočnom otcovi. Od pohrebu a udalostí po ňom som s ním nebola často. Toto bola naša prvá cesta a prvýkrát ma niekam viezol samu.

„Tak ako, princeznička? Už si sa rozhodla, či sa vrátiš do Anglicka?" spýtal sa ma.

„Asi áno, tentoraz však budem bývať v internáte."

„Chápem. Leonora a Richard sú dosť čudní patróni. Frances zvykla krútiť hlavou a usmievať sa nad tým, aká je z Leonory honosná Angličanka."

Chcela som namietnuť, že nie sú až takí smiešni. Prišli o svoju dcérku, ktorá mala chorú srdcovú chlopňu, a odvtedy sa môj prastrýko stal dosť čudným. Krátko predtým, než som odišla z Anglicka, môj prastrýko priviedol do druhého stavu ich slúžku Mary Margaret. Ako som zistila, bola dcérou Boggsa, šoféra prastrýka Richarda a správcu jeho domu. Vedeli sme o tom iba ja, Boggs a sama Mary Margaret. Môj prastrýko aj prateta si vytvorili vlastný vysnený svet, nahrádzajúci im ten skutočný, s ktorým neboli schopní sa zmieriť, a Mary Margaret bola nútená stať sa súčasťou fantastických predstáv prastrýka Richarda.

„Keď si bola v Anglicku, princeznička, nenašla si si tam náhodou nejakého fešáka Angličana?" spýtal sa Jake.

„Nie, Jake," ubezpečila som ho.

Spýtavo zdvihol obočie, keď počul tón mojej odpovede. Všimol si aj môj následný povzdych. Na dramatickej škole som sa zoznámila s dobre vyzerajúcim Kanaďanom Randallom Glennom. Bol to typ mladíka, čo by rozochvel srdce každej ženy, na ktorú by sa pozrel. Chvíľu sme boli milencami. Randall mal prekrásny zvučný hlas. Nepochybovala som o tom, že bude veľmi úspešný. Nakoniec sa však ukázalo, že pre mňa je ešte príliš nedospelý.

„Takže tam nie je nikto, za kým by si sa vrátila?" vyzvedal Jake.

„Shakespeare," odpovedala som a on sa zasmial.

Čoskoro sa pred nami začal črtať cintorín. Prešli sme popod oblúk, zabočili doprava, potom doľava k časti, kde boli pochovaní Hudsonovci. Stará mama ležala vedľa svojho manžela Everetta a napravo boli jeho rodičia a brat.

Jake zastavil auto a vypol motor.

„Vyzerá to tak, že dnes ešte príde nejaká búrka," poznamenal. „Chcel som ťa, Rain, poobede vytiahnuť na menšiu prechádzku, ale nechám to až na zajtra. Počuj," pokračoval, kým ja som na zadnom sedadle váhavo zbierala silu na vystupovanie, „možno si na mojom koni budeš chcieť z času na čas zajazdiť. Totiž ešte pred odchodom do Anglicka."

„Dosť dlho som už, Jake, nejazdila, od tunajších školských čias."

„No, veď je to ako jazdiť na bicykli, princeznička. Stačí naňho vysadnúť a už to zasa ide. Nezabudni," pripomenul mi, „že som ťa už videl jazdiť. Si dobrá."

„Fajn, Jake, zajazdím si," prisľúbila som, zhlboka som sa nadýchla a vystúpila som.

Počas pohrebu som ani veľmi nemyslela na starú mamu. Bolo tam priveľa ľudí a vládlo napätie medzi tetou Victoriou a mojou matkou, čo ma rozptyľovalo. Stále som akoby predpokladala, že sa objaví stará mama, vskutku nahnevaná, aký honosný obrad usporiadala Victoria.

„Ako si dovoľuješ usporiadať takú hlúpu rozlúčku v mojom mene? Všetci sa pekne vráťte do svojho skutočného života," prikázala by. Potom by sa na mňa usmiala a šli by sme domov.

Zdá sa, že snenie je najlepší liek na taký prenikavý a bolestný smútok, pomyslela som si a vykročila som smerom k jej hrobu. Jake zostal v aute a sledoval ma pohľadom.

„Takže som tu, stará mama," prihovorila som sa jej kameňu, „presne tam, kde si ma dala. Viem, že si na to mala svoje dôvody. Je ti jasné, že za to, čo si mi dala, ma všetci nenávidia. Mal to byť istý druh skúšky?"

Uprene som hľadela na jej náhrobný kameň a neočakávala som žiadnu odpoveď. Odpovede, ktoré by mi dala, sú vo mne. Prišla som sem s tým, že ich nájdem, že ich budem počuť.

Vietor zosilnel. Oblaky akoby cválali po nebi. Jake mal s tým počasím pravdu. Tesnejšie som si pritiahla vetrovku.

„Možno by som mala urobiť to, čo chcú, vziať si sumu, ktorú navrhujú ako kompromis, a odísť. Mohla by som odcestovať do Anglicka a už nikdy sa nevrátiť, presne tak ako môj skutočný otec. Nikomu z nich by som nechýbala a ak mám povedať pravdu, zrejme ani mne by nikto z nich nechýbal."

„Nie som si istá, stará mama, že si si to predstavovala takto, ale čo tu môžem dosiahnuť? Čo také môžem urobiť, čo si ty ešte neurobila?"

Kľakla som si a položila som ruky na zem prikrývajúcu jej truhlu. Zavrela som oči a predstavila som si ju, ako v ten

deň, keď som odchádzala do Anglicka, stojí vo dverách.
Nechcela ísť so mnou na letisko. Vravela, že nenávidí lúče-
nie, dovolila mi však, aby som ju objala. V jej očiach som
videla nádej. Prišla som k nej bývať, aby som znovu prijala
svoje meno, ktoré mi odopreli hneď pri narodení.

„Nedovoľ, aby ti ho zasa vzali, Rain," akoby šeptom vra-
vela vetru.

„Nech by čokoľvek vraveli alebo urobili, nedovoľ im,
aby ti vzali tvoje meno."

Možno práve to bola tá odpoveď, jediná odpoveď.

Možno to bol ten dôvod, pre ktorý mám zostať.

Jakovo tajomstvo

Počas niekoľkých prvých dní strávených osamote vo velikánskom dome starej mamy som zvykla zastať pred jedným z mnohých starožitných zrkadiel a spytovala som sa svojho obrazu, kto vlastne v tej chvíli som. Výraz, ktorý som zbadala na svojej tvári, bol natoľko nezvyčajný a nový, že som sa sotva spoznávala. Takmer akoby sa ma na chvíľu zmocnil akýsi duch domu alebo akoby duchovia podľa vlastnej ľubovôle do mňa vstupovali, či zo mňa vystupovali a každý mi zmenil náladu, výzor, ba dokonca aj hlas.

V dome môjho prastrýka Richarda a pratety Leonory v Endfield Place bol vraj uväznený duch milenky pôvodného majiteľa, ktorú jeho manželka otrávila. Niežeby som skutočne verila na duchov, stará mama mi však vravievala, že domy ako tento, kde už nejaká rodina bývala veľmi dlho, sú niečím viac než len konštrukciou z dreva, kameňa, skla či kovu. Bol premknutý špecifickými charaktermi ľudí, ktorí ho obývali. Celé minúty, hodiny, dni, týždne, mesiace a roky sa v ňom rozliehali ich hlasy, smiech a vzlyky, plné spomienok.

„Predstav si, akoby to bola obrovská špongia, ktorá nás obkolesuje, pohlcuje naše myšlienky a činy a nasakuje aj to, akí sme, až sa nakoniec stane našou súčasťou a aj my sa navždy staneme jej súčasťou. Môže sa sem nasťahovať iná rodina, dať si premaľovať steny, kúpiť nové koberce, záclony a vymeniť okenice či zariadiť každú izbu novým nábytkom, my však stále budeme zotrvávať v srdci domu."

„Nový majiteľ sa jednej noci môže zobudiť a začuje čudné hlasy, keď dom bude akoby v repríze prehrávať nejakú chvíľu z našej minulosti, akoby ktosi stisol špongiu, vyžmýkal jej obsah a odhalil, čo je jej najskrytejším obsahom."

Usmiala sa na mojom skeptickom výzore. Už dávno som prestala veriť na čary a na víly, ktoré v noci vezmú spod vankúša mliečny zub a vymenia ho za peniaz. Priveľa tvrdej reality sa mi vpísalo do tváre.

„Vieš, Rain, mám na mysli v podstate to, že ak sa na niečo pozrieš, či už je to dom, strom, alebo dokonca jazero, a vidíš v tom iba to isté, čo všetci ostatní, si čiastočne slepá. Dožič si čas. Dovoľ veciam okolo seba i v sebe, aby sa usadili. Viem, že to chce poriadnu dávku dôvery, ale po čase to bude pre teba oveľa ľahšie a bude ťa to posilňovať a napĺňať. Staneš sa súčasťou všetkého, na čo pozrieš a čoho sa dotkneš," dodala nakoniec.

Boli to vzácne chvíľky, keď mi dovolila preniknúť cez čosi ako múry pevnosti a dala mi príležitosť zazrieť, aká vlastne je. Navonok obdivuhodná a mocná žena, zvnútra však ako malé dievčatko túžiace po láske, jemnosti, úsmevoch, smiechu a splnených snoch. Aj vo svojom veku dokázala sfukovať sviečky na narodeninovej torte a želať si pri tom niečo.

Veľa z nej, veľa z toho v dome zostalo. Jej telo odpočívalo na cintoríne o niekoľko míľ ďalej, ale jej duch sa pridal k duchom tých ostatných, ktorí prechádzali z jednej miestnosti do druhej v reťazci spomienok ľahších ako dym, hľadajúc spôsob, ako znovuzrodiť aspoň trochu z niekdajšej slávy.

Skúšali ma, navštevovali ma, burcovali ma tým, že sa pohrávali s mojimi myšlienkami a pocitmi. Zapĺňali tiene v kútoch a šeptali si na schodoch, ja som sa však nebála, hoci som vzápätí začala mať čudné sny. Čudné, pretože boli o ľuďoch, ktorých som nikdy nevidela ani nepoznala. Napriek tomu však bolo na nich čosi povedomé, raz smiech, inokedy krehká silueta či úsmev, a to ma ešte väčšmi naplnilo zvedavosťou. Videla som schúlené dievčatko sediace na pohovke, s očami dokorán roztvorenými od prekvapenia. Cez steny som začula vzlyky. Zrak mi zablúdil dolu a zrazu som zbadala dorastajúce dievčatá, ktoré počúvali a od údivu zabudli zatvoriť ústa. Po chodbách sa prechádzali dobre oblečení ľudia a smerovali do izieb ponúkajúcich množstvo jedla a vína. Zneli tu husle a potom sa ozval prekrásny hlas, ktorý spieval známu áriu z *Madame Butterfly*.

To všetko mi nedávalo zmysel, ale snažila som sa hľadať k tomu nejaký kľúč a odpovede. Hoci pred odchodom do Londýna som v dome istý čas bývala, bolo toho vždy ešte veľa na pozeranie a objavovanie. Strávila som celé hodiny v knižnici listovaním kníh a starostlivým prehŕňaním sa v starých dokumentoch a korešpondencii, ktorá ešte vždy bola v skriniach a v zásuvkách. Väčšinou sa týkala rozličných projektov prestavby, ktorú starý otec Hudson začal uskutočňovať. Bola tam však aj nejaká súkromná korešpondencia, listy od starých priateľov, ľudí, ktorí sa odsťahovali do iných štátov alebo dokonca iných krajín, a zopár z nich bolo ešte od niekdajších spolužiakov zo školy.

Zistila som, že stará mama mala v dievčenskej škole pre vyššie vrstvy blízku priateľku, ktorá sa vydala a presťahovala do Savannah. Volala sa Ariana Keelyová a jej manžel bol právnik. Mala tri deti, dvoch chlapcov a jedno dievča. Listy boli plné podrobností o deťoch, ale našlo sa v nich veľmi málo o nej alebo o jej manželovi. Príležitostne odbočila k niečomu, čo mi umožnilo čítať medzi riadkami, a vtedy sa mi zdalo, že ani ona, ani stará mama si nemysleli, že našli šťastie a dokonalosť, ktoré by podľa nich ne-

vyhnutne prináležali ľuďom, obdareným všetkými výho-
dami.

„*Ako vravíš, Frances, sme ľudia privilegovaní,*" písala
Ariana v jednom zo svojich listov, „*lenže to zrejme zname-
ná iba pohodlnejší život plný sklamaní, poskytujúci viaceré
možnosti rozptýlenia a ignorovania reality.*"
Vďaka tomu som začala uvažovať, že ak ktosi bohatý,
kto sa narodil s istým postavením a výhodami, nemôže
byť šťastný, čo potom môžem očakávať ja?
Premýšľala som o tom všetkom, kým ma Jake viezol do-
mov z cintorína. Ani jeden z nás už dobrú chvíľu nepre-
hovoril. Sedela som so zrakom upretým von z okna,
v skutočnosti som sa však na nič nedívala. Obloha ne-
ustále tmavla.
„Všetko v poriadku, princeznička?" spýtal sa nakoniec
Jake.
„Čože? Á, áno, Jake. Som v poriadku. Vyzerá to, že bu-
de lejak."
„Áno," pritakal. „Chcel som dnes večer zájsť do Rich-
mondu, ale zrejme počkám do rána, vstanem skoro a pôj-
dem ich vyzdvihnúť na letisko."
Oprela som sa o operadlo. Pochmúrna obloha a príval
smutných spomienok ma naplnili chladom osamelosti. Si
primladá na to, aby si musela bojovať s veľkou rodinou,
vravela som si. Ja som o toto všetko nestála. Predstava, že
myšlienky o mojej matke a tete Victorii na mňa zajtra
opäť zaútočia, ma napĺňala hrôzou.
„Možno by si mala ísť na nejaký film, princeznička," ra-
dil Jake. „Ak chceš, môžem po teba prísť a vziať ťa domov."
„Nie, vďaka, Jake."
Prikývol.
„Udržiavala si kontakty s niektorými priateľmi či pria-
teľkami z čias, keď si tu chodila do školy?" spytoval sa.
„Nie, Jake," povedala som s úsmevom. Veľmi sa snažil
a robil si o mňa starosť. „Nateraz som v poriadku. Pripra-

vím večeru, aby som niečo robila. Chceli by ste prísť na večeru?"

„Čože?"

„Od mamy mám vynikajúci recept na kurča s broskyňami."

„Hm, znie to ako špecialita," usúdil. „O ktorej?"

„Príďte okolo šiestej."

„Mám niečo priniesť?"

„Iba chuť do jedenia, Jake," odvetila som a on sa zasmial. „Veď viete, že pani Hudsonová mávala svoj dom vždy dobre zásobený."

Jake prikývol, hľadiac na mňa cez spätné zrkadlo. Niečo v jeho očiach mi vravelo, že by som ju mala volať stará mama. Preblesklo mi mysľou, že stará mama mu možno povedala pravdu, ale on mi nikdy nekládol nijaké všetečné otázky. Občas mi pripadal ako niekto, kto sa drží bokom, kto všetko vie a iba čaká a sleduje, ako sa veci vyvinú.

„To určite viem, veď som ju neraz brával na nákupy," potvrdil. „Akokoľvek som ju ubezpečoval o opaku, vždy sa tvárila, akoby ma nikdy nevedela zohnať, keď ma potrebovala. Vždy ma ohúrila čímsi ako: ‚Prečo by som ti mala pridávať ešte ďalšie bremená k tým, ktoré už aj tak máš na pleciach?' Tá žena," pokračoval, pokrútiac hlavou, „sa ma neustále snažila zmeniť."

„Mala vás veľmi rada," ubezpečila som ho.

Prikývol a oči akoby mu stmavli a zúžili sa. Zrazu to bol on, kto stíchol. Ani jeden z nás neprehovoril, až kým sme nezastali pri dome. Začali padať prvé kvapky.

„Ďakujem vám, Jake, ja si otvorím," vravela som mu, prv než stihol vystúpiť. „Uvidíme sa neskôr, Jake."

„Dobre, princeznička," volal za mnou, keď som sa náhlila hore schodmi k domu.

Bola som celkom rozrušená. Čakala ma príjemná práca. Pripravím úžasnú večeru, prvé jedlo v mojom vlastnom veľkom dome. Mama Arnoldová by sa určite smiala, keby ma teraz videla.

Asi hodinu pred Jakovým príchodom však zazvonil telefón a moja nálada sa znovu ocitla v priepasti depresie. Volal pán Sanger, právnik starej mamy Hudsonovej. „Pred malou chvíľou som mal telefonát od Grantovho, Meganinho a Victoriinho právnika. Podľa všetkého zvažujú podanie námietky na súd. Budú požadovať všetky lekárske správy o pani Hudsonovej a pokúsia sa dokázať, že Frances nebola mentálne spôsobilá, keď zmenila testament a tak veľa vám odkázala. Všetko to však môže byť iba obyčajné taktizovanie, aby vás donútili ku kompromisu."

„Viem, že sem zajtra prídu," nadviazala som. „Povedal mi to Jake."

„Ak chcete, mohol by som prísť tiež," ponúkol sa.

„To by mohlo situáciu ešte viac vyhrotiť. Ak by som vás potrebovala, zavolám vám," ubezpečila som ho.

„Je mi ľúto," upokojoval ma, „ale čosi také sa často stáva."

Vietor silnel, lejak šľahal do okien a na strechu domu, k tomu tá správa o hroziacom súdnom spore medzi mnou a mojou vzpierajúcou sa rodinou. Ruky sa mi tak neovládateľne roztriasli, že som v kuchyni sotva zvládala prípravy. Prestrela som stôl a priniesla svietnik. Jake by si asi dal víno. Ja som o vínach nič nevedela, a tak som sa rozhodla, že výber prenechám naňho. Pohľad na hodiny starého otca v chodbe ma utvrdil, že opäť tri hodiny meškajú.

Vyvolalo to vo mne úsmev. Spomenula som si, ako starú mamu nezaujímal čas. Väčšina hodín v dome nebola v prevádzke, dokonca ani elektrické hodiny v spálňach a v kuchyni. Luxusné francúzske hodiny v kancelárii mali nejakú chybu, ktorú nikdy nedala opraviť, a jej kukučkové hodiny v raňajkovom výklenku niekedy fungovali a inokedy zasa nie. Zlyhávali v tých najneočakávanejších chvíľach. Často som sa jej pýtala, prečo si tie nefunkčné hodiny nedá opraviť.

„V mojom veku," vravievala, kedykoľvek som spomenula hodiny, „už človek nechce, aby mu niečo pripomínalo, koľko hodín opäť uplynulo."

Namietala som, že ešte nie je taká stará. Jake je starší ako ona a vôbec nepomýšľa na to, že by spomalil životné tempo.

„Jake," povedala, „nemá schopnosť uvedomiť si svoj vek. Keby ju mal, vedel by, ako veľa zo svojho života premárnil."

Aj nad tým som sa mohla iba pousmiať. Znelo to nesúhlasne, lenže ona Jaka vlastne nikdy nekritizovala. Jej ponosy boli ako šľahnutie steblom trávy. Z toho, ako na seba pozerali, som videla, že k sebe prechovávali láskavú priazeň. Presne tá sa prejavovala vždy, keď sa stará mama naňho usmiala. Predtým sa vždy najprv pozrela bokom, akoby priamy pohľad naňho mohol rozbiť akúsi nevyhnutnú sklenenú stenu, ktorá ich musela oddeľovať. Myslela som si, že to má niečo do činenia so zamestnávateľmi a zamestnancami, lenže ja by som taká nikdy nevedela byť, nech už by som bola akokoľvek bohatá.

Nuž ale čoskoro som sa mala dozvedieť, že existovali aj iné dôvody.

Keď zazvonil zvonec, náhlivo som šla ku dverám. Jake ma prekvapil, mal na sebe športové sako a dokonca priniesol bonboniéru.

„Nemuseli ste sa obliecť sviatočne, Jake," povedala som so smiechom.

„Nemôžem prísť na večeru do Francesinho domu a nebyť primerane oblečený," povedal, keď vchádzal. „Čosi sladké pre kohosi sladkého," podával mi bonboniéru.

„Ďakujem, Jake. Ešte vždy tak leje?"

„Už trochu menej. Mraky teraz tiahnu na sever, aby za-útočili na Yankeeov," odvetil žartovne.

Keď uvidel stôl prestretý na večeru, tíško zapískal.

„Veľmi pekné, princeznička. Veľmi pekné. Vyzerá to, že si sa ako anglická služobná veľa naučila, však?"

„Viem, že *bangers* sú párky a *mash* zemiakové pyré a trochu ovládam aj londýnsky dialekt Cockney," povedala som mu a on sa zasmial. „Jake, nevedela som, aké mám vybrať víno. Myslela som, že výber nechám na vás."

„Ale určite," súhlasil.

„Viete, kde je vínna pivnica, však?" spýtala som sa ho.

„Viem, princeznička. Dokonca viem aj to, ktoré podla-hové dosky v tomto dome vŕzgajú."

Prikývla som. Prirodzene, že to vedel. Veď tu kedysi veľmi-veľmi dávno býval.

„Dobre, Jake. Takže kým vyberiete víno, ja urobím po-sledné prípravy," povedala som a odišla som do kuchyne.

Kým som priniesla šaláty, už otvoril dve fľaše a nalial mi za pohár vína. Sebe asi už druhý.

„Pokiaľ ide o Frances," povedal, „vždy mávala dobré ví-no, či už jemné kalifornské, alebo francúzske. Bola to veľ-mi kultivovaná, noblesná žena," dodal. „Pripime si na ňu."

Zdvihol pohár, aj ja svoj, priťukli sme si a on povedal: „Na Frances, ktorá určite všetko dáva na poriadok, nech už je kdekoľvek."

Obaja sme si odpili riadny dúšok.

„Ten šalát vyzerá dobre, Rain. A chlieb je teplý! Už te-raz si môžem iba pochvaľovať."

„Ďakujem, Jake."

„Takže," pokračoval, „povedz mi niečo o pobyte v Lon-dýne. Dúfam, že tam bola aj nejaká zábava."

Opísala som školu, porozprávala som mu o Randallovi Glennovi, talentovanom chlapcovi z Kanady, ktorý štu-doval koncertný spev, a o tom, že sme s Randallom veľa cestovali po Londýne. Spomenula som aj sestry z Francúzska, Catherine a Leslie, ukážku z hry, do ktorej ma vybrali, a všetku podporu, akej sa mi dostalo.

„Znie to tak, že by si sa tam mala vrátiť," komentoval. „Dúfam, Rain, že tu z nejakého hlúpeho dôvodu neuviazneš. Využi príležitosti, ktoré sa ti núkajú. Frances by si to želala a bola by sklamaná, keby si tak neurobila," dodal.

Keď sme sa s Jakom pozreli jeden na druhého, premáhal ma pocit, že jestvujú nevyrieknuté veci. Kedykoľvek spomenul starú mamu Hudsonovú, ako keby sa mu zahmlili oči.

Priniesla som hlavné jedlo a on sa priam rozplýval chválou. Vraj raz nejakému šťastlivcovi budem úžasnou ženou.

„Lenže ty pravdepodobne budeš jedna z tých moderných žien, ktorá je presvedčená, že kuchyňa je pod jej úroveň," dodal ešte.

„Nemyslím, Jake. Nebola som tak vychovaná," ubezpečila som ho.

Chcel vedieť viac o mojom detstve vo Washingtone. Pozorne počúval, a keď som podrobnejšie než kedykoľvek predtým rozprávala o tom, čo sa v skutočnosti stalo mojej nevlastnej sestre Beni, črty tváre mu sprísneli a v očiach sa zračil chlad.

„Nie div, že ťa mama chcela z toho sveta vymaniť," ozval sa.

Znovu sme na seba trochu dlhšie pozerali. Bola som prekvapená, že Jake už sám vypil jednu fľašu vína a riadne načal aj druhú. Ja som ešte nedopila ani prvý pohár. Sklopila som zrak do taniera, vidličkou som na ňom posúvala jedlo a bez toho, že by som vzhliadla, som sa spýtala: „Koľko toho vlastne o mne viete, Jake?" Rýchlo som naňho pozrela. „Koľko vám toho pani Hudsonová povedala?"

Začal krútiť hlavou, potom však prestal a na perách sa mu zjavil úsmev.

„Vravievala, že máš virguľu na nájdenie pravdy," prívetivo povedal Jake.

„Virguľu?"

„Vieš, taký čarovný prútik, o ktorom niektorí ľudia tvrdia, že vie nájsť vodu."

„Aha," prikývla som. „Takže, Jake, akú studnicu pravdy som to objavila?"

Zasmial sa, ale vzápätí znovu zvážnel.

„Viem, že Megan je tvoja skutočná matka," priznal. Prstami preberal po pohári. „Vždy som to vedel."

„Povedala vám to stará mama Hudsonová?"

Prikývol.

„Čo vám ešte povedala?"

Pozrel sa na mňa.

„Krátko pred smrťou mi povedala, ako si v Londýne vystopovala svojho pravého otca," riekol.

„Nebolo to celkom stopovanie."

„Ja ju presne citujem. Bolo mi jasné, že to urobí. Frances sa nehnevala. Bola nadšená tým, ako si vieš poradiť."

„Jake, prečo sa vám zdôverovala so všetkými týmito rodinnými tajomstvami?"

Zámerne som naňho uprela pohľad a on si nalial do pohára zvyšné víno.

„Možno preto, že nemala nikoho, komu by naozaj dôverovala," povedal a odpil z vína.

„Nemala som dojem, že musí niekomu niečo hovoriť."

Zatváril sa prekvapene a husté obočie sa mu nadvihlo.

„Nie," namietal, „presne to chcela, aby si všetci niečo také mysleli. Nebola až taká železná dáma, ako to predstierala."

„Prečo mi tak veľa zanechala a natoľko mi sťažila situáciu v rodine? Aj to vám povedala? Vysvetlila vám, čo si želala, aby sa stalo?"

Pokrútil hlavou a kývol plecami.

„Mala o tebe, princeznička, veľmi vysokú mienku. Vtrhla si do jej života ako vlna z rieky. Bola veľmi nešťastná zo svojej rodiny, až kým si sa v dome neobjavila ty.

Ak je človek v takom veku a rodina sa preňho stáva sklamaním, začne uvažovať, načo to všetko bolo, a môže z toho byť strašne smutný. Ty si väčšinu toho smútku odohnala. Nechcela odísť bez toho, aby sa utvrdila v tom, že si silná."

„Nie som až taká silná, Jake, dokonca ani so všetkým, čo mi zanechala. Znovu som sama. Pred chvíľou mi volal právnik starej mamy, aby mi oznámil, že moja matka, Grant a Victoria chcú podať námietku na súd, i keď to znamená rozpitvávanie súkromia na verejnosti, zdravotné záznamy starej mamy, minulosť mojej matky a aj všetko o mne. Pousilujú sa, aby som vyzerala ako nejaká uzurpátorka bohatstva, ktorá starú paniu len využila. Bola by som na tom omnoho lepšie, keby som nezdedila nič."

„No, no, tak nehovor," prikazoval mi, ja som však nevládala udržať slzy. Začali sa mi rinúť po tvári. „Všetci, ktorých mám rada, sú buď mŕtvi, alebo sú priďaleko na to, aby mi pomohli."

„Ja som tu," povedal hrdo a vstal. Podišiel ku mne a chytil ma okolo pliec. „Ty si poradíš, princeznička. Dlhujeme to Frances," dodal.

„Veru tak," zamumlala som a opakom ruky som si zotrela slzy.

„Ja ti pomôžem," ubezpečil ma.

„Fajn, Jake."

„Myslím to vážne. Môžem ti pomôcť."

„Dobre, Jake."

Poodstúpil a zahľadel sa na stenu.

„Zostáva mi iba veriť, že sa tak rozhodla preto, aby som to urobil," povedal skôr pre seba ako mne.

„Aby ste urobili čo, Jake?"

Ešte dobrú chvíľu mlčal. Potom sa obrátil a zahľadel sa dolu na mňa, akoby stál na vrcholci nejakej hory.

„Prezradil ti naše tajomstvo."

„Čie tajomstvo?" pokrútila som hlavou. „Ešte viac ste

ma zmiatli, Jake." Pozrela som sa na víno. Vari takto rozpráva preto, lebo toho priveľa vypil?

„Francesino a moje," odpovedal. „A teraz tvoje, ale nechaj si ho ako úplne posledný tromf, ako nejakú guľku do svojej zbrane, dobre?"

Vyjavene som naňho hľadela. Ešte vždy mi to nedávalo zmysel. Jake bol fajn. Bol to láskavý človek. Vlastne som ho mala rada, najlepšie však bolo iba prikývnuť a dokončiť večeru, pomyslela som si.

„Ty mi neveríš, však? Neveríš mi, že ti môžem dať niečo, čo posilní tvoju pozíciu a tvoju rozhodnosť, však?"

„Ale verím, Jake."

Sadol si a obrátil sa ku mne.

„Frances a ja sme kedysi boli milencami," povedal náhlivo. „Prežili sme romantický vzťah. Trvalo to pomerne dlho. Mali sme veľa príležitostí a využili sme ich. Rozišli sme sa, až keď otehotnela."

„Otehotnela?"

„S Victoriou," povedal. „Victoria je moja. Som si tým v podstate istý a aj ona si to myslela."

Potriasla som hlavou, akoby som tie slová chcela zo seba pozhadzovať. Stará mama a neverná svojmu manželovi? Pre mňa bola vzorom morálky.

„Nebola to ničia vina. Jednoducho sa to stalo. Everett zanedbával Frances. Bol posadnutý svojimi obchodnými záujmami a zriedkakedy cestoval alebo šiel na nejaké spoločenské podujatie, ak nesúviselo s finančným efektom alebo dôvodom."

„Od istej chvíle sme začali spolu tráviť čoraz viac času. Nemyslím, že Everett niekedy pomyslel na to, že by ho mohla podvádzať alebo mať záujem o niekoho iného, pričom podľa mňa oňho veľmi nestála."

„Ich manželstvo bolo jedným zo staromódnych manželstiev niekdajšieho Juhu. Poznáš to, rodičia sa stretnú a usúdia: ,Nebolo by to úžasné, keby sa vaša dcéra vydala za nášho syna?' V tých časoch rodičia všetko vedeli lepšie. Žeby naozaj všetko vedeli lepšie?"

Dopil víno v pohári.

„Vedel o tom môj starý otec? Totiž, že Victoria nie je jeho dcéra?"

„Myslím, že vedel, nikdy však nič nepovedal. On nebol taký typ," odpovedal Jake.

„A aký typ bol?" spýtala som sa s úškľabkom.

„Človek z vyššej spoločnosti," vysvetľoval Jake. „V tom svete niečo také vôbec neprichádzalo do úvahy. Frances mu nikdy nič nepovedala. Len čo zistila, že je tehotná, rozhodla sa, že tým sa náš vzťah skončí."

„Keď som sa po rokoch strávených pri námorníctve vrátil a ponevieral som sa po okolí, Victoria mala už takmer tridsať. Dosť som sa bál, že niekto v jej tvári spozná mňa, Victoria však má veľmi originálne črty. Nepodobá sa veľmi na Frances a nemyslím, že by sa nejako veľmi podobala na mňa. Nos a ústa máme iné. Možno máme podobné oči a uši," pripustil.

„Takže možno to ani nie je vaša dcéra," namietla som.

„Ani na Everetta sa nepodobá. Veď si videla jeho podobizne. Čo povieš?"

„Možno existoval ešte niekto iný."

„Čože? Niekto iný?" Pokrútil hlavou. „Nie, nikdy."

„Prečo nie? Ak moja stará mama mala románik s vami, mohla ho mať aj s niekým iným."

Na okamih sa na mňa vyjavene zahľadel, akoby mu čosi také nikdy ani len nezišlo na um.

„Alebo ste aj vy, Jake, nóbl človek ako môj starý otec a čosi také si neviete ani predstaviť?" spýtala som sa ho.

Naďalej na mňa vyjavene hľadel, potom sa usmial a potriasol hlavou.

„Nie, Frances mi jednoznačne povedala, že o tom niet pochýb. Keď sme raz neskoro popoludní, tesne pred západom slnka, stáli pri prístavisku, tie jej slová nikdy nezabudnem, povedala: ‚Spôsobili sme strašný zmätok, Jake.‘ Jasné, že som jej nerozumel."

„„Čo to znamená, Frances?‘ spýtal som sa."

„„Mám v sebe plody vášne,‘ povedala. Presne tieto slová. Nejaké plody. ‚Priveľa neviazanej rozkoše,‘ dodala, ‚a človek hodí opatrnosť za hlavu.‘"

„Bol som ohúrený. Len som tam stál, pohrával som sa s paličkou vo vode, sledoval vlnky a rozmýšľal. *Čo bude ďalej?*"

„„Rozhodne už takto pokračovať nebudeme, Jake. Prepáč. Prepáč, že som ťa tak veľmi potrebovala,‘ povedala mi a odišla."

„Mal som pocit úplnej prázdnoty. Pripadal som si ako škrupinka. Každú chvíľku mohol ponad vodnú hladinu zaduť vietor, zdvihnúť ma ako šarkana a odviať ponad stromy."

„V istom zmysle ma vlastne aj odvial, pretože som sa potom prihlásil do vojenského loďstva."

Sedel tam ticho, neprítomne hľadel do taniera a na prázdny pohár od vína a potom zatvoril oči.

„Frances bola jediná žena, ktorú som kedy miloval," pokračoval. „Nebol som schopný milovať nikoho iného. Akoby som od osudu dostal iba dávku lásky pre jednu ženu, a ja som ju všetku venoval jej. Vrátil som sa a pracoval som potom pre ňu len preto, aby som mohol byť v jej blízkosti."

„Niekedy, keď som ju niekam viezol, som si predstavoval, že nie som iba jej najatý šofér. V duchu som nás videl ako manželský pár a viezol som ju niekam presne tak, ako by manžel viezol svoju manželku. Ak s nami šla aj Victoria, cítil som sa ako ktorýkoľvek manžel a otec."

Všetci istý čas trávime v predstavách, pomyslela som si. Všetci.

„Tuší niečo Victoria? Prezradila jej to stará mama?"

„Nie, nie," rýchlo odvetil Jake. „Práve preto som chcel,

aby si to vedela. Keby ťa pritlačila k múru, môžeš s tým na ňu vyrukovať a ja to rozhodne potvrdím."

„Vieš, existujú krvné testy, ktoré to bez akýchkoľvek pochybností môžu potvrdiť. Určite to vie, takže si nebude až natoľko istá. Zosadí ju to z toho jej prevysokého piedestálu," tvrdil.

„Lenže tým sa zároveň odhalí tajomstvo starej mamy Hudsonovej. Nemyslím, Jake, že čosi také dokážem urobiť."

„Ale určite dokážeš. Keď tá chvíľa nastane, urobíš to. Poznala si ju dosť dobre na to, aby si vedela, že jej by to neprekážalo," povedal presvedčivo.

„Ojoj," pokývala som hlavou. „Stačí len spomenúť rodinné hriechy. Tu by ich zrejme boli plné skrine a hrkotali by ako kostry."

Zasmial sa.

„Radšej už pôjdem," povedal. „Ráno musím skoro vstávať a ísť po nich do Richmondu na letisko."

„Nedáte si predtým ešte trochu kávy?" Ponúkla som mu ju, pretože skonzumoval tak veľa vína, nezdalo sa však, že by ho to vyviedlo z miery.

„Nie, vďaka. Večera bola úžasná. Chceš, aby som ti pomohol s riadmi?"

„Nie, Jake. Neviete, že v tom mám veľké skúsenosti?" Narážala som na čas strávený u sestry starej mamy v Londýne, ale aj na čas, prežitý v tomto dome.

„V poriadku, dobre. Možno ťa uvidím popoludní, keď ich priveziem."

„Aha, zostávajú aj cez noc?" spýtala som sa náhlivo.

„Nie, beriem ich späť na let o deviatej."

Fajn, pomyslela som si. Jake ma pobozkal na líce a odišiel. Keď sa za ním zavreli dvere, prázdnota obrovského domu na mňa doľahla ako nejaký temný mrak. Akoby hustá tma pod ešte vždy zatiahnutou nočnou oblohou zmenila okná na zrkadlá, ktoré na mňa vysielali moju odrazenú podobu, keď som šla cez izby. Vietor bol ešte vždy dosť silný a trámy domu vŕzgali a stonali. Aby sa navôkol šírili aj iné zvuky, zapla som televízor a naladila hudobný kanál. Nastavila som ho dosť nahlas, aby som ho počula, kým upracem v jedálni a potom v kuchyni.

Neskôr som sa vrátila do obývacej izby a pozerala nejaký program, až kým mi viečka neoťaželi a nepristihla som sa, že podchvíľou zaspávam. Dnes budem dobre spať, pomyslela som si, ale ako som kráčala hore schodmi, pridalo sa ku mne napätie zo zajtrajšieho rodinného stretnutia. Keď mi hlava spočinula na vankúši, všade okolo mňa praskali výboje statickej elektriny a ich drobučké blesky mi vypaľovali bodky na mozgu.

Nech som sa akokoľvek obrátila alebo si podhŕňala vankúš pod líca, o chvíľu som sa už cítila nepohodlne, a znovu a znovu som sa obracala a prehadzovala takmer až do rána. Potom som konečne upadla do spánku ako niekto, kto znenazdajky stúpi do zle prikrytého ropného vrtu a panicky klesá do temnôt. Moje výkriky pritom vystupovali nahor, akoby boli priviazané k stužkám plameňov. Len čo som dopadla na dno, oči sa mi opäť otvorili. Slnečné lúče už zaplavovali izbu vlnami naliehavého a nepoľavujúceho svetla.

Zastonala som. Bolel ma každučký kúsok tela. Zachvátila ma panika, čo keby som ochorela? Toto by bol ten najnevhodnejší čas na chorobu, pomyslela som si. Keď som vstala, nasypala som si trochu sladko voňajúceho prášku do kúpeľa a zostala som vo vani takmer dvadsať minút. Potom som sa obliekla a zišla dolu urobiť si kávu.

Sotva som vošla do kuchyne, zazvonil telefón. Bol to pán MacWaine, majiteľ dramatickej školy v Londýne, práve ten, ktorý ma objavil, a s podporou starej mamy mi pomohol dostať sa do Anglicka.

Bol zvedavý, ako sa mi darí a aké mám plány do najbližšej budúcnosti.

„Je o teba veľký záujem, pýtali sa prinajmenšom už desiati," vravel. „Rozhodne dúfame, Rain, že sa vrátiš," dodal.

„Ďakujem vám. Predpokladám, že sa vrátim. Chystala som sa vám ohlásiť, pán MacWaine, kvôli ubytovaniu v internáte."

„To nebude problém," ubezpečoval ma. „Som veľmi rád, že budeš u nás pokračovať v štúdiu. Som presvedčený, že pani Hudsonová by si to bola želala," uzavrel.

Poďakovala som sa mu za starostlivosť a záujem.

„Aha, prv než zabudnem," pokračoval, „ktosi ťa hľadal a sľúbil som, že ťa o ňom budem informovať. Zrejme si si získala obdiv londýnskeho profesora, doktora Warda. Pozná sa s jedným z členov školskej rady a spytoval sa na teba. Bol na našej prezentácii?"

„Áno," odvetila som. Nič iné ma nenapadlo a len čo som to vyslovila, už som to ľutovala. Kedykoľvek klamem o svojej tajnej minulosti, prispievam k nepravdám a falošným základom tejto rodiny, pomyslela som si. Nenávidela som fakt, že som súčasťou toho všetkého.

„Úžasné," povedal pán MacWaine. „Informuj ma, prosím, o tom, čo vybavíš. Ja sa medzitým postarám o miesto v internáte," prisľúbil.

Rozhovor s ním mi pozdvihol náladu a pripomenul mi, že mám kam ísť a že tam na mňa čaká budúcnosť, ktorú treba už len vziať do vlastných rúk. Rozhodne nie som odkázaná na to, aby som tu uviazla. Aké úžasné, že môj skutočný otec sa na mňa pýtal, myslí na mňa a teší sa, že sa stretneme a lepšie ma spozná. Stará mama sa priveľa ráz sklamala v ľuďoch, aby verila, že stretnutie s mojím skutočným otcom má pre mňa cenu. Chápala som jej cynizmus, nebola som však ochotná sa podľa neho riadiť.

Povzbudená myšlienkami som zrazu pocítila hlad a nachystala som si raňajky. Potom som prešla celý dom a trochu poutierala prach a poupratovala, aby Victoria nemohla na niečo ukázať a poznamenať: „Len sa pozrite, ako náš majetok necháva spustnúť."

Keď som odpratávala riad od raňajok, znovu zazvonil telefón. Tentoraz to bola teta Victoria.

„Tvoja matka a Grant," povedala s toľkou zlobou, že to znelo ako nadávka, „prileti a dnes ráno. My prídeme o druhej. Najprv sa na obede stretneme s naším právnikom," dodala, čo ma očividne malo zastrašiť.

„Zdá sa, že to bude deň právnikov," usúdila som chladne.

„Čo to má znamenať?" zareagovala útočne.

„Aj ja sa mám na obede tu v dome stretnúť so svojím právnikom," oznámila som.

Nemala som sa s ním stretnúť, ale chcela som ju tromfnúť a dať jej najavo, že aj ja dokážem niekoho zastrašovať. Nasledovala dlhá pauza.

„Robíš veľkú chybu, že si taká tvrdohlavá," ozvala sa nakoniec.

„Nie je to zvláštne?" usúdila som.

„Čo je zvláštne?"

„Ja som si myslela, že vy robíte veľkú chybu, že ste taká tvrdohlavá."

Ak niekedy nejaká chvíľka ticha bola vrchovato naplnená výbušnou energiou, tak to bola táto.

„Takže o druhej tam všetci budeme," zopakovala. „Dbaj, aby si tam bola aj ty."

„Niet takého miesta, kde by som dnes bola radšej," povedala som. „Ďakujem za upozornenie."

Keď som zavesila, srdce mi búšilo.

Mne to však znelo, akoby všetci duchovia v dome tlieskali.

Lovec bohatstva

Keď tesne po dvanástej zazvonil zvonček, vedela som, že to nemôžu byť moja matka, Grant a teta Victoria. Bolo ešte priskoro. Moja prvá myšlienka bola, že by to mohol byť pán Sanger, môj právnik, ktorý sa zrejme rozhodol, že sa tu musí zastaviť, aby mi dal rady.

Namiesto toho za dverami stál Corbette Adams. Corbette hral na Dogwoodskej strednej škole Georgea Gibbsa a ja Emily Webbovú v hre *Naše mesto*. Práve táto hra mi získala obdiv pána MacWaina a pozvanie študovať dramatické umenie v Londýne. Corbette bol podľa všetkého najkrajší chlapec v súkromnej chlapčenskej škole Sweet William. Medzi ňou a Dogwoodskou školou, do ktorej som chodila, keď som bývala u starej mamy, boli priateľské vzťahy. Corbette sa po škole predvádzal ako nejaká hviezda z televízneho seriálu a užíval si zbožný obdiv spolužiakov a mojich spolužiačok.

Bol to prvý chlapec, s ktorým som sa milovala, a to, že ho teraz vidím, ma napĺňalo hnevom a pocitom viny. Lenže kto by ma mohol viniť za to, že som vtedy podľahla jeho šarmu a atraktívnosti, najmä keď na mňa tak zapôsobilo všetko to bohatstvo a privilégiá, ktoré si on aj mnohí ďalší užívali? Okolnosti ma vytrhli z jedného sveta a hodili do druhého takmer bez akejkoľvek prípravy.

Corbettove zafírové oči znovu priam zažiarili, keď ma uvidel. Odkedy som ho videla naposledy, sa veľmi nezmenil. Hnedé vlasy s medeným odleskom mal stále neposlušné, na zátylku sa mu vytáčali hore, ale to bola jediná nedokonalosť v jeho inak perfektnom výzore. Napriek tomu, že jeho rodina sa tešila úcte miestnych obyvateľov, v Corbettovi bolo stále čosi vyzývavé, akési nebezpečenstvo, pre ktoré však bol ešte atraktívnejší pre väčšinu dievčat a kedysi vlastne aj pre mňa.

Jeho mocné pery sa usmiali.

„Teraz si ešte krajšia," povedal. „Alebo som možno iba zabudol, aká si krásna."

„Ahoj, Corbette," povedala som chladne.

Naďalej som stála vo dverách a neodstúpila som, aby mohol vojsť. Mal na sebe tmavomodrý pulóver s emblémom školy Sweet William, pod ním svetlomodrú košeľu, džínsy a biele tenisky. V pravej ruke držal kyticu bielych ruží a náhlivo mi ich podával.

Nenačiahla som sa za nimi a na tvári mi ešte vždy zostával výraz nevôle. Corbette prešliapol z nohy na nohu.

„Je mi ľúto, že pani Hudsonová zomrela," povedal. „Moji rodičia boli na pohrebe a počul som, aká si tam bola krásna a dôstojná. Na mnohých ľudí urobilo veľký dojem, že si bola taká smutná a dojatá, hoci si bola len chránenkyňou pani Hudsonovej, a to navyše iba krátko. Veľa sa klebetí o tebe a o tom, čo ti asi odkázala v závete," dodal s úsmevom neviazaného sebavedomia, ktorým som tak opovrhovala.

Nie div, veď kedysi, keď sa mu podarilo získať si ma, ponáhľal sa s tým pochváliť, správal sa ku mne ako k nejakej trofeji, ktorú môže povýšenecky zahodiť.

Ešte vždy som si tie ruže nebrala. Pohľadom som z ruží prešla naňho a naďalej som sa tvárila ľahostajne.

„Čo vlastne chceš, Corbette?" spýtala som sa rázne.

„No, prišiel som sa iba pozrieť, ako sa ti darí, a vyjadriť ti úctu."

„Nemyslela som si, že vieš, čo znamená úcta," odvrkla som.

Keď som ho tu pred sebou videla, uvedomila som si, že čas neubral na rozpakoch a ponížení, ktoré som pociťovala v ten deň, keď priviedol svojich kamarátov zo školy, aby sa pozreli, ako jazdím na koni. Z ich rozškerených tvárí mi bolo okamžite jasné, že im všetko rozpovedal o našej dôvernej noci po divadelnom predstavení. Pokúšal sa zariadiť, aby som sa vyspala s jedným z jeho priateľov. Ponúkal ma, akoby som už bola jeho majetok a mohol ma poskytnúť komukoľvek a kedykoľvek chce.

Keď videl, že naďalej stojím vo dverách ako kamenná socha, kývol hlavou a spustil ruku s ružami.

„Viem, viem," vravel. „Máš plné právo hnevať sa na mňa."

„Ďakujem, že mi dávaš dovolenie," zareagovala som.

„Vtedy som bol cvok. Chcel som sa naparovať a jasné, že to bola hlúposť," priznal. Kývol plecami. „Vieš, že chlapci niekedy vedia byť hrozní somári. Viac som bol zahľadený do svojej vlastnej reputácie a výzoru ako do toho, či konám správne. Naše mužské ego nás vháňa do problémov," ponosoval sa, kývnuc hlavou. „V ten deň som sa skrátka prejavil ako pubertiak. To mi je teraz úplne jasné. Keby som sa tak mohol vrátiť v čase a vraziť si jednu do ksichtu."

Oči sa mu zahmlili výčitkami.

Pokrútila som hlavou. Ako ľahko vie predstierať iné postoje a pocity. Nečudo, že bol tak dlho najlepším hercom v škole. Keď sa nejaké dievča zadívalo do tej peknej tváre s dokonalým nosom a do tých krásnych očí, len ťažko mohlo zostať rozhodné a opatrné. Človek mu jednoducho chcel veriť. Veriť, že všetky sladké slová myslel vážne, a ignorovať všetky opačné signály a varovania.

Muži sa neustále sťažujú na to, že ženy zneužívajú svoj výzor a šarm na to, aby ich prilákali a ulovili. Corbette Adams bol jasnou ukážkou toho, že v tom môžu vynikať aj muži. Prišlo mi na um, že Catherine a Leslie, moje dve francúzske kamarátky z Londýna, vytvárali o sebe predstavu *osudových žien.* Corbette však bol rovnako osudový pre ženu, ako ženy bývajú pre mužov.

„Som rada, že si to vyčítaš, Corbette. Ďalšie dievča, ktoré zvedieš, sa možno nebude cítiť také ponížené a pošpinené, ako som sa kvôli tebe cítila ja. Vďaka, že si sa tu zastavil," dodala som a chcela som pred ním zatvoriť dvere.

„Počkaj," zvolal a natiahol ruku proti zatvárajúcim sa dverám. „Môžem sa chvíľočku s tebou porozprávať, čo je nové a tak? O dva týždne odchádzam na univerzitu a budem preč celé mesiace."

„Naozaj si nemyslím, Corbette, že si toho máme veľa čo povedať."

„Ale v tom sa mýliš," namietal. „Mal som tohto roku zopár kamarátok, ale žiadna z nich nebola taká pekná a inteligentná ako ty. Veľmi skoro som zistil, aký som bol hlupák, že som sa k tebe tak zle správal. Nekašli sa," prosíkal. „Dovoľ mi aspoň sa riadne ospravedlniť. A ak ma aj potom ešte budeš chcieť vyhodiť, dokonca ti v tom pomôžem."

Opäť mi podával ruže.

Všetko vo mne, dokonca aj moje priveľmi zraniteľné srdce, mi radilo, aby som mu ich hodila do tváre a zavrela dvere, ale neurobila som to. Možno som sa nudila. Možno sa mi iba žiadalo myslieť aj na niečo iné ako na príchod mojej matky. A tak namiesto toho, aby som zavrela dvere, vzala som od neho ruže a poodstúpila.

„Dobre, môžeš na chvíľku vojsť, ale asi o hodinu majú sem prísť nejakí ľudia na dôležité stretnutie."

„Vďaka," povedal, keď vchádzal. Rozhliadol sa, očividne trochu prekvapený, ako keby si myslel, že z domu bezprostredne po smrti starej mamy zmiznú všetky cennosti.

„Čo je?" spýtala som sa.

„To je teda riadny dom, to teda hej. Mama o ňom stále rozpráva. Veľmi rada by ho kúpila."

„Možno na to bude mať príležitosť," povedala som odmerane a zaviedla ho do salóna. Kvety som dala do vázy. Boli prekrásne, mali žiarivú krémovobielu farbu a výraznú sviežu vôňu.

„V okolí sa hovorí, že ty si zdedila takmer všetko. Naozaj?" spýtal sa jedným dychom.

„Takže o to ide," povedala som, obrátiac sa k nemu. „Prišiel si po dobre šíriteľné klebety. Stavím sa, že si sa vystatoval, že zo mňa vytiahneš všetky podrobnosti, však, Corbette?"

Potriasol hlavou, že začne protestovať, a ja som sa zasmiala.

„Len si pokojne sadni, Corbette," povedala som tónom, ako by som sa prihovárala malému nezbednému chlapcovi. Kývnutím som ukázala na stoličku vpravo.

Sadol si a ja som sa usadila oproti na malú pohovku. Chvíľočku som sa naňho iba pozerala upreným pohľadom. Trochu z toho zneistel.

„Si iná," povedal. „Akoby si bola veľmi zatrpknutá. Čo sa to s tebou v Anglicku stalo?"

„Nie som ani viac, ani menej zatrpknutá ako pred odchodom do Anglicka. Len som trochu zrelšia," povedala som. „Pokiaľ ide o teba, nezdá sa mi, že by si sa veľmi zmenil." Nemyslela som to ako kompliment, ale on to tak zobral.

„No pozri," roztiahol ruky. „Načo tu niečo naprávať, keď to nie je doráňané?"

„Kto povedal, že to nie je doráňané?" odvrkla som, likvidujúc mu z tváre samoľúby úsmev.

Prikývol.

„Vždy si bývala razantnejšia než ostatné dievčatá v Dogwoodskej škole. Vedel som to od začiatku a páčilo sa mi to," dodal so širokým úsmevom. „Vždy si mala guráž. Kto by chcel nejakú ďalšiu bábiku Barbie?"

„Za normálnych okolností by to znelo ako kompliment, ale z tvojich úst to znie takmer ako urážka. Dobre, Corbette," obrátila som list, oprela som sa a založila som ruky, „tak mi rozpovedz, čo máš nové. Ako ti ubehol rok na univerzite?"

„No, úžasne. Hral som v jednej hre a vyznamenali ma poprednou úlohou. Podľa všetkého som jedným z mála prvákov, ktorému sa to kedy podarilo."

„Aká to bola hra?"

„*Smrť obchodného cestujúceho*. Hral som Biffa. Poznáš tú hru, však?"

„Samozrejme," povedala som súhlasne. „Viem si ťa predstaviť ako Biffa."

Narážala som na to, že ide o postavu, ktorej ego je neúmerne nafúknuté v porovnaní s tým, kým skutočne je a čo dokáže, lenže Corbette videl iba to, čo chcel vidieť. Začala som uvažovať, či vlastne nejde o chorobu postihujúcu bohatých a privilegovaných tohto sveta.

„Zožal som za to predstavenie množstvo komplimentov. Vážne sa zamýšľam nad tým, že by som šiel do Hollywoodu, možno ešte pred skončením štúdia. Jeden z mojich kamarátov v škole má strýka, ktorý je filmový agent, a povedal mu o mne. Možno ma raz uvidíš v kine," nafukoval sa Corbette.

„Mne sa vidí, že to by v tvojom prípade bolo veľmi prirodzené, Corbette."

Na okamih sa na mňa vyjavene pozrel, ale vzápätí si uvedomil, že to nie je pochvala.

„Ty ma rozhodne nemáš v láske. No a jediný, kto za to môže, som ja."

„Už na teba vôbec nemyslievam a necítim k tebe vôbec nič, Corbette."

Znovu sa rozžiaril a opäť zámerne ignoroval význam mojich slov.

„Dúfal som, že by sme mohli zakopať vojnovú sekeru a možno si niekam spolu vyjsť. Rád by som ťa dnes pozval na večeru." Vzápätí zdvihol ruky dlaňami ku mne. „Nemám žiadne postranné úmysly, ani ťa neplánujem zavolať k sebe. Ani ťa nepobozkám na dobrú noc, ak to nebudeš chcieť," sľuboval.

Pokúšalo ma povedať áno už len preto, aby som bola s nejakým rovesníkom a vymanila sa z tohto napätia a zmätku.

Moje váhanie si vyložil ako nádej.

„Počuj, objavil som úžasnú taliansku reštauráciu. Je malá a útulná. Mohli by sme si tam posedieť, porozprávať sa a lepšie sa spoznať. Vieš, teraz už máme veľa spoločné," dodal.

„A to má znamenať čo?"

„No, teraz si už významnou majiteľkou usadlosti. Zdedila si isté bohatstvo. Už nie si nejaké chudobné dievčatko z mesta, ktoré je závislé od niečej dobročinnosti. Už si iná."

„Vôbec nie som iná, Corbette, než som bola pred týmito udalosťami. Zdá sa ti, že peniaze automaticky zo mňa urobia lepšieho človeka? Takto ty hodnotíš ľudí?" pustila som sa doňho.

„Nie, rozhodne nie," potriasol hlavou. „Dokelu, nútiš ma, aby som každé slovo zvažoval, akoby sme boli na nejakom súde či čo. Možno by si mala ísť študovať právo."

„Možno pôjdem. Zdá sa, že právnici teraz začali byť rovnako dôležití, ako bývali lekári," povedala som a mala som na mysli všetko to, k čomu sa schyľovalo medzi mojou matkou a tetou.

Zasmial sa.

„Tak je. V televíznej reklame by namiesto o kreditnej karte mohli vravieť ‚Ani na krok bez právnika'," odrecitoval, pričom tie slová písal do vzduchu medzi nami.

Musela som sa usmiať.

„To už je lepšie. Veď predsa nemusíme viesť slovné súboje."

Vari som nejaká hlupaňa, že som dovolila, aby jeho sladké rečičky a úsmevy roztopili moju schopnosť brániť sa? Kedysi ma stará mama naučila príslovie: „Ak ma oklameš raz, hanba tebe, ak ma oklameš aj druhý raz, hanba mne."

Zrazu mi prišlo na um, že skúsim otestovať Corbettovu úprimnosť.

„Možno nemám až toľko peňazí, ako si myslíš, a možno nevlastním nijakú usadlosť. Možno všetko, čo si počul, je iba nafúknuté. Možno iba čakám, kedy dostanem vyslobodzujúce papiere, aby som odtiaľto vypadla, a už ma tu nikto neuvidí, ani o mne nebude počuť."

Úsmev mu zamrzol a pomaly sa stratil.

„Ako je to v skutočnosti?" spýtal sa.

Len tak pre seba som sa pousmiala, keď som videla, ako sa v jeho úžasných očiach rozhostila neistota a ubrala z ich čara a ligotu.

„Nuž," začala som pritlmeným hlasom a rozhliadla som sa okolo seba, „poviem ti to, keď prisľúbiš, že to nevytáraš."

„No dovoľ, ja nie som nejaký klebetník."

„Dobre. Povedali, že tu môžem určitý čas zostať, ak budem v dome udržiavať čistotu."

„Čože?"

„Vlastne chceli, aby som tu nejaký čas zostala a starala sa o všetko. Prirodzene, že mi budú platiť, a dokonca mi zaplatia aj lístok na vlak kamkoľvek, kde potom budem chcieť odísť. Myslím, že to tu všetko chcú asi tak o mesiac predať. Dovtedy tu musí niekto byť, aby na všetko dozeral, a nik z rodiny pani Hudsonovej tu nie je ochotný bývať."

„Takže vravíš, že ti nenechala nijaký balík peňazí?"

„To teda sotva," povedala som so smiechom. „Vari si ľudia čosi také naozaj myslia?"

On iba vyjavene civel.

„Nuž, vybavila mi, aby som sa na ďalší rok vrátila do

Anglicka, a dúfam, že získam štipendium na vreckové, ale ak sa mi to nepodarí...“

„Potom čo?“

„Mám sesternicu, ktorá vedie obchodný dom v Charlotte, a tá vravela, že by ma mohla zamestnať v kozmetickom oddelení.“

„Takže to by si sa ani nevrátila na univerzitu?“

„Na istý čas nie. Nemohla by som si to dovoliť,“ povedala som. „Veď vieš, aká drahá môže byť univerzita, no a ja nemám nijakého chlapíka, ktorý by ma vydržiaval. Ja nemám dokonca ani otca,“ dodala som ostrejším hlasom a privrela som viečka.

Prikývol a iba zízal. Zrazu začal byť veľmi nepokojný a mrvil sa na stoličke.

„Aké to tu máš o chvíľu stretnutie?“ spýtal sa ešte vždy trochu skepticky.

„Iba mi majú dať nejaké inštrukcie,“ povedala som čo najľahostajnejšie. Potom som sa usmiala. „Takže ty ma chceš vziať na večeru? Asi o ktorej?“ spýtala som sa.

„Čo? No, hm... najprv musím zistiť, či sa mi podarí rezervovať miesta. Je to malý podnik a v poslednom čase je veľmi populárny.“

„Chceš si zavolať odtiaľto? Pokojne môžeš, ak to nie je medzimestský hovor. Sľúbila som, že nebudem volať medzimesto,“ vysvetlila som.

„Naozaj? No, odtiaľto by to tuším bolo medzimesto. Jasné, bolo. Môžem zavolať z domu a dám ti vedieť,“ uzavrel.

„Fajn.“

Nepokojne sa vrtel a pozeral smerom ku dverám.

„Vieš, fakt si mal čistú pravdu, keď si hovoril, aby som ti dala šancu sa ospravedlniť. Nie je správne zotrvávať v nepriateľstve voči niekomu a každý by mal dostať druhú šancu, nemyslíš?“ spytovala som sa.

„To určite,“ odobril.

„Chalani sú chalani, teraz si však už starší a múdrejší. Som si istá, že niečo také sa už nestane. Skrátka viem, Corbette, že teraz si už ohľaduplnejší človek. Mimochodom, ako sa má tvoj brat?" spýtala som sa.

Natoľko sa hanbil, že jeho brat má Downov syndróm, že o ňom hovoril, akoby bol mŕtvy. Zistila som, že žije, a keď som mu to vyčítala, všetku vinu zvalil na svoju matku, ktorá sa s tou skutočnosťou nevedela vyrovnať. Pravda bola taká, že preňho bolo jednoduchšie tvrdiť, že jeho brat je mŕtvy, pretože preňho akoby bol mŕtvy.

„Má sa. Ako vždy," odpovedal náhlivo. Pozrel sa na hodinky. „No, radšej by som už mal pohnúť kostrou, ak mám vybaviť dnešnú večeru."

„Tak skoro? Veď sme si ani nestihli porozprávať o tom, čo je nové," povedala som.

„No... no, budeme mať fúru času neskôr," nadhodil.

„Tak je, budeme, však? Fajn," povedala som a vstala. On doslova vyskočil na rovné nohy. „Ďakujem za ruže a že si sa zastavil."

„Jasné."

„Prosím ťa, neroznášaj veľmi, čo som ti povedala," zachmúrene som mu pripomenula.

Potriasol hlavou.

„Nebudem."

„Dobre." Usmiala som sa naňho a odprevadila som ho ku dverám.

„Zavolám ti o niekoľko hodín. Jedine ak by mi v tom niečo zabránilo," dodal. „To by som ti potom zavolal zajtra alebo pozajtra, dobre?"

„Samozrejme," prikývla som. „A nezabudni, ako veľmi sa teším na to, aby som ťa lepšie spoznala, ako si povedal," pripomenula som mu.

Prikývol a odkráčal. Bola som si istá, že ho už neuvidím.

„Sledujem, že ešte vždy máš to športové auto."

„No, mám. Tento rok si ho beriem so sebou na univerzitu," povedal. „Prvákom nedovoľujú mať v areáli univerzity auto."

„Vidíš," podotkla som. „Byť starším skutočne prináša nejaké výhody. Každý si myslí, že človek je vtedy múdrejší."

„Tak je."

„Ja viem, že som múdrejšia," povedala som, kým sa náhlil k autu. Pozerala som sa, ako nastúpil a naštartoval motor. Potom som mu zamávala. „Viem, že som múdrejšia," zopakovala som s privretými očami.

Auto odfrčalo a ja som sa vrátila dnu a zavrela som za sebou dvere. Chvíľu som postála v hale a uvažovala.

Toto bola príučka, príučka o peniazoch a o tom, aké sú nesmierne dôležité.

Bola som vďačná Corbettovi, že sa tu zastavil a dal mi túto lekciu. Vďaka nej som sa cítila silnejšia a ešte odhodlanejšia prežiť blížiace sa stretnutie.

Vôbec nemuseli zvoniť. To mi mohlo dôjsť. Victoria mala od tohto domu svoj vlastný zväzok kľúčov. Práve som odkladala riad od obeda, keď som začula, ako sa jej hlas rozlieha po vstupnej hale a odráža sa od stien ako nejaká ostro vypálená tenisová loptička.

„Chcem, aby každučký umelecký kus bol ohodnotený, a niektoré zo štýlových predmetov v tomto dome predstavujú umelecké starožitnosti. Matka sa nikdy nestarala o to, čo koľko stojí. Nemala ani potuchy, pražiadnej potuchy, čo vlastne zanecháva."

Urobila som pár krokov a zazrela som ich vo vstupnej hale. Moja matka vyzerala elegantne v čiernom koženom saku, priliehavej blúzke a pletenej sukni po členky. Teta Victoria bola vo svojom zvyčajnom dvojradovom kostýme a Grant mal oblečený tmavomodrý pásikavý oblek.

Od prvej chvíle, keď som stretla svoju skutočnú matku, som videla, aké sme si podobné. Bola asi taká vysoká ako ja, štíhla a útla. Mali sme oči rovnakej farby a skoro taký istý tvar brady. Čelo nemala také široké a jej nos bol menší, ale úplne rovný a na končeku zaostrený.

Jamka v líci sa jej striedavo zjavovala a mizla bez akejkoľvek príčiny alebo možno reagovala na nejakú myšlienku, ktorá jej prebleskla hlavou. Vždy som bola zvedavá, čo vlastne moja skutočná matka videla, keď sa pozrela na mňa. Videla podobnosť medzi mnou a mojím otcom a vyvolalo to v nej nejaké romantické spomienky? Alebo videla iba žijúci a dýchajúci problém, ktorý pripomínal osudovú chybu? Už dávno som prestala dúfať, že sa na mňa niekedy pozrie tak, ako by sa matka mala pozerať na dcéru: s očami plnými pýchy a lásky.

Dnes mala oči potemnelé od obáv. Kedykoľvek ich obrátila na mňa, zakaždým razantne vyslali ku mne prosbu, nech všetok ten stres odstránim. Akoby som počula jej modlitbu: nech sa môžem vrátiť do svojho sveta fantázie, nech môžem naďalej plávať po vlnách svojich šťastných ilúzií, ignorovať čokoľvek nepríjemné a odpratať starosti a obavy do nejakej spodnej zásuvky, aby sa na ne zabudlo. Prosím, modlikali tie oči, len čo ku mne vo vstupnej hale obrátila tvár, prosím, Rain.

Grant bol ako vždy pokojný a distingvovaný. Jeho oblek vyzeral, akoby ho práve zobrali z vešiaka v obchodnom dome. Tento dobre vyzerajúci muž mal husté bledohnedé vlasy, ktorých farba sa podobala na seno, prežiarené hravými lúčmi slnka. Všimla som si to na pohrebe starej mamy a aj v nasledujúcich dňoch. Ktovie ako, ale po celý rok mal rovnaký odtieň vlasov. Podozrievala som ho, že navštevuje niektorý kadernícky salón, kde mu vlasy farbia. Popri tmavej pokožke tváre dobre vynikal odtieň jeho modrozelených očí, ktoré vždy vyzerali veľmi inteligentne. Keď sa zahľadel na mňa, priam som cítila, ako sústredene hľadá každý náznak myšlienky v mojej tvári. Nie div, že bol taký úspešný na súde a ako vyjednávač.

Sotva som sa objavila, Victoriina prísna, úzka a kostnatá tvár len mne vyslala svoje posolstvo zúrivosti. Victoria vzápätí vystrela plecia a jej dlhý krk ustrnul. Po tom, čo mi prezradil Jake, som neodolala pokušeniu hľadať v jej výzore nejakú jemu podobnú črtu. A naozaj sa mi teraz videlo, že majú podobné ústa, bradu a dokonca aj tvar očí. Ibaže Victoria nemala v tvári ani trochu z jeho žoviálnosti a ani náznak jemnosti či spoluúčasti. To, čo Jakovi vyčarilo na perách potešenie a smiech, vyvolalo u nej iba úškľabok a nevôľu. Nevedela som si predstaviť, ako by mohla byť jeho príbuzná, a už vonkoncom nie, že by bola jeho dcérou.

Jake mal pravdu: mohla by som ju hlboko raniť, keby som jej to povedala. Bola presvedčená o svojom aristokratickom pôvode.

„Všetci pôjdeme do salóna," vyhlásila.

„Hneď tam prídem," odvetila som a zámerne som sa vrátila do kuchyne dokončiť odkladanie riadov. Chcela som ich nechať čakať.

Keď som nakoniec vošla, hneď som postrehla, že môj neskorší príchod vybičoval Victoriinu zlobu na hranicu explózie. Jej líca, zvyčajne poblednuté, boli karmínovočervené a oči jej žiarili, akoby za nimi planuli zápalky.

„Ak máš pre nás čas, radi by sme sa rozumne a vecne porozprávali," povedala.

Moja matka a Grant sedeli na pohovke. Grant bol opretý a nohy mal prekrížené. Matka vyzerala veľmi nesvoja, mala spustené plecia a sklopený zrak. Letmo na mňa vzhliadla, čo sa chystám urobiť.

„Aj ja vás všetkých zdravím," ozvala som sa a sadla som si na stoličku oproti Victorii.

Nenáhlivo sa obrátila ku Grantovi, ktorého očividne

poverili vedením stretnutia. Bola som si istá, že na obede pred príchodom sem si zrejme precvičili každé slovo.

„Rátala si s tým, že prídeme, však?" začal tichým hlasom.

„Nie, nie celkom. O vašom príchode som sa dozvedela len od Jaka, ktorý mi povedal, že vás ide vyzdvihnúť do Richmondu. Prečo, to som mohla iba hádať."

Grant sa obrátil k Victorii, ktorá sedela vzpriamene, s rukami na operadlách stoličky a vyzerala ako nejaká kráľovná, čo sa chystá vysloviť rozsudok nad svojím podriadeným. Nervózne pritom pokyvkávala tenkým dlhým ukazovákom.

„Myslel som si, že si jej zavolala," namietol.

„Aký je v tom rozdiel? Veď sa nikam nechystala," bránila sa. Potom tichšie dodala: „Vedela som, že Jake jej to povie."

Zdvihla zrak a pozrela na Granta s očividnou obavou, že sa mu to nebude páčiť.

„V poriadku. Ospravedlňujem sa za to, ako to vypálilo, Rain. Nemienili sme k tebe takto vtrhnúť."

„To nič," ozvala som sa.

„Dobre. Takže keď sa už veci trochu ozrejmili, všetci by sme mali s náležitým odstupom jasne a rozumne pouvažovať, čo sa udialo, a čo by sa malo urobiť, a to v prospech všetkých zúčastnených," dodal náhlivo.

„Na to sa zdá už priveľmi neskoro," adresovala som slová smerom k matke, ktorá sa naďalej vyhýbala môjmu pohľadu.

„Áno, nuž opakovanie chýb nikomu neprospeje. Je to ako otváranie rán a strhávanie chrást, sprevádzané prúdmi krvi. Zahojenie sa už dávno premeškalo," komentoval.

Grant mal silný, zvučný hlas, s ktorým narábal úprimne a s citom. Bude z neho úžasný kandidujúci politik, pomyslela som si.

Ukradomky som pozrela na Victoriu a zbadala som, ako sústredene ho sleduje, akoby to rozprával jej a nie mne. Keď sa dívala naňho, uvedomila som si, že sa jej v tvári zračí nejaké pohnutie. To moju zvedavosť napínalo takmer rovnako ako cieľ stretnutia.

„Takže nikto tu nie je na to, aby ti odoprel, čo ti právoplatne patrí. Nikto z prítomných si nepraje, aby si sa vrátila do svojej predchádzajúcej neblahej situácie," pokračoval.

„Nikto?" spýtala som sa, pozrúc na Victoriu.

„Nikto," zdôrazňoval. „Lenže," dodal, „je tu aj zrejmé neprimerané uplatnenie dobrých úmyslov, očividná nevyváženosť. Som presvedčený, že pani Hudsonová všetko toto považovala za príležitosť, ako učiniť zadosť spravodlivosti. Ako ktorákoľvek iná matka aj ona chcela napraviť krivdy, ktoré napáchalo jej dieťa," vysvetľoval.

Kým hovoril o mne a o tom, ako sa moja matka zaplietla s americkým černochom, vôbec na ňu nepozrel. Akoby hovoril o akomkoľvek klientovi. Zjavne bol neustále profesionálom a vedel sa odosobniť aj od svojej manželky.

Matka naďalej upierala zrak na dlážku, zdvihla pravú ruku a nervózne si ňou šmátrala po hrdle, akoby sa chcela pohrávať s nejakým perlovým náhrdelníkom, a ľavou rukou si šúchala koleno. Vyzeralo to, akoby sa pridŕžala nejakého zábradlia, aby nespadla.

„Nemyslím, že by stará mama bola čokoľvek urobila z pocitu viny," povedala som. „Nebola ten typ. Robila to, čo považovala za správne, a mala na to svoje dôvody. Môžete tomu hovoriť nevyváženosť alebo použiť akékoľvek iné bombastické slovo, ale tak sa rozhodla a v tej chvíli nepochybne bola celkom pri zmysloch. Jej právnik je ochotný odprisahať to ako svedok."

„Viem, viem," vravel Grant ešte vždy miernym tónom, „keď všetky tieto veci dospejú až do súdnej podoby, to, čo sa zdá jasné a jednoduché, sa neraz ukáže ako dosť komplikované. Pán Sanger bude prvý, kto na lavici svedkov pripustí, že nemá kvalifikáciu posúdiť niečí duševný stav. Nemá vzdelanie psychiatra ani lekára. Je iba advokát plniaci príkazy svojho klienta."

Grant sa usmial.

„Iný dobrý advokát to všetko objasní a potom, ak existuje, a ja sa obávam, že existuje, nejaký dôvod veriť, že pani Hudsonová bola v tom čase pod veľkým citovým a psychickým nátlakom, veci sa môžu zrazu javiť v inom svetle, najmä objektívnej tretej strane."

„No a teraz sa pozrime na fakty, Rain. Nebývala si tu s ňou až tak dlho, než si odišla do Londýna. Pred tvojím odchodom mala pani Hudsonová veľké problémy s udržaním pomocníc. Buď ony neznášali ju, alebo ona ich."

„Duševne bola absolútne v poriadku," naliehala som. „Odprisahá to aj Jake."

„Jake! Jej osobný šofér? Ďalší odborník na lavici svedkov," komentovala Victoria.

Vtedy som takmer s výkrikom zvolala: „Toho muža ponižuješ, akoby bol nejaký niktoš, ale zhodou okolností je tvojím otcom práve šofér!" V tej chvíli mi však prišlo na um Jakovo varovanie, aby som si tú informáciu držala v talóne ako posledný tromf.

Grant sa na ňu díval s výčitkou v pohľade a ona potriasla hlavou a odvrátila zrak.

„Nech už je to akokoľvek, Rain, očividne si veľmi bystré mladé stvorenie," pokračoval. „Vieš, k čomu to všetko môže viesť. Nakoniec si to aj tak odtrpí rodina. Tvoj život sa zamotá a veľmi ľahko sa môže stať, že nakoniec získaš omnoho menej, ako by si mala alebo mohla dostať, ak budeš súhlasiť s tým, že sa so mnou pozhováraš a budeš rozumná."

„Niet príčiny, pre ktorú by sme my všetci nemali v tejto veci postupovať veľmi priateľsky a vzájomne dbať o svoje záujmy," pokračoval. „Som si istý, že presne to si pani Hudsonová želala, však?"

Moja matka náhlivo vzhliadla, aby videla moju reakciu. Určite uvažovala: Som taká ako ona? Osloví ma Grantov tichý, starostlivý a uvážlivý tón v hlase? Budem hľadať spôsob, ako sa vyhnúť konfliktu a nepríjemnostiam? Ako by mohli byť moje reakcie odlišné od jej, ktorá si vždy zvolí to najľahšie riešenie, odhliadnuc od toho, akú cenu zaň zaplatí zo svojej sebaúcty?

Pozrela som na Victoriu a v duchu som sa pousmiala, keď som si spomenula, ako o mojej matke hovorila starej mame.

„Megan sa bojí, že ak by čo i len raz uvažovala ako dospelá osoba, urobili by sa jej z toho vrásky," povedala.

Stačilo, aby sa Victoria pozrela na mňa, a hneď videla, že to nebola moja najväčšia obava.

„Som presvedčená," povedala som pomaly, „že moja stará mama urobila, čo chcela, a očakávala, že jej deti to budú rešpektovať."

Grant na mňa chvíľu vyjavene hľadel. V kútiku očí som mu videla rozčarovanie v podobe tenučkých vrások, ktoré sa predlžovali ako tenké puklinky na sklenej tabuli.

„Keď som sa s tebou naposledy rozprával, spomenul som sumu okolo pol milióna dolárov. Právnici budú veľmi drahí pre obidve strany. Myslím, že ak by si si z tejto situácie odniesla milión dolárov, budeš mať vynikajúcu šancu vybudovať si úspešný život," povedal náhlivo. „Najmä ak ich rozumne investuješ. Môžem ti s tým pomôcť."

Victoria vyzerala, akoby zhltla kôstku z broskyne, a tá jej uviazla v hrdle. Tvár jej úplne očervenela. Moja matka vyzerala prekvapene. Podľa mňa sa Grant sám od seba rozhodol, že ponuku zvýši z pol milióna na milión dolárov.

„To je veľa peňazí," povedala moja matka takmer šeptom a usmiala sa.

„Nejde mi natoľko o peniaze," namietla som.

„Takže o čo ti ide? Prečo by si tu chcela zostať a absolvovať taký nechutný súdny spor?" položil Grant praktickú otázku.

„Ide o to, čo chcela stará mama," povedala som. Vedela som, že som to už toľko ráz opakovala, akoby to bola nejaká zariekacia formulka, akýsi popevok, ktorý by mal odstrániť napätie, bolo to však čosi, v čo som skutočne verila.

„Zrejme si nemyslíš, že chcela, aby každý na každého nenávistne mieril, však? Že by bola chcela, aby sa meno jej rodiny vláčilo po blate a verejne rozmazávalo na titulných stranách? Zrejme si nemyslíš, že ona a jej manžel celý život pracovali kvôli niečomu takému? Ak si ju naozaj mala rada a ak ti skutočne záleží na jej dedičstve, niečo také určite nedopustíš."

„Ani nikto z vás," odvrkla som.

V tej chvíli Grantova tvár očervenela. Oprel sa o operadlo a horúci vzduch z pľúc vypustil cez pootvorené ústa.

„Chcel by si niekto dať nejaký chladený nápoj?" ponúkla som s úsmevom.

Tentoraz sa Victoria zdala spokojná, keď sa obrátila ku Grantovi. Vyzerala, akoby to, čo predpovedala, sa skutočne aj stalo a ju tešilo, keď mala pravdu. Grant potriasol hlavou. Potom sa obrátil k mojej matke, čo zrejme bolo vopred stanovené znamenie, aby začala.

„Nechceš sa vrátiť študovať do Londýna?" spýtala sa ma.

„Uvažujem o tom, že áno. Chcela by som lepšie spoznať aj svojho otca."

„No a ako to chceš urobiť, ak tu uviazneš v bahne súdneho sporu?" spýtala sa. „To určite nechceš, Rain. Niečo také by do tvojho života nemalo vstúpiť. Choď si s Grantom sadnúť do kancelárie a dohodnite sa na kompromise, aby sme to všetko už mohli uzavrieť a byť znovu rodina."

„Rodina? Aká rodina? Ty si svojim deťom dokonca nepovedala ani to, kto vlastne som. Na pohrebe sa na mňa prekvapene dívali, prečo plačem viac ako ony!" rozkričala som sa.

„Ten problém vyriešime," sľubovala.

„Hm," zamrmlala Victoria.

Vedela som, že si myslí, že celý tento problém sa vôbec nemal vyskytnúť.

„Dobre. Urob to, matka," povedala som a vstala. „Pán Sanger mi prikázal vám povedať, že ak máte akékoľvek otázky týkajúce sa testamentu, máte ich adresovať jemu. Než ste prišli, práve som sa chystala urobiť si kávu. Chcel by kávu aj niekto iný?" spýtala som sa.

Všetci traja na mňa vyjavene hľadeli.

„Nerob to, Rain," prosila moja matka. „Tvoja mama by si niečo také neželala."

Cítila som, ako mi zo srdca vyšľahol plameň a zasiahol tvár, najmä oči.

„Ty, matka, si sa stretla s mojou mamou," povedala som pomaly, zabodnúc každé slovo ako šípku. „Videla si, aká je. Myslíš si, že to bola žena, ktorá utekala z boja?"

Obrátila som sa a prv než mohla odpovedať, vyšla som von. Mala som pri tom pocit, akoby na mňa po celý čas hľadeli oči starej mamy Hudsonovej.

Takmer vzápätí Victoria spustila svoje ponosy.

Počkala som vo vstupnej hale a počúvala.

„No vidíš, Megan, a ty si tvrdila, že ju presvedčíš. To, že si prišla, nám ani trochu nepomohlo. Nič z tohto by sa nestalo, keby si nevykonala tú hlúposť," pripomenula jej uštipačne. „Kvôli tebe sa Grant ocitol v nezávideniahodnej situácii. Tak čo teraz urobíme, Grant?" pokračovala a v hlase sa jej zrazu ozývalo zúfalstvo slabej ženy prosiacej svojho muža o pomoc.

„Budeme musieť zájsť za Marty Braunsteinovou. Dúfala som, že to bude z iných dôvodov."

„S tým si nerob starosti, Grant," ubezpečovala ho Victoria. „Čoskoro zistí, aké absurdné bude pre ňu stať sa väčšinovou vlastníčkou tohto majetku. Je mladá a nebude sa chcieť otravovať so všetkou touto zodpovednosťou. Ver mi, po nejakom čase pristúpi na kompromis. Nemusíš riskovať svoju reputáciu," ubezpečovala ho. „Nechaj to na mňa. Chce byť zaangažovaná do našich záležitostí. Fajn, tak ja jej to umožním."

„Je to veľmi rozhodná mladá žena," povedal. „Keby nešlo o tak veľa, bol by som schopný ju obdivovať."

So zastonaním vstal. Počula som, ako moja matka potiahla nosom.

„Na slzy je už neskoro," vyprskla na ňu Victoria.

Prešla som do kuchyne a začala som chystať kávu. Počula som, ako sa otvorili a zatvorili vchodové dvere, a pomyslela som si, že všetci práve odišli, ale o chvíľku sa vo dverách do kuchyne zjavila moja matka.

S úsmevom sa rozhliadla okolo seba.

„Je ťažké sem prísť a nevidieť tu moju mamu," povedala. Jej tmavé oči nervózne poskakovali po kuchyni. „Aj teraz akoby som čakala, že sa tu zjaví, možno vojde cez krídlové sklenené dvere a na hlave bude mať jeden z tých smiešnych záhradníckych klobúkov."

„Chýba mi," povedala som.

Moja matka prikývla.

„Viem, že ti chýba."

Pohľady sa nám stretli. Tak veľmi som si želala, aby sme sa mali rady, ako sa patrí na matku a dcéru.

„Prečo dovolíš Victorii, aby ti vravela, čo máš urobiť?" spýtala som sa jej.

„Victoria vždy bola praktická a rozumná, Rain. Možno preto, lebo mala odlišnú výchovu a vzdelanie. Môj otec ju neposlal do internátnej školy pre bohatých, ani ju nedal do dievčenskej penzionátnej školy. Išla na obchodnú akadémiu a učila sa o cenných papieroch, opciách a podobných záležitostiach, kým mňa učili pravidlám spoločenskej etikety a pripravovali ma pre vyššiu spoločnosť. Možno preto som bola na fakulte taká rebelantka. Ničomu praktickému ma nenaučili. Bola som predurčená na to, aby som sa vydala za niekoho, ako je Grant, a aby takéto rozhodnutia vždy za mňa robil manžel."

„Prosím ťa, premysli si to ešte všetko, miláčik. Vieš, naozaj by sme mohli byť čosi ako rodina." Jej uslzené oči úpenlivo prosili, jej mäkký úsmev sa ma snažil ubezpečiť, že v tomto mori problémov pláva zlatá rybka, ktorá vie plniť želania.

Povzdychla som si, lebo by som tak rada bola večnou optimistkou, neverila som však v čarovnú moc dúhy, najmä nie takej, akú sľubovala ona.

„Nemala si ma sem priviesť, matka. Stará mama bola jedna z mála ľudí v mojom živote, ktorí ma mali radi, a ktorých som ja mala rada. Mať rád znamená aj ctiť si a rešpektovať niekoho. Ona ma to naučila. Nemysli si, že teraz vezmem jej želania a plány so mnou a jednoducho ich roztrhám, len aby som uspokojila tvoju sestru. Ona nikdy nemala starú mamu tak rada ako ja za ten krátky čas, čo som ju mala možnosť poznať."

Matka to nechcela poprieť, a tak prikývla.

„Ani som nemusela vidieť jej závet, aby som vedela, Rain, ako veľmi ťa mala rada."

„Potom by si to mala chápať," povedala som. Obrátila som sa, ona však podišla ku mne.

„Rain, ty si dobré dievča. Naozaj ti želám iba to najlepšie. Chcem, aby si bola šťastná, a všetko toto hodila za hlavu. Buď rozumná. Napokon, aj tak ti bude lepšie, keď budeš ďaleko od nás všetkých," povedala smutne.

Náhlivo ma objala, vykročila, ale vo dverách zastala.

„Zavolaj mi, ak ma budeš potrebovať," povedala.

Dívala som sa za ňou, ako kráča cez vstupnú halu a cez dvere von z domu.

„Matka, to volanie sa už dávno uskutočnilo," povedala som iba tak pre seba, keď odišla.

„A ty si sa nikdy neohlásila."

Na krídlach vetra

V nasledujúce ráno telefón zazvonil tak zavčasu, až sa mi zdalo, že sa mi to iba sníva. Nech už volal ktokoľvek, nevzdával to. Napokon sa mi oči rozlepili a uvedomila som si, že to nie je sen. Ako som sa načahovala za slúchadlom, pozrela som sa na hodinky a tie ukazovali iba pol šiestej.

„Haló," povedala som a hlas som mala taký omámený a hlboký, akoby za mňa prehovoril niekto iný.

„Rain?" ozvalo sa. „Si to ty?"

Dlaňou som si pošúchala líce a sadla som si na posteli.

„Roy?"

„Prepáč, že ti volám tak zavčasu vášho času, je to však jediná príležitosť, akú už tak skoro zrejme nebudem mať," ospravedlňoval sa. „Ako sa máš?"

„Päť minút, Arnold," počula som niekoho zavrčať spoza neho.

„Kde si, Roy?"

„Jasné, že tu v Nemecku. Čo je nové? Ideš hneď naspäť do Anglicka? Hovorila si so svojou skutočnou matkou? Vedia už všetci o tebe? Totiž, že kto vlastne si, a všetko ostatné." Otázky sypal zo seba v rýchlom slede, zrejme v snahe čo najviac toho vtesnať do piatich minút, pomyslela som si.

Prirodzene, väčšiu časť života sme s Royom boli presvedčení o tom, že sme súrodenci. Lenže podľa mňa každý, kto si dal tú námahu a riadne sa prizrel jemu, mne a Beni, o tom zrejme mohol zapochybovať. Moje črty sa veľmi odlišovali od Royových a Beniných, pre nás však myšlienka, že by nás mama Arnoldová mala s rozličnými mužmi, bola asi taká nepravdepodobná, ako keby sme verili, že niekde v susedstve nášho domu žijú Marťania. A to, že by si nejaká chudobná černošská rodina adoptovala dieťa, už vonkoncom neprichádzalo do úvahy. Ken, ktorý vlastne určite nemal v úmysle stať sa otcom, sa neraz ponosoval a vravel: „Diabol nám dáva deti, aby nás dohnal do pitia." Roy mu hovoril, že na to nepotrebuje žiadneho diabla. Veď on sám sa tam vie dohnať omnoho lepšie, ako by to mohol urobiť nejaký diabol.

Ken a Roy sa často klbčili, a keď bol Roy ešte malý a slabý, Ken ho neraz mlátil. Koncom nášho pobytu vo Washingtone sa Roy začal brániť a vtedy už ich bitky začínali byť riadne divé, čo rozhodne neprospievalo maminmu krehkému srdcu. Roya vedela na uzde udržať iba jeho láska k nej a ku mne.

Len čo sa Roy dozvedel, že nie som jeho pokrvná sestra, vyznal mi svoju romantickú lásku, ja som si ho však nevedela predstaviť nijako inak ako svojho brata. Vravela som mu to veľa ráz. Až do chvíle, keď bola pravda o mne odhalená, bol mojím veľkým bratom, mojím ochrancom. Beni aj ja sme vedeli, že mňa má radšej ako ju, ja som to však zľahčovala a ospravedlňovala ho, kedykoľvek to bolo možné. Keď Beni tragicky skonala rukami členov gangu, mama nás oboch zúfalo chcela dostať z bytu na sídlisku. Roya nabádala, aby sa prihlásil do armády, a ona odišla bývať k svojej tete. Ani Royovi, ani mne nikdy neprezradila, ako veľmi je chorá.

Istý čas sme sa potom s Royom nevideli, až kým ma neprišiel navštíviť do Londýna. Stratená a zmätená som si chvíľu skutočne myslela, že by sme sa mohli stať manželmi. Dovolila som mu, aby sa so mnou miloval, akoby som tým zisťovala, aké máme šance, nepripadalo mi to však správne.

Vedela som, že mu tým lámem srdce, ale nebola som schopná tomu zabrániť. To, čo nám nadelil osud, bolo kruté, ale to, čo by sme mohli spôsobiť jeden druhému, by mohlo byť ešte horšie, pomyslela som si.

„Nie, ešte nie všetci, zatiaľ nie," odvetila som. „Vie o tom manžel mojej matky, ale tunajší ľudia všetko nevedia a ani môj nevlastný brat a nevlastná sestra ešte nič netušia."

„Prečo?"

„To neviem. Je na mojej matke a jej manželovi, aby im to povedali."

„Ešte vždy sa za teba hanbia, Rain. Preto," usúdil.

„Možno."

„Kto sa o teba stará? Konečne už tvoja matka?"

„Nie," odvetila som. „Ale pamätáš sa, že stará mama Hudsonová ma uviedla vo svojej poslednej vôli?"

„Áno, určite. Koľko ti toho zanechala?"

„Veľa, Roy."

„Veľa? Koľko?"

„Milióny, Roy," vravela som.

„Čože? Dolárov?"

„Áno," povedala som so smiechom. „Vlastním väčšinový podiel z majetku, cenné papiere a päťdesiat percent podniku."

„Fíha!"

„Rodina je však z toho celá preč a chce mňa aj testament pohnať pred súd. Chcú, aby som pristúpila na kompromis, a zmierila sa s miliónom dolárov."

„No toto! Čo mieniš urobiť?"

„Bojovať," ubezpečila som ho.

„Bojovať? Možno by si mala vziať tie peniaze a utekať, Rain. Prečo by si sa mala vnucovať rodine, ktorá ťa nechce?" spýtal sa.

Bola to, samozrejme, dobrá otázka. Čo som vlastne v konečnom dôsledku chcela získať? Možno som chcela iba dosiahnuť, aby ma museli akceptovať, aby som im potom v ten istý deň mohla ukázať chrbát. Pýcha sa vo mne vzopäla ako nejaký vznešený kôň.

„Dobre, Arnold, zaves," počula som znovu zahundrať tú osobu.

„Kde si, Roy? Prečo ti niekto prikazuje, aby si zavesil? Roy?"

„Som v poriadku," uistil ma.

„Dostal si sa do maléru, lebo si ma bol navštíviť v Londýne, však že? Radšej mi povedz pravdu, Roy Arnold," prikázala som mu.

„Dobre, dostal, nič to však neznamená," povedal.

„Si v base?"

Zasmial sa.

„Tak nejako. Nerob si z toho ťažkú hlavu. Odkrútim si tu istý čas a potom prídem domov. Prídem si po teba, Rain. Sľubujem," povedal.

„Roy..."

„Koniec, zaves," počula som. „Ihneď."

„Zatiaľ ahoj, Rain," povedal náhlivo a telefón v mojich rukách zmĺkol. Tisícky míľ odtiaľto bol Roy zatvorený vo vojenskej väznici a to bola cena, ktorú bol ochotný zaplatiť, len aby mohol so mnou stráviť ešte ďalších dvadsaťštyri hodín. Kiežby ma až natoľko nemiloval.

Hlavu som si ponorila nazad do vankúša, zaspať sa mi však nedarilo. Čo teraz urobím so svojím životom? Ako dlho potrvá tento spor? Vari má Roy pravdu? Mala by som sa jednoducho zbaliť a okamžite vrátiť do Anglicka? Tak veľmi som si želala, aby pri mne bol niekto, kto by mi poradil. Niekto iný než iba nejaký advokát, ktorý by všetko zakladal len na čiernobielych stránkach právnických formulácií. Nemala som ani žiadnu blízku priateľku.

Osamelosť bola ako hrdza, ktorá ma zožierala a oslabovala moju rozhodnosť. Žiadalo sa mi skryť sa od hlavy po päty pod prikrývku a vyhnúť sa tak všetkému, čo tento

deň môže priniesť. Potom som si však spomenula, ako
veľmi stará mama neznášala ľudí, ktorí sa utápali v seba-
ľútosti, a ako sa raz nahnevala, keď som si dovolila ju ľu-
tovať. Prišlo mi na um aj to, ako môj nevlastný otec
nariekal nad svojím životom, a ako to mama nenávidela.
„Sebaľútosť je iba rozmarný spôsob, ako sa vyhnúť zod-
povednosti," vravievala stará mama. „Stačí, ak ju nahradíš
starým osvedčeným hnevom a vzdorom a hneď sa v živo-
te dostaneš ďalej," radievala mi.
„Počujem ťa, stará mama," zahundrala som pod pri-
krývkou. Niektorí ľudia sú takí dominantní, že ich hlasy
znejú človeku v ušiach ešte dlhé roky po ich smrti. Stará
mama Hudsonová bola rozhodne jedna z takýchto ľudí.
Zhodila som zo seba prikrývku a vstala som, aby som
sa osprchovala, obliekla sa a prichystala si nejaké raňajky.
Ako som tak sedela a chlipkala kávu, rozhodla som sa na-
písať svojmu skutočnému otcovi list v nádeji, že mi mož-
no odpíše a poradí mi.

Milý ocko,
    ako vieš, vrátila som sa do Virginie na pohreb starej ma-
my Hudsonovej. Svojej matke som povedala, že som sa s Te-
bou stretla. Veľmi sa zaujímala, ako si zareagoval. Porozprá-
vala som jej aj o Tvojej úžasnej rodine.
    Ona, jej manžel a teta Victoria sú veľmi znepokojení tým,
ako veľa majetku mi stará mama odkázala vo svojom testa-
mente. Chcú, aby som pristúpila na kompromis a uspokojila
sa s menším dedičstvom, lebo inak ma, zrejme najmä na
podnet Victorie, poženú pred súd a všetko v testamente spo-
chybnia.
    Nemyslím si, že stará mama Hudsonová by chcela, aby
som prijala kompromis. Možno som iba tvrdohlavá a v ko-
nečnom dôsledku to budem ľutovať, nateraz som však pove-
dala nie. Ani môj advokát, teda niekdajší advokát starej ma-
my, nechce, aby som súhlasila s kompromisom, viem však, že

právnici niekedy záležitosti ženú pred súd, len aby na nich viac zarobili. Tak to aspoň tvrdí Grant, manžel mojej matky, ktorý je tiež právnik. Hovorí, že poplatky za právnické služby budú také vysoké, že by sme sa radšej mali dohodnúť na kompromise.

Takže všetko toto by mohlo oddialiť môj príchod do Londýna. Čo si o tom myslíš? Myslíš si, že by som mala vziať, čo sú ochotní mi dať, a ujsť a navždy opustiť aj ich, aj toto miesto?

Predpokladám, že nie je fér žiadať Ťa o niečo také a zatiahnuť Ťa do tejto záležitosti. Chcem, aby si vedel, že vôbec neočakávam, aby si niečo v tejto veci pre mňa urobil. Iba sa mi žiada napísať Ti ako človeku, ktorému dôverujem a ktorého si rada vypočujem.

Dúfam, že sa všetci máte dobre. Dám Ti vedieť, ako sa nakoniec rozhodnem a kedy sa vrátim.

Srdečne
Rain

Uvažovala som, či sa nemám podpísať *Tvoja dcéra Rain*, ale nakoniec som usúdila, že najlepšie bude napísať iba svoje meno. Napísala som na obálku adresu a list bol pripravený na odoslanie.

Tesne pred poludním niekto zazvonil. Corbette sa, prirodzene, vonkoncom neunúval, aby sa mi ohlásil kvôli reštaurácii a pozvaniu na večeru, ale ani som to nečakala. Teraz som uvažovala, či sa náhodou nerozhodol vrátiť sa osobne, možno so zámerom, že by ešte vždy stálo za to znovu ma zviesť.

Ústa sa mi otvorili od úžasu, keď som pred dverami uvidela tetu Victoriu. Odkedy sa rozhodla zvoniť a nie iba rovno vtrhnúť do domu?

„Rada by som s tebou hovorila," oznámila.

Obloha bola dosť zamračená a ochladilo sa, takže mala na sebe tmavomodrý vlnený kabát po kolená a pod ním sivý kostým. Na rukách mala čierne kožené rukavice. Vlasy, zvyčajne iba sčesané dozadu, s miernou vlnou, ktorá vyzerala ako nápad na poslednú chvíľu, mala teraz krajšie a upravenejšie. Všimla som si, že má dokonca trochu mejkapu, vrátane svetlejšieho ružového rúžu. Všetko to zjemňovalo jej črty tváre a zdalo sa mi, že takto sa viac podobá na Jaka.

„Myslela som, že včera sme si všetko povedali," odvetila som.

„Nie. Môžem vojsť alebo ma necháš tu vonku?"

„Poďte ďalej," súhlasila som, sotva badateľne myknúc plecom.

Vošla a stiahla si rukavice.

„Robíš kávu?"

„Kávu? Áno," povedala som ešte prekvapenejšie.

„Dobre."

Chvíľu som tam len tak stála a ona zdvihla obočie.

„Chcete si ju dať v raňajkovom výklenku?" spýtala som sa.

„Fajn," prikývla a chytro prešla po chodbe. Jej ťažké topánky s hranatými podpätkami klopkali ako kladivká. Mala také dlhé nohy, že keď kráčala, nohy jej pri každom kroku akoby tichučko cupli.

Náhlivo som zašla do kuchyne a priniesla šálku a tanierik.

„Aké to bolo pracovať v Londýne pre moju tetu a strýka?" spýtala sa. Vyzliekla si kabát a položila ho na stoličku.

„Nebolo to veľmi príjemné," povedala som. „Majú tam dozor nad služobníctvom, pána Boggsa, ktorý v dome velí, akoby tam prebiehali bojové operácie. V skutočnosti vlastne absolvuje prieskumné okruhy v rukavičkách a kontroluje, či je utretý prach a či sa všetko ligoce."

„To ma neprekvapuje," povedala. „Keď som tam kedysi bola ja, nevedela som sa dočkať, kedy odtiaľ odídem. Majú ešte vždy vzadu ten domček ako nejaké mauzóleum plné Heatheriných hračiek?"

Na chvíľočku som ustrnula.

„Vy o tom viete?"

„Prirodzene," odvetila. „Keď som tam bola, takmer ma upálili na hranici, že som si dovolila vojsť dnu."

„Áno, ešte vždy je tam," pritakala som. Naliala som jej kávu do šálky. „Aj mlieko?"

„Ďakujem," povedala.

Účinkovala moja predstavivosť alebo sa teta Victoria skutočne správala ku mne ako ľudská bytosť?

Naliala som kávu aj sebe a sadla som si oproti nej.

„Viem," začala, „že vyzerám ako tá zlá. Vždy to bolo tak. Kedykoľvek sa objavil nejaký problém a bolo potrebné urobiť ťažké, ale dôležité rozhodnutie, tvoja matka niekam zmizla a všetko nechala na mňa. Takže potom som to prirodzene, bola ja, koho ľudia nenávideli. Dokonca aj moja vlastná matka ma nenávidela," posťažovala sa a hlas sa jej zlomil od nezvyčajného prílevu citov.

Prišlo mi na um, že na pohrebe starej mamy som ju nevidela plakať, nevyronila ani jedinú slzu. Práve ona dohliadala na organizačné veci a dbala na to, aby všetko prebiehalo perfektne až po miesta, kde boli pri cintoríne zaparkované autá. Moja matka vzlykala a s červenými očami ľudí zdravila, objímala ich a nechala sa od nich objímať. Zdalo sa, že Victoria má od všetkého odstup a usmerňuje nielen všetky podrobnosti pohrebu, ale aj svoje vlastné pocity.

„Mala som ju rada svojím vlastným spôsobom, kedykoľvek mi bolo dovolené mať ju rada. Ako vieš odvtedy, keď si tu ten krátky čas pobudla, moja matka bola veľmi silná žena vodcovského typu. Nenávidela kompromisy a netolerovala neúspech a hlúposť. Myslela som si, že keď jej budem podobná viac než Megan, bude ma mať radšej. Ale vieš, čo sa stalo, Rain? Dospela som k záveru, že moja matka sa nemá veľmi rada. Tak je to," povedala, keď som doširoka roztvorila oči. „Rozhodla sa tak na konci svojho života, a preto si ťa tak rýchlo obľúbila a bola k tebe tak nezvyčajne štedrá."

„Možno na teba pozerala ako na nejakú svoju tretiu dcéru, nie takú slabú ako Megan, ale nie takú silnú ako ja. Možno si sa viac podobala na takú dcéru, akú by bola rada mala. Myslela som na to celú minulú noc, keď som sa snažila pochopiť, prečo ti zanechala tak veľa z nášho rodinného majetku, a prišla som k takémuto záveru."

Chlipkala kávu a na chvíľu sa zadívala z okna. Vari som sa mýlila v názore na ňu? Vari som bola taká neférová a bezcitná, za akú som ju v duchu pokladala ja?

„Ako si včera sama videla, moja sestra nepomôže ani tebe, ani pri riešení tejto nepríjemnej situácie, v ktorej sme sa všetci ocitli," pokračovala. „Keď mám byť úprimná, mám už dosť toho, aby som v tejto rodine robila všetku špinavú prácu ja. Veď mám aj svoje vlastné ambície a úmysly."

„Preto som sa rozhodla vyhlásiť medzi nami prímerie, ak naň pristaneš."

„Prímerie?"

„Grant má pravdu. Nemá zmysel, aby sme plnili vrecká právnikov, ktorí v konečnom dôsledku profitujú z každého sporu," vysvetľovala. „Tak či onak, moja matka sa rozhodla, že ty a ja sa staneme akýmisi partnerkami. Ja budem pokračovať v získavaní peňazí pre rodinný podnik a ty budeš z toho profitovať. Ako ti to zatiaľ znie?"

„Dobre," povedala som opatrne. Bola som ako niekto, kto čaká, odkiaľ príde ďalší úder. „Čo mám urobiť ja?"

„Urobiť? Nemáš urobiť nič. Môžeš sa vrátiť k takému životu, aký chceš žiť. Domnievam sa, že chceš ísť nazad do Anglicka, však že?"

„Áno," odpovedala som.

„Nuž tak potom dom a majetok jednoducho predáme a zisk z predaja investujeme."

„Neviem," uvažovala som.

„Nevieš?"

„Tento dom... Stále myslím na to, aký dôležitý bol tento dom pre starú mamu."

„Áno, bol, lenže jej už niet a teraz je potrebné rátať s jeho údržbou. Ako by dievča ako ty mohlo zamýšľať zostať tu bývať donekonečna?"

„Dievča ako ja?"

„Áno, mladé dievča, ktoré má celý život pred sebou," odpovedala. „Určite nechceš mať všetky tieto starosti, najmä ak plánuješ odísť do Anglicka."

„Nuž, to je viac-menej pravda," pristala som.

„Prirodzene, že je to pravda. Každý máme pred sebou svoj osud, ktorý máme naplniť. Mojím osudom bolo, aby som v dobrom i zlom kráčala v šľapajach môjho otca, a keď zomrel, aby som pokračovala v jeho práci. Úspešne som si počínala v prospech rodiny. Matka to nikdy nechcela pripustiť a pripísať mi za to zásluhy. Bola zo starej školy a staromódne verila, že ženy do sveta podnikania nepatria. Za jej čias sa silné ženy uspokojili s tým, že manipulovali svojimi mužmi ako bábkami, pričom ony samy sa ukrývali v pozadí, za clonou oddeľujúcou to, čo sa považovalo za vhodné a čo nie."

„Spomínam si, aké neženské jej pripadalo, že sa zaujímam o cenné papiere. Moja matka zomrela bez toho, že by vedela, aký je rozdiel medzi podradnými obligáciami a obecným dlhopisom."

„Ani ja ten rozdiel nepoznám," priznala som.

„No veď o to ide. A práve preto je také dôležité, aby sme spolu dobre vychádzali. Nechcem od teba, aby si sa naučila, aký je medzi nimi rozdiel, alebo aby si zmenila smerovanie svojho života. Je tu však značný majetok, ktorý treba ochraňovať a udržiavať. Som presvedčená, že to určite uznáš."

„Áno," prikývla som.

„Fajn. Som veľmi rada, že sme si trochu podebatovali," uzavrela. „Zajtra alebo pozajtra prinesiem dokumenty a bude potrebné urobiť nejaké papierovanie a rozhodovanie, pokiaľ ide o investície. Nerob si však starosti. Všetko ti to jasne vysvetlím. Mám taký pocit," povedala, keď vstala a načiahla sa za kabátom, „že o niektorých z týchto záležitostí sa s tebou bude hovoriť ľahšie než s Megan."

„Mimochodom, neprekvapuje ma, že Brodymu a Alison nepovedala celú pravdu o tebe. Až zajtra, však? Všetko odkladá na zajtra. Až zajtra si s tým bude lámať hlavu," povedala, zasmiala sa a pobrala sa preč.

Nasledovala som ju ku dverám. Keď ich otvorila, obrátila sa ku mne.

„Som rada, že som sa rozhodla pre tento rozhovor s tebou. Kto by chcel byť zavalený všetkými týmito nepríjemnosťami a venovať sa im na úkor toho, čo ešte v živote chce dosiahnuť? A pokiaľ ide o Granta, nerob si starosti. Porozprávam sa s ním a dohliadnem na to, aby to všetko pochopil," dodala.

Keď odchádzala, uvažovala som, či pravou príčinou toho, že je taká milá a rozumná, nie je to, že chce Grantovi dokázať, ako si vie poradiť so situáciou a aj so mnou, a to lepšie ako Megan, a že to je jedine ona, kto mu v konečnom dôsledku pomôže ochrániť jeho cennú reputáciu.

Vari naozaj dúfala, že sa jej podarí prebrať sestrinho manžela?

Vďaka tomu, čo som o nich všetkých teraz vedela, nebola by som ochotná staviť ani deravý groš na to, čo môžu vyviesť jeden druhému, ani nehovoriac o tom, čo môžu vyviesť mne.

Zatvorila som dvere a cítila som sa ako v mrákotách.

Čo sa to práve stalo? Čo to všetko znamená? Žeby to myslela úprimne? Skutočne o tom rozmýšľala celú noc?

Žiadalo sa mi vybehnúť hore po schodoch, pobaliť sa a nasadnúť na prvé lietadlo do Londýna.

Jake s prižmúrenými očami počúval, keď som mu porozprávala všetko, čo sa udialo, vrátane prekvapivej návštevy Victorie a jej ponúknutého prímeria. Práve priviezol Rolls-Royce z autodielne po plánovanom technickom servise, a tak som sa s ním šla porozprávať.

„Odišla iba pred chvíľou," vravela som mu. „Povedala, že sa vráti s dokumentmi. Myslíte, že by som to mala všetko najprv dať prečítať pánovi Sangerovi?"

„Samozrejme," odpovedal okamžite. „Pri Victorii sa neustále musíš mať na pozore a byť v strehu," varoval ma.

Usmiala som sa.

„Na to ma nemusíte upozorňovať, Jake. Musím však podotknúť, že to neznie ako slová pyšného otca."

Zasmial sa, no vzápätí zvážnel.

„Ja som s jej výchovou nemal nič do činenia. Najväčší vplyv, omnoho väčší než Frances, mal na ňu Everett, napriek tomu, čo ti Victoria možno povedala. Everett ju naučil, ako byť ľahostajná k iným, a uvažovať analyticky a chladne, keď ide o podnikanie. Pamätám si, že raz Frances povedala, ako ju Everett varoval, že vo svete biznisu bude prichádzať do styku väčšinou s mužmi, a že muži v tom svete majú pramálo úcty k ženám. Vždy budú hľadať príležitosť, ako ju využiť, oklamať a preľstiť. Everett Victorii radil, aby predstierala, že je naivná, nevinná a slabá, ale len čo bude mať dostatok informácií, nech sa obeti zahryzne do tela."

„Darilo sa jej, takže ju to tešilo. Naučil ju, ako má byť úspešnou podnikateľkou, dravou obchodníčkou, ktorej úlovkom boli výhodné podnikateľské príležitosti a slabí protivníci. ‚Ak by ocko žil, bol by pyšný na to, čo som dosiahla,' vravievala."

„V mnohom je podobná môjmu starému otcovi," dodal Jake. „Totiž pokiaľ to viem posúdiť z toho mála, čo si o ňom pamätám."

„Nechcem však, Rain, aby si ma zle pochopila. Plne uznávam, že Victoria je veľmi úspešná v podnikaní. Everett sa nemýlil. Muži by po nej priam šaleli, keby nebola taká rázna a bystrá. Súcit so súperom neprichádza do úvahy, ak ide o finančný zisk. Čím ide o viac peňazí, tým menej je súcitu. Od Victorie sa možno naučiť nejednej užitočnej veci."

„Lenže," pokračoval, „teba považuje za jedného zo súperov, takže ti radím: kry si chrbát."

„Dobre, Jake."

Prikývol a rozhliadol sa dookola. Obloha bola bezoblačná. Zdalo sa, že sa chystá jeden z najkrajších dní od môjho príchodu. Vánok bol teplejší a vzduch čistý. Všetko sa len tak ligotalo.

„Hádaj, čo by si dnes mala urobiť? Mala by si vziať môjho poníka menom Rain na prvú jazdu. Už je pripravený a čaká. Čo ty na to?"

„Neviem."

„Ale choď. Bude sa ti to páčiť. A ten poník sa ťa už nevedel dočkať," dodal.

Zasmiala som sa. Hodiny jazdy v Dogwoodskej škole sa mi veľmi páčili a tešila som sa na to, keď si opäť sadnem do sedla.

„Tak dobre, Jake," pristala som a šla som sa dovnútra prezliecť do jazdeckých nohavíc a čižiem, ktoré mi stará mama kúpila ako výstroj do Dogwoodskej školy.

„Vyzeráš veľmi profesionálne," komentoval Jake, keď som sa vrátila. „Rain bude žasnúť."

„No, uvidíme," povedala som a odviezli sme sa na farmu, kde sa Jake vyhupol na svojho koňa.

V stajni som sa neprestávala čudovať, ako Rain vyspela do krásy. Bola to gaštanovohnedá kobylka s takmer plavou hrivou. Zvedavo na mňa pozrela, keď som podišla bližšie, a vzápätí zdvihla ľavú prednú nohu a dupla ňou na drevenú dlážku.

„Takto zdraví," povedal mi Jake. „Nepozdraví len tak hocikoho, takže ty máš u nej od začiatku očko."

Zasmiala som sa a poškriabala som jej pysk. Jake mi dal pre ňu zopár kociek cukru a šiel po sedlo a uzdu. Vedela som, ako sa kŕmi kôň. Dlaň treba vystrieť a dovoliť mu, aby si z nej kocky vzal. Kobylka kývla.

„Takto ti ďakuje," povedal Jake a Rain sa vzápätí vystrela. Jake na ňu vyhodil sedlo a opásal a zapol jej podbrušník. „Toto by si zrejme mala vedieť urobiť aj ty, však?"

„Bola to jedna z prvých vecí, ktoré nás tréner naučil," spomenula som.

„Ty upevni opraty," prikázal mi a ja som ho poslúchla. Rain nekládla žiaden odpor.

Pozorovala som Jaka, ako Rain paličkou čistí kopytá. Upevnil sedlo a prikázal mi, aby som na kobylku vysadla, nech môže nastaviť ostrohy. Keď už tak urobil, vyviedol nás zo stajne.

„Zober ju na západ," radil mi. „Uvidíš vyšliapaný chodník. Ten ťa privedie na hrebeň toho kopca," ukázal. „Odtiaľ, mimochodom, máš dobrý výhľad na svoj majetok, dom a všetko naokolo. Choď ďalej po chodníku a privedie ťa nazad sem. Cesta by ti mala trvať asi hodinu a pol."

„Iba ju jemne stisni nohami, trochu sa nakloň dopredu a ona sa dá do klusu. Rada cvála, ale bude ťa aj skúšať, a keď zovretie nôh povolíš, spomalí. Ani raz jej nedovoľ ustať, ani trochu. Je ako rozmaznané pubertálne stvorenie. Len čo jej dáš najavo, že tu vládneš ty, bude krotká ako baránok. Rozumieš?"

„Áno, Jake," povedala som.

„Dobre si zajazdi. Budem ťa čakať," ubezpečil ma. „Musím sa stretnúť s človekom, ktorý vlastní tieto stajne."

Jake sa obrátil a odchádzal. Mne srdce len tak búšilo. Pod sebou som cítila mocnú silu kobylky. Po mojom zaváhaní netrpezlivo pokrútila krkom, ja som však na chvíľu pevne pritiahla opraty presne tak, ako mi to radil Jake.

„Keď budem pripravená, vydáme sa na cestu," povedala som, povolila som opraty a jemne som kobylku stisla nohami. S hrdo vztýčenou hlavou sa vydala smerom k chodníku. Pozrela som nazad a videla som, že Jake nás sleduje.

„To je ono," povedal. „Sedíš v sedle vzpriamene a úplne perfektne. Ja som to vedel," zavolal.

Mal pravdu. Za niekoľko minút v sedle sa mi vybavilo všetko, čo som sa voľakedy naučila, a vrátili sa mi jazdecké zručnosti. Keď som v Dogwoode prekonala začiatočný strach, obľúbila som si jazdu na koni. Nikdy ma neopustil pocit irónie osudu, že chudobné dievča vyrastajúce na uliciach veľkého mesta sa zrazu ocitne v drahom jazdeckom oblečení a chodí na tréningy spolu s najbohatšími dievčatami a mladými ženami. Táto myšlienka mi aj teraz vyvolala úsmev na tvári. Neraz, keď som sedela na koni, som si predstavila, ako by sa mama Arnoldová pustila do smiechu, a po tvári by jej stekali slzy šťastia.

Cítila som, že Rain by si rada zaklusala. Napínala opraty, mykala hlavou zo strany na stranu, fŕkala, erdžala a vyvádzala. Ešte dobre, že sa nezačala vzpínať a nechcela ma zhodiť. Potiahla som opraty a zastavila som ju. Sklonila hlavu, opäť ňou pohodila, potom ju zdvihla a dupala pravou prednou nohou. Napokon sa upokojila a ja som ju nechala pomaly vykročiť ďalej. Asi po piatich minútach som jej viac popustila uzdu a ona sa pustila do klusu. Bol to krásny pocit, akoby človek letel na krídlach vetra. Keď sme sa blížili ku kopcu, začala som sa báť, že ide prirýchlo, a trochu som ju spomalila.

Pozvoľna sme vyšli až na vrchol kopca. Tam som ju zastavila a ako mi Jake poradil, rozhliadla som sa dookola. Uhniezdený v údolí sa črtal krásny veľký dom starej mamy Hudsonovej, ktorý teraz bol z prevažnej väčšiny môj. Strieborné jazero vyzeralo ako namaľované. Vysoko na oblohe krúžili dve vrany. Keď som všetok ten majetok uvidela z výšky, srdce sa mi naplnilo radosťou.

Ako by sme to všetko mohli predať a naložiť s domom ako s nejakou akciou či obligáciou na burze? Veď to všetko bolo výnimočné a malo svoju históriu. Nebol to iba kus majetku, bol to domov.

Victoria bude o dom so mnou bojovať, usúdila som. Pri pohľade z tejto výšky som nadobudla presvedčenie, že stará mama mi práve preto zanechala rozhodujúci podiel z majetku, lebo vedela, že chápem jeho hodnotu domova a chcem ho ochraňovať a zveľaďovať.

Rain sa dívala tak, akoby sa jej ten pohľad páčil tiež. Nebola nedočkavá. Pohladila som jej šiju.

„Niekedy, Rain, si zajazdíme až tam. Môžeš ku mne prísť na návštevu," povedala som jej a potom sme pokračovali v ceste cez les, popri iskrivom potôčiku, kde popoludňajšie slnko prenikajúce cez siete konárov okolitých stromov premieňalo kamene v potoku na šperky a krištáliky.

Svojej štvornohej menovkyni som dala ďalšiu šancu pustiť sa do klusu, ale neskôr, keď sme sa už blížili späť k stajniam, sme spomalili. Jake nás už čakal. Sedel na stoličke, čítal noviny a len čo nás zbadal prichádzať, vstal.

„Tak ako?"

„Bolo to úžasné, Jake. Ďakujem vám."

„Zdá sa, princeznička, že si kobylke dala poriadne zabrať. Zvládla si to dobre."

Odviedli sme kobylku a nechali sme ju ochladiť. Asi polhodinku som jej kefovala srsť. V Dogwoode sme museli kone kefovať. Bol to najlepší spôsob, ako si mohli na človeka privyknúť. Keď sme s Jakom odchádzali, bolo už neskoré popoludnie.

„Čoskoro sa zasa uvidíme," sľúbila som kobylke. Pokrútila krkom a potom sklonila hlavu, akoby rozumela.

„To určite," súhlasil Jake. „Keď sa vrátiš do Anglicka, možno by si aj tam mala jazdiť na koni," navrhol, keď sme už nastúpili do jeho auta.

„Možno áno," povedala som. Z odchádzajúceho auta som sa pohľadom vrátila na ranč s koňmi. „Je tu skutočne krásne, Jake. Keď sme boli hore, dospela som k rozhodnutiu. Ten majetok nepredám," povedala som. „Kým len budem môcť, ten dom si nechám."

Zasmial sa.

„Dobre," povedal.

„Keď sa vrátim do Anglicka, mali by ste sa tam nasťahovať a postarať sa oň," dodala som.

„To je pre mňa novinka, princeznička."

„To nič. Porozmýšľajte o tom, Jake. Raz sa sem budem chcieť vrátiť a považovať ten dom za svoj domov. Viem, že ho budete dobre udržiavať. Súhlasíte?"

„Neviem, princeznička," zopakoval. „Mne sa naň viaže priveľa spomienok. Veď uvidíme," prisľúbil.

Oprela som sa dozadu a zahĺbila sa do myšlienok. Vari iba snívam a vytváram si vlastný svet fantázie, pričom tvrdú skutočnosť ignorujem? Ako sa sem ešte budem môcť vrátiť? Kam sa to vlastne vrátim?

„Kto to môže byť?" spýtal sa Jake, keď sme po príjazdovej ceste prichádzali k domu starej mamy, pred ktorým bol zaparkovaný strieborný kabriolet Corvet.

Že by Corbette mal ešte jedno športové auto?, uvažovala som v duchu.

Vystúpila som a podišla k autu. Vtedy som začula hlas z terasy a zbadala mávajúceho Brodyho, môjho nevlastného ho brata.

Jake čakal, či ho nebudem potrebovať.

„Kto je to?" spýtal sa, prižmurujúc oči.

„Brody," odpovedala som.

„Aha."

„Megan mu zrejme nakoniec predsa povedala pravdu o mne," dodala som.

Jake prikývol.

„Myslím, že by si mala mať trochu súkromia. Stavím sa

tu zajtra. Vieš, kde ma nájdeš, keby si ma potrebovala. Ďakujem, že si Rain trochu popreháňala," dodal a odišiel, kým Brody sa náhlil ku mne.

Stála som tam a nevedela som, čo bude nasledovať.

„Čakám tu takmer hodinu. Skoro som to už vzdal. Myslel som si, že si možno odišla, dokonca späť do Anglicka alebo kam. Keď som sa mamy spýtal na tvoje plány, nezdalo sa mi, že by o nich niečo vedela," pokračoval.

„Mhm?"

„Vedel som, že mama a otec tu boli, nechcela však o tom hovoriť."

„A tak som sa rozhodol," povedal, mykol plecami a rozhliadol sa dookola, „že svoje nové auto vezmem na prvú veľkú jazdu. Páči sa ti? Otec mi ho kúpil pred týždňom za dobré známky a za športové úspechy vo futbale. Vieš, tento rok sa mi podaril rekordný počet zásahov," zahlásil pyšne.

Brody rozprával rýchlo a očividne bol nervózny, čo uňho bolo podľa toho, ako som ho poznala z tých niekoľkých stretnutí, nezvyčajné. Vždy vyzeral vyrovnaný, sebavedomý a takmer arogantný. Mal na to skutočné dôvody. Vyzeral veľmi dobre, bol vysoký, mal čosi vyše stoosemdesiat centimetrov a plecia mal také široké, že sa do väčšiny dverí ledva zmestili. Dnes, presne tak ako po prvý raz, keď som ho stretla, mal na sebe svoje modré univerzitné sako so zlatým lemovaním, čierne nohavice a čierne mokasíny z jemnej kože. Vlasy mal podobne ako ja čierne ako havran, oči mal však skôr zelené ako hnedé, hoci som v nich videla aj orechovohnedé škvrnky. Ústa mal ako ja, ale brada vyzerala výrazná a prísna. Mal pleť športovca s ružovým nádychom líc a plné karmínovočervené pery.

„Chceš povedať, že tvoji rodičia nevedia o tom, že si sem šiel?" spýtala som sa.

„Teraz už asi aj vedia, lebo som v kuchyni nechal odkaz. Lenže keď som odkaz nechal minule, potvora moja sestra ho našla ako prvá a hodila ho do smetí, aby som mal problémy. Hneď som si myslel, že čosi také urobila, keď som potom doma videl, aký je otec nahnevaný. Niečo mi hovorilo, aby som sa šiel pozrieť do koša v kuchyni, a tam som ten odkaz našiel. Keď som ho ukázal otcovi, dal Alison na mesiac zaracha. Ale ako vždy sa z trestu vyzula a o týždeň bola už na slobode."

„Tvoji rodičia nebudú radi, Brody, že si sem prišiel," povedala som.

„Prečo nie?" spýtal sa s nevinným pohľadom.

Takže tak je to, pokiaľ ide o matkin sľub, že jemu a Alison nakoniec povie pravdu, pomyslela som si. Žeby dokonca boli Brodymu už povedali o poslednej vôli starej mamy a o spore okolo nej?

„Bola si si zajazdiť na koni, však?" spýtal sa.

„Jake ma poprosil, či by som mu trochu nepopreháňala kobylku."

„Ja som ešte veľa na koni nejazdil, ale rád by som," priznal. Pozrel sa na dom.

„Stále myslím na to, že tam uvidím starú mamu. Je ťažké zmieriť sa s tým, že už nie je súčasťou tohto miesta."

„Veru."

„Počúvaj," pokračoval, „čo keby som ťa zobral na nejakú fajn večeru?"

„Nemal by si už radšej ísť domov? Viem, že je to dlhá cesta," vravela som.

„Čo si myslíš, načo som sa sem vybral? Iba na to, aby som sa tohto majetku dotkol, obrátil sa a uháňal nazad domov?" Zasmial sa. „Máš pravdu, bola to dlhá cesta. Musím urobiť aj čosi viac, aby stála za to," vysvetľoval a vrhol na mňa ten svoj očarujúci úsmev.

„Som trochu unavená, Brody," odvetila som. „Už dávno som si nezajazdila na koni a je to dosť náročné, najmä ak človek jazdí na novom koni. Človek je nevyhnutne veľmi napätý a aj to dá poriadne zabrať."

„To určite," prikývol. Potom sa pozrel dolu, ale vzápätí zdvihol zrak a oči sa mu rozžiarili. „Zrejme sa ti nebude veľmi chcieť variť. Poznám výbornú čínsku reštauráciu neďaleko odtiaľto, kde jedlo balia aj domov. Zájdem tam po nejaké chutné veci, polievky, závitky mäsa v cestíčku a koláčiky šťastia. Čo ty na to?"

„Naozaj by si sa mal pobrať domov, Brody."

„Neblázni. Nerob drahoty. Veď sme vlastne nikdy nemali šancu navzájom sa lepšie spoznať a moja stará mama ťa očividne mala veľmi, veľmi rada. Ak ťa ona mala rada, určite si úžasná. Nebolo veľa tých, ktorých mala rada."

„Počúvaj, Brody..."

„Čo chceš, kurča, krevety alebo homára? Alebo je to vlastne jedno? Donesiem všetko a môžeš si dať z každého," povedal nadšene.

„Brody..."

„Trvám na tom," prehlásil. Pozrel sa na dom. „Predpokladám, že teoreticky mám nejaký malý vlastnícky podiel na tomto majetku vďaka mojej mame, však?"

Prekvapene som naňho pozerala. Bol taký impulzívny a v istom zmysle veľmi naivný v porovnaní so mnou. Čo mám urobiť? Mám otvorene vyrukovať s pravdou a narobiť v rodine ešte viac problémov? Prečo moja matka nespravila, čo mala, aby sa niečo takéto nemohlo stať? Ak to nespravila ona, mal tak urobiť Grant, pomyslela som si. Alebo sú vari jeho obavy, že by si poškvrnil svoju vzácnu verejnú reputáciu, také veľké, že aj on sa rozhodol žiť pod jednou strechou s klamstvami?

„Čakáš niekoho? O to ide? Možno toho chlapca, s ktorým ste vlani spolu vystupovali v divadelnej hre?"

„Nie," odvetila som ihneď. Mala som na niečo také myslieť a chytiť sa príležitosti, lenže som rozmýšľala príliš pomaly.

„Viem, že nemáš nijakého iného chalana. Vravela si, že si unavená, však?"

„Nie, nemám," prikývla som.

„Takže potom je to v poriadku, však?" spýtal sa. Roztiahol ruky a prehlásil: „Všetky výhovorky sa ti už minuli, Rain. Jedine keby si sa bála mi povedať, že ma nemôžeš ani vystáť."

„O to, samozrejme, nejde, Brody."

„Teda?"

„Dobre," ustúpila som.

„Super."

Doslova skočil do auta.

„Musím ťa v tomto previezť. Je to ako malé lietadlo," pochválil sa. Naštartoval, a keď pridával plyn, usmial sa. „Donesiem ti nejaké *mú gú gaj pan*," vravel a obišiel autom okolo mňa. „Budem späť prv, než stihneš povedať kung fu po čínsky."

Musela som sa na ňom zasmiať. Koniec koncov, prečo by som mala k nemu byť odmietavá či nepriateľská?

Zamával mi a doslova preletel po príjazdovej ceste. Na jej konci opäť rázne dupol na brzdy, aby nechal prejsť starú dodávkovú rachotinu. Obrátil sa ku mne, mávol rukami, otočil sa nazad a odšoféroval.

„Stala sa chyba," povedala som. „Nezapríčinila som ju však iba ja. Vlastne to vôbec nie je moja vina."

Vošla som do domu a moje pocity akoby sa trýznivo a zmätene krútili a zvíjali. Kedy a ako sa zjaví pravda a konečne zmetie klamstvá vládnuce v tejto rodine?

Tajná bolesť

Keď som sa osprchovala a narýchlo si umyla vlasy, obliekla som si jednoduchú bielu blúzku, bledomodrú sukňu a bielo-modré tenisky. Bude to úplne v poriadku, ak urobím, čo navrhol Brody, vravela som si. Je dobré, ak sa navzájom lepšie spoznáme, musela som však byť veľmi opatrná v očakávaniach, ktoré som nechtiac podnietila. Za žiadnych okolností nemôžem dovoliť, aby z tohto domu dnes večer odišiel s presvedčením, že by sme mohli mať medzi sebou nejaký romantický vzťah. Možno odíde sklamaný či dokonca nahnevaný, ale ak mu rodičia napokon povedia o nás pravdu, pochopí to.

Ako som si kefou prečesávala vlasy, pripustila som, že ak by sa veci mali inak a Brody by nebol môj príbuzný, bolo by ľahké zamilovať sa do tohto mladého muža nielen vďaka tomu, že dobre vyzeral. Bol úprimný, citlivý aj vnímavý. Nepredstieral, že jeho rodina je niečím iným, než skutočne je. Vedel o slabých stránkach našej matky a určite bol nezaujatý voči Alison. To podľa mňa svedčilo o jeho zrelosti. Veľmi som si želala, aby moje tajomstvo bolo odhalené a mohli sme sa stať skutočnou sestrou a bratom. Nepochybovala som o tom, že keď sa to stane, budem mať úžasného nového priateľa.

Napriek obavám a zákazom, ktoré som si stanovila, nevedela som odísť od svojho toaletného stolíka bez toho, že by som si trochu narúžovala pery. Usmiala som sa na seba, keď som si spomenula na rozhovor, ktorý prerástol do menšej zvady s Leslie a Catherine, dvoma premúdrelými sestrami z Francúzska, ktoré mi nakoniec prebrali môjho priateľa Randalla Glenna.

„Ženy si *vždy* uvedomujú svoj vzhľad, *miláčik*," tvrdila Leslie.

„Neustále vystupujeme na javisku," dodala Catherine. Zasmiali sa. „Preto sme v divadle prirodzenejšie, však že?"

„Muži môžu byť rovnako márniví," protirečila som jej. Bolo veľmi nepríjemné, keď sa po niektorých mojich slovách začali chichúňať a skrývať si hlavy do dlaní, ako keby som bola nejaká naivka, pokiaľ ide o mužov a ženy.

„Nie ste až také expertky," vyhŕkla som na ne. Prestali sa smiať.

„Dokonca aj keď sme iba mladé dievčatá, záleží nám na tom, ako vyzeráme," pokračovala Catherine. „Chceme, aby si náš ocko myslel, že sme chutné. Flirtujeme ešte skôr, než vieme rozprávať."

„*Oui*. Vieme to prírodne, tak sa to hovorí?" spýtala sa Leslie svojej sestry.

„Od prírody," opravila ju.

„Áno, od prírody. Taká je každá z nás... *la femme*," zvolala a zasmiala sa. „Nesmieš sa za to hanbiť, *chérie*. Nie, nie, to sa nedá zaprieť," ubezpečovala. „Dokonca aj tí muži, ktorí sa nám nepáčia, dokonca aj muži, ktorí by nás nemali vidieť... ako sa to hovorí?" Spýtavo sa pozrela na svoju sestru.

„Pred raňajkami," doplnila ju Catherine so smiechom.

„*Oui*, pred raňajkami."

„To je hlúpe. Veď vy ste obidve priam... posadnuté sexom," obvinila som ich. Pustili sa do ešte väčšieho smiechu.

„*Oui, oui*, veď samozrejme," povedala Leslie.

Potom som často pri pohľade nejakého muža na mňa, dokonca aj keď to bol iba mladý chlapec, cítila, ako mi horúčava stúpa do tváre. Zlepšilo mi to držanie tela, odvrátila som zrak a opäť som naňho pozrela. No a neskôr som sa na seba hnevala, že som taká... taká Francúzka.

Možno je načase, aby som si pripustila, že mi dobre padne, keď ma ocenia, obdivujú a keď som jednoducho ženou. Niečo také by som nikdy nepriznala tým otravným sebavedomým sestrám, nemusela som to však urobiť a ony to nemuseli vedieť.

Len buď opatrná, varovala som svoj obraz v zrkadle, keď som si narúžovala pery.

Zišla som dolu a prestrela som stôl. Brody tak dlho nechodil, až som začala uvažovať, či si to nerozmyslel, alebo či nezavolal našej matke, a tá mu možno prikázala, aby sa okamžite vrátil. Nemohla som si pomôcť, ale želala som si, aby to bola pravda. Situáciu by to značne zjednodušilo.

Lenže o desať minút neskôr jeho auto zaparkovalo pred domom. Pozrela som sa cez okno a videla som, ako v náručí drží nákupné vrecká a kráča ku vchodu. Na niekoľko okamihov som si vlastne myslela, že neotvorím. Keby tak...

„Prepáč, že to tak dlho trvalo," povedal, keď som ho vpustila dnu. „Mali hrozne veľa práce. Teraz už nikto nevarí, ako hovorieva môj otec svojim priateľom o mojej mame." Upaľoval po chodbe do kuchyne a bol rozrušený a šťastný, ako keby sa vznášal na nejakom čarovnom koberci. Obrátil sa ku mne. „Moje obľúbené jedlo sú rezervácie. Chápeš?" spýtal sa, keď som neprepukla do smiechu. „Rezervácie."

„Áno, Brody, chápem," povedala som, potrasúc hlavou.

Vrecká s nákupom zložil na kuchynskú linku.

„Stôl je už prestretý," povedala som mu.

„Aha. Fajn. Super." Nákup preniesol do jedálne a položil ho na stôl, aby mohol vybrať nádoby s jedlom.

„Môžem urobiť čaj," navrhla som.

„Čaj? Čo to s tebou urobila moja anglická prateta a môj anglický prastrýko? Nie. Priniesol som dobré čínske pivo," povedal a z druhého nákupného vrecka vytiahol kartón so šiestimi fľašami. „Všetko je to ešte horúce," povedal, kývnuc smerom na nádoby s jedlom. „Vyložím to na taniere."

Pustil sa do naberania, veľkými lyžicami načieral do nádob a naložil mi plný tanier.

„Polievku som nekúpil. Myslel som si, že by toho asi bolo priveľa."

Keď som videla, aké množstvo jedla nakúpil, musela som sa zasmiať.

„Aj takto je ho veľa."

„Čo zostane, dáš si zajtra na obed. Nič sa nedeje. Pri čínskych jedlách sa ráta s tým, že niečo zostane aj na neskôr. Priam sa to očakáva. Pusti sa do toho," prikázal mi.

Jedlo bolo dobré, a tak som ho pochválila.

„No, je fajn. Pamätám sa, že som si raz v tom podniku pochutil. Prišli sme navštíviť starú mamu a môj otec sa rozhodol, že by sme sa všetci mali ísť niekam najesť. Stará mama nechcela ísť, ale on ju prehovoril, a páčilo sa jej tam." Zasmial sa. „Po večeri teta Victoria prekontrolovala účet a zistila, kde nám účtovali plnú večeru namiesto čiastočnej objednávky. Ona má tuším v hlave nejakú kalkulačku."

Zasmiala som sa. Bolo to, akoby sa náhle pretrhla hrádza prechovávajúca udalosti z jeho detstva, a všetky spomienky, slová a pocity sa zrazu náhlili na slobodu.

„Dáš si pivo?" spýtal sa.

„Nie, ďakujem ti."

„Je dobré." Obsah celej fľaše si nalial do pohára.

„Vždy si sem rád chodieval?" spýtala som sa.

„Nechodili sme sem často. Väčšinou to bolo tak, že teta Victoria naliehala, aby sme prišli, lebo si potrebovala predebatovať nejaké podnikateľské záležitosti či podobné veci. Moja matka nenávidí rozhovory o podnikaní. Dokonca nemá ani vlastný účet so šekovou knižkou. Moji rodičia majú podnikateľského zástupcu, ktorý jej zavolá, keď prekročí stav na svojom účte alebo niečo také. Ona potom bedáka a ponosuje sa na to môjmu otcovi a tvrdí, že je to chyba podnikateľského zástupcu, ktorý ju nevaroval v dostatočnom predstihu."

„Vari je naozaj taká nezodpovedná?" spýtala som sa. Úplne podvedome som cítila záujem o to, aká je v skutočnosti vlastne moja matka a ako žije Brodyho rodina.

Prestal jesť a zasmial sa.

„Nie. Vie však, ako zmanipulovať môjho otca. On by mal byť na čele rodiny, ale víťazne vedie moja mama. Nikdy som nebol svedkom toho, že by nedosiahla, čo chce."

„Keby jej otec nechcel prepustiť vedenie, neurobil by tak," namietla som.

Chvíľu podumal a potom prikývol.

„To je podľa všetkého pravda. Jediná rada o ženách, ktorú mi kedy dal, bola, že ich nikdy nemám podceňovať. ‚Keď ide o ženy, nič nie je také, ako sa zdá,' vravel."

„Muži však vedia byť rovnako prešpekulovaní, Brody."

„Pokúšame sa o to," povedal s úsmevom a pochutnával si na mäsových závitkoch v cestíčku, „lenže v porovnaní s údajne slabšími stvoreniami sme iba obyčajní amatéri."

„My sme naozaj slabšie," tvrdila som.

„No určite," povedal, teraz už bez smiechu. „Len sa pozri na kráľovnú Alžbetu. Veď si žila v Anglicku. Ty zrejme vieš všetko o jej úlohe v histórii."

„To je niečo iné. Ona bola kráľovná. Musela byť silná."

„Všetky ženy sú kráľovné vo svojej vlastnej domácnosti," prehlásil. „Počuj, nie aby si ma zle pochopila. Tak by to malo byť. Máš pravdu. Keby môj otec nechcel, tak by to tak nebolo. V poslednom čase sa mi však vidí, že so všeličím súhlasí a je ochotný urobiť čokoľvek, aby sa vyhol nedorozumeniam. Nechce sa odpútavať od práce.

Môj otec je ambiciózny človek, ale len preto, lebo ostatní ľudia ho považujú za veľmi schopného. Vieš, možno by raz z neho mohol byť prezident Spojených štátov," uzavrel hrdo.

„Takže spolu vychádzate dobre?"

„To určite. Sme kamaráti. Chodí na všetky moje zápasy začínajúceho záložníka. Raz dokonca letel už na svitaní, aby prišiel načas, a zaplatil aj mimoriadne drahú letenku."

„To je veľmi fajn, Brody. Teším sa s tebou."

Prikývol a nalial si ďalšie pivo.

„Nepi priveľa," varovala som ho.

„Ale choď, keby si videla, koľko piva vypijeme v škole, vôbec by si si s týmto nerobila starosti. Človek si zrejme vypestuje akúsi imunitu. Neraz som už stiahol kartón so šiestimi fľašami."

„Ja len nechcem, aby ti bolo zle, alebo aby si nemohol šoférovať," vravela som.

„Myslel som na to. Ak nemáš nič proti tomu, zostanem na noc. Prirodzene, budem spať v tej izbe, kde vždy."

Srdce mi výstražne bubnovalo varovania ako signály hroziaceho nebezpečenstva.

„Nemyslím si, Brody, že tvojej mame sa to bude páčiť."

„Ešte nevolala?" spýtal sa.

„Nie."

„Tá Alison. Ak našla odkaz a znovu ho zahodila, aby som sa dostal do maléru, vykrútim jej ten rozmaznaný krk."

„Brody, radšej mame zavolaj. Prosím."

„Určite. Zavolám," sľúbil. Znovu si odpil riadny dúšok piva, oprel sa o operadlo a skúmavo si ma prezeral.

„O čo ide?"

„Niečo mi vždy vŕtalo hlavou. Moja mama mi na to nikdy nedala priamu odpoveď."

„Aha." Rýchlo som sklopila zrak a prestierala som, že sa venujem jedlu.

„Ako sa s tebou mama zoznámila, aby ťa mohla poslať do toho programu, vďaka ktorému si sa ocitla tu u starej mamy? Vôbec som nevedel, že by moja mama bola do niečoho takého zaangažovaná. Najbližšie sa k problematike menšín dostala tým, že chodila na čaje Mladých republikánov."

Naďalej som sa dívala do taniera. Mala som pocit, akoby som bola pavúk, ktorý spriada pavučinu z klamstiev. Ibaže namiesto toho, aby sa do nej chytila nejaká nevinná muška, by som sa určite chytila ja. Ako dlho ju ešte budem musieť spriadať?

„Neviem, čo ti povedala," vravela som opatrne.

„V podstate nič. Viem, že presvedčila starú mamu, aby ti dala šancu, a starej mame si sa zrejme od začiatku pozdávala."

„Bol to iba taký program v škole pre nádejných študentov," začala som. „Raz ma zavolali do riaditeľne a tvoja mama ma niekoľkými otázkami otestovala. Áno, tak by sa to dalo povedať. A potom som sa už iba dozvedela, že som dostala odporúčanie. Ostatné už vieš."

„Vôbec si neviem predstaviť, kedy to mama mohla stihnúť. Fakt prišla do školy?"

„Možno okolo toho nebolo až tak veľa práce. Možno jej o tom programe povedala nejaká priateľka a ona si pomyslela, že by to bol dobrý nápad."

„Je v tom priveľa ráz možno," namietol Brody. Otvoril si ďalšie pivo. Niektoré klamstvá sú také priehľadné, že človek im dovidí až na dno, pomyslela som si.

„Spomínam si, ako to môjho otca prekvapilo," pokračoval. Teraz už pivo priam lial do seba. Rozprávanie o mne ho očividne znervózňovalo. „Najviac ho prekvapilo, ako rýchlo ti moja mama všetko vybavila a ako ľahko presvedčila starú mamu, aby ťa prijala."

„Stará mama veľmi dbala na to, kto ju má navštíviť, o bývaní u nej už ani nehovoriac. Myslím, že vytvorila rekord v prepúšťaní slúžok. Ani žiadny podomový obchodník by sa neodvážil prísť bližšie než na tridsať metrov od tejto usadlosti."

„Bola chorá. Potrebovala, aby s ňou v dome niekto bol," vysvetľovala som.

„Nedospelé dievča? Viem, čo si stará mama myslela o dnešných pubertiakoch. Vravievala, že keby dnes bola matkou tínedžera či tínedžerky, musela by si najať krotiteľa levov."

Zasmiala som sa.

Potriasol hlavou.

„Je to celé priveľmi tajomné. Okrem toho v poslednom období moji rodičia trávia omnoho viac času za zatvorenými dverami ako kedykoľvek predtým. Viem, že ti stará mama zanechala v testamente nejaké peniaze, ale ešte vždy neviem koľko. Nik o tom nič nehovorí. Môj otec vraví, že sa o tom debatuje, a mama iba krúti hlavou a opakuje, že je to ťažká situácia. To je jej spôsob konštatovania, že o tom nechce hovoriť. Vraj budem z toho riadne smutný, chorý či deprimovaný. Čo ti to vlastne stará mama zanechala?"

„Debatuje sa o tom," povedala som s úsmevom.

„Ja hovorím vážne."

„Brody, všetko je v rukách právnikov. Ani ja nepoznám mnohé podrobnosti," tvrdila som.

Pokrútil hlavou.

„Mám v úmysle stať sa právnikom. Som dosť bystrý na to, aby som vedel čítať medzi riadkami a aby som vedel dešifrovať niektoré poznámky, utrúsené v dome. Stará mama ti zanechala poriadny balík, dosť veľký na to, aby Victorii praskla nejaká žila, tak je? A keďže nepatríš do rodiny, chcú to spochybniť a zabrániť tomu, však?"

„Brody..."

„Preboha, ja tu nie som ako špión. Jedno mi však povedz!"

„Hádal si dobre," ozvala som sa, „lenže ja si myslím, že to všetko dopadne celkom dobre."

„Celkom dobre?" Zasmial sa. „Ako poznám tetu Victoriu, znamená to, že budeš vyhodená a padneš na zadok. Čo vlastne plánuješ urobiť, Rain? Naozaj sa chystáš odísť do Anglicka?"

„Áno," prikývla som.

„Stretla si tam niekoho?"

Uvedomila som, si, že toto by mohli byť únikové dvierka, ktoré som tak zúfalo hľadala. Kývnutím som prisvedčila.

„Áno, Brody, stretla. Stretla som niekoho, koho by som vedela skutočne milovať. Niekoho, kto ma bude milovať," vravela som. V skutočnosti som hovorila o svojom otcovi, ale Brody to pochopil presne tak nesprávne, ako som si želala.

„Takže tak," ozval sa. „No, neprekvapuje ma to. Si pekné dievča. Ktokoľvek by chcel, aby si bola jeho dievčaťom," povedal.

Usmiala som sa naňho a rukou som ukázala na našu hostinu.

„Toto všetko bolo vynikajúce, Brody. Ďakujem, že si to priniesol."

„Čože? Jasné," zalovil po slovách. Vstala som a začala som odpratávať riad. Sústredene ma sledoval.

„Pre teba už naozaj začína byť dosť neskoro, Brody. Nemal by si pomýšľať na cestu domov?"

„Možno," vravel. Zrazu vyzeral zatrpknutý, nahnevaný a dotknutý. Bolo mi ho ľúto, lenže čo som mohla robiť?

Odniesla som riad do kuchyne a položila som ho vedľa umývadla. Keď som sa vrátila, otváral si ďalšiu fľašu piva.

„Brody, verím ti, keď hovoríš, že znesieš toho veľa, ale ak máš dnes večer ešte šoférovať..."

„Budem v poriadku," povedal netrpezlivo. „Vieš, uvažoval som. Pamätám sa, ako si mi rozprávala o svojom živote a o všetkých ťažkostiach, ako si pre nejaký gang prišla o sestru a tak ďalej. Musíš si na ľudí dávať pozor, Rain. Si vlastne sirota. Hľadáš niekoho, kto ťa bude milovať. Môžeš byť veľmi zraniteľná. Prirýchlo by si mohla do niečoho skočiť."

„To všetko viem, Brody. Ďakujem ti."

„Nie, naozaj. Mala by si kúsok poodstúpiť a všetko si dôkladne premyslieť. Kto je ten chalan v Anglicku? Je oveľa starší?"

Prv než som stihla niečo pripriasť k mojej pavučine klamstiev, zazvonil telefón. Vzala som si ho do kuchyne. Bola to moja matka a mala hysterický hlas.

„Rain, je tam Brody? Naozaj šiel k tebe?"

„Áno," odpovedala som.

„Čo tam robí?"

„Ja som ho nepozvala," odpovedala som okamžite. Došlo mi, že si možno myslia, že mu nadbieham, a tak chcem zabrániť, aby spochybňovali testament. „Len sa objavil na prahu. Pokúšala som sa vyhovoriť mu, aby šiel ďalej, ale on nástojil, že zostane na večeru. Priniesol nejaké čínske jedlá a práve sme dojedli," uzavrela som.

„A čo ešte?"

„To je všetko," odpovedala som. „Nič nevyšlo najavo," dodala som, lebo mi bolo jasné, že to ju predovšetkým zaujíma.

„Takže čo tam robí?" hlas mala hašterivý a piskľavý.

„Môžeš sa s ním porozprávať," navrhla som a zavolala som Brodyho k telefónu. „Volá tvoja mama."

„Moja sestra tuším predsa len môj odkaz nezahodila." Vzal si slúchadlo a ja som sa vrátila k odpratávaniu riadu.

„Iba sa mi chcelo trochu sa previezť, mami. Prečo taká panika?" Chvíľu počúval. „Nebola si doma a ja som nevedel, kde si. Otec je v New Yorku. Neviem," dodal. „Už je dosť neskoro. Možno by som tu radšej mal zostať cez noc a odísť až ráno. Do motela? Načo? Veď tu mám svoju izbu. Prečo si taká nervózna? Je nám celkom fajn."

Znovu počúval, potriasol hlavou a potom odo mňa odvrátil zrak k stropu.

„Mami, nikdy som u tety Victorie nestrávil noc a nemám v úmysle tam dnes večer chodiť. Za celý rok mi nepovedala viac než dvadsať slov. Naozaj. Prestaň ma už presviedčať," vravel rozhodne. „Dobre, dobre. Tu ju máš. Chce s tebou ešte hovoriť," komentoval. „Sľúb jej, že si vyčistím zuby, dobre? Musím ísť do kúpeľne," oznámil.

Vzala som si slúchadlo.

„Prosím?"

„On k tebe zašiel, lebo ho veľmi priťahuješ," vyhŕklo z nej. „Vždy sa na teba vypytuje, dokonca aj keď si bola v Anglicku. „Musíš byť opatrná."

„Chápem," pritakala som.

„Musíš sa pred ním mať na pozore," pokračovala. „Brody je zrelý mladý muž a je veľmi šarmantný. Nezabúdaj, kto si, Rain, a aký je medzi vami vzťah."

„Nemusíš mi to pripomínať, ale keby si už tomu raz urobila koniec, nemali by sme tieto problémy. Ak je taký inteligentný a taký zrelý, mal by byť schopný to prijať."

„Dobre. Len čo sa vráti, Grant a ja sa s ním rozhodne porozprávame," prisľúbila. Ten sľub som už počula aj predtým a nemala som dôvod veriť, že ho tentoraz splní.

Počula som, že Brody sa vrátil do jedálne.

„Povedz jej, že sa správam ako skutočný južanský džentlmen," zakričal.

„Znervózňuje ma, že je u teba. Zavolám Victorii," povedala moja matka.

„Ja nemám nič proti tomu," odvetila som.

„Škoda, že Grant nie je doma," zamrmlala si pod nos. „On by ho prehovoril, aby odišiel."

Žiadalo sa mi povedať matke, že možno už je načase, aby vzala na seba celú zodpovednosť, a neváľala všetko na manželove plecia, dokonca aj svoje vlastné chyby z minulosti. Možno už je načase, aby sa konečne pokúsila urobiť z nás naozajstnú rodinu. Brodyho konanie to jednoznačne bolestne ukázalo a ty, matka, by si konečne mala vytiahnuť hlavu z piesku. Zajtrajšok je už možno na dohľad. To všetko som jej chcela povedať, ale namiesto toho som iba vyslovila dovidenia.

„Prepáč," ospravedlňoval sa Brody, keď som sa vrátila do jedálne. Dovtedy už dopil šiestu fľašu z kartónu a načal ďalší.

„Robí si o teba veľké starosti. Prečo radšej nejdeš k svojej tete?"

„Kvôli čomu si robí také starosti?" zasmial sa. „Čo také vedia o tebe, čo ja neviem?" spýtal sa so žiadostivým úsmevom. „Žeby si bola zvodkyňa? Žeby si mi učarovala? Možno nebudem schopný odolať," vravel.

„Brody, počúvaj..."

„Len žartujem, len žartujem. Takže kde sme to boli? Aha, áno, rozprávala si mi o svojom milostnom živote v Anglicku. Kde si sa s tým chlapcom stretla? V škole?"

„Áno," odpovedala som.

„No a aký je? Je to Angličan?"

„Nie." Rozhodla som sa použiť Randalla. Bola to takmer pravda. „Je Kanaďan a je to veľmi talentovaný spevák."

„Takže tak. No, nemala by si sa príliš zapliesť s niekým, kto chce byť v šoubiznise. Len si uvedom, aký život ho čaká."

„Aj ja plánujem robiť v šoubiznise. Rozhodne nemám záujem usadiť sa niekde s manželom a kopou detí," uistila som ho.

Zasmial sa.

„Lenže raz tak predsa len urobíš, no nie?"

„Neviem. Teraz je však vhodnejšie, aby som myslela skôr na kariéru než na nejaký románik či nejaký vzťah. Možno sa ani nikdy nevydám. Možno sa vydám iba za svoju kariéru."

Pokúšala som sa vravieť také veci, ktoré by ho odo mňa odrádzali. Zamyslene prikyvoval, ale jeho oči mali čoraz viac sklený výraz.

„Možno sa budem podobať na tetu Victoriu," povedala som. Vydul pery a zasmial sa.

„Je mi jasné, že si zo mňa iba uťahuješ. Na tetu Victoriu sa podobáš asi tak ako ja. Skôr sa podobáš na moju mamu. Dokonca máš s ňou niektoré podobné črty," povedal a nalieval si pivo do pohára. „Nemyslím tým, že by si manipulovala mužmi alebo čosi podobné. Myslím tým, že si pekná ako ona, dokonca ešte krajšia," vravel.

„Radšej už idem odložiť zvyšné jedlo, aby sa nepokazilo," povedala som a načiahla som sa po nádobu. Brody mi chytil zápästie a pozrel sa na mňa.

„Vieš, ty si krajšia. Si omnoho krajšia."

„Brody, prosím ťa," bránila som sa a pokúšala som sa vyslobodiť.

„Je to preto, že som o takmer dva roky mladší ako ty?" spýtal sa. „Lenže ja som omnoho starší ako iní chalani v mojom veku. Naozaj. Fakt."

„Čo že je preto, Brody?"

„Preto sa snažíš ignorovať ma, ignorovať moje pocity k tebe?"

Vyjavene som sa naňho pozrela a vtedy znovu zazvonil telefón.

„No nie," povedal. „Tak ona zasa volá. Daj, vezmem to," vyhlásil a vyštartoval zo stoličky. Odfrčal do kuchyne a len-len že nestrhol slúchadlo z prístroja na stene.

„Áno, mama?" ohlásil sa. „Aha," povedal vzápätí. „Ahoj, teta Victoria. Nie, myslel som si, že opäť volá moja mama. Volala ti?"

Prikryl slúchadlo.

„Mama jej volala. Vieš si to predstaviť?" povedal šeptom. „Nie, teta Victoria. Rozhodol som sa nezostať tu. Ale ďakujem za pozvanie. Je to od teba veľmi milé."

Virginia Andrewsová

Mrkol na mňa.

„Áno, prv než nabudúce niečo takéto urobím, určite ti zavolám. Jasné. Dovidenia."

Zavesil a rozosmial sa. Potom sa na mňa tak sústredene pozrel, že som na chvíľu takmer skamenela.

„O čo ide?" spýtala som sa.

„Musíš mať u nich nejakú špeciálnu povesť, keď si robia také starosti. Priam horím zvedavosťou."

„Nemám žiadnu špeciálnu povesť," odvrkla som.

Zapotácal sa a mykol plecami.

„Fajn," povedal. „Takže sa vráťme k nášmu rozhovoru."

Vykročil smerom do jedálne.

„Ja odkladám veci od večere," vravela som. „Čo keby si si šiel na chvíľu odpočinúť na pohovku v obývačke?"

„Matný nenachádza odpočinok," povedal a zrejme tým myslel malátny. „Chápeš?"

Zasmial sa a vyšiel z kuchyne.

Zrejme začína byť opitý, pomyslela som si. To nie je dobré. Zrazu som pocítila rovnaké obavy ako moja matka.

Keď som sa vrátila do jedálne, videla som, že sa zachoval podľa mojej rady a šiel do obývačky. Zobral si aj poslednú fľašu piva. Upratala som stôl, všetko som pozbierala a uložila do umývačky riadu a potom som ho šla hľadať. Ležal natiahnutý na pohovke, bez topánok, oči mal zatvorené a na perách mal náznak spokojného úsmevu. Chvíľku som sa naňho dívala bez toho, že by ma vnímal.

Spomenula som si, ako som si kedysi predstavovala, aké by to bolo byť chlapcom. Vtedy som mala sedem či osem rokov a dívala som sa na Roya presne tak ako teraz na Brodyho. Roy spal na pohovke v obývacej izbe. Ja som sedela oproti nemu a sledovala, ako sa mu hruď dvíha a klesá. Videla som, ako sa mu pri výdychu slabučko zachvievajú pery. Vyzeralo to, akoby sa mu všetky črty tváre uložili do odlievacej formy, vytvorenej kosťami jeho tváre.

Chlapci musia vyzerať ráznejšie, pomyslela som si. Kosti musia mať hrubšie, takže všetky črty majú širšie a dlhšie. Preto vyzerá tak odlišne odo mňa. Keby som bola chlapec, aj ja by som tak vyzerala.

Hľadieť na Brodyho bolo však niečo iné. Keď som videla podobnosť s mojou matkou, zároveň som videla aj podobnosť so mnou, hoci iba v náznaku. Prirodzene, zdedil aj veľa rysov svojho otca a zdalo sa, že prevládajú nad matkinými či mojimi. Nebolo sa prečo čudovať, že Brody sa nepozrel na mňa a nepomyslel si: Nemohla by aj ona byť dcérou mojej matky?

Pomrvil sa a kútik pier mu klesol. Vzápätí otvoril oči a bez slov sa na mňa pozrel. Jeho výraz tváre svedčil o tom, že sníval, a teraz čaká, či mu zostanem pred zrakom, alebo keď mrkne očami, zmiznem ako bublina.

„Ahoj," ozval sa.

„Ahoj."

„Zrejme som toho priveľa vypil," pripustil.

„Zrejme áno."

„Začala sa mi točiť hlava, tak som si ľahol."

„Vidím, že si vládal aj priniesť si pivo."

„Keby si aj ty bola z neho pila, nemusel som ho toľko vypiť."

„Presne tak ako každý muž, ktorého poznám: iba hľadáš spôsob, ako zvaliť vinu na ženu."

Zasmial sa.

„Naozaj sa chystáš ísť domov?" spýtala som sa. „Alebo to bolo iba niečo, čím si chcel odbiť svoju tetu?"

„Iba čosi také."

„Nuž, ja dnes pôjdem spať skoro. Od jazdenia ma bolí celé telo. Keď človek po dlhom čase po prvý raz jazdí na koni, neuveriteľným spôsobom ho to povykrúca a pootĺka."

„Mohol by som ťa pomasírovať," ponúkol sa. „Ako futbalista celkom presne viem ako na to. Cez sezónu ma tréner masíruje aspoň dva razy do týždňa."

„Nie, ďakujem," povedala som.

„Som v tom dobrý," modlikal.

„O tom nepochybujem, ale ďakujem, nie, radšej si idem pospať, a tebe to odporúčam tiež. Vstanem skoro ráno a pred odchodom ti urobím raňajky."

„Chceš sa ma čo najskôr zbaviť, čo?"

„Nie, ale nechcem, aby si mal ďalšie problémy so svojou rodinou, a rozhodne nechcem, aby som ja s nimi mala ďalšie problémy," ubezpečila som ho.

Ešte vždy ležal, ruky mal za hlavou a pozeral sa na mňa.

„Ty si fakt pekná, Rain."

„Práve v tejto chvíli si vôbec nepripadám pekná," povedala som.

„Teba zrejme nikdy nič neprekvapí. Stavím sa, že ráno, keď otvoríš tie svoje krásne oči, si ešte úchvatnejšia."

Zasmiala som sa.

„Odkiaľ berieš tie parádne reči, Brody Randolph?"

„Zo srdca," uistil ma. „Prichádzajú rovno stadeto," dodal a položil si dlaň na srdce.

„Fajn," uzatvorila som. „Vieš, kde nájdeš, čo potrebuješ. Dobrú noc."

Pobrala som sa z obývacej izby.

„V srdci mám toho ešte viac, než treba odhaliť," volal za mnou.

Len tak pre seba som sa usmiala. Naša matka mala pravdu, bol očarujúci.

Neriskovala som pokračovanie v rozhovore. Vyšla som po schodoch a takmer som vletela do izby, ktorá sa teraz stala mojou. Keď som sa prezliekla do nočnej košele a chystala sa do postele, zdola som začula hudbu. Brody ju najprv zosilnil a ešte viac zosilnil, vzápätí stíšil a napokon vypol. Ja som ležala v tme a načúvala. Keď som začula jeho kroky na schodoch, srdce mi začalo búšiť.

„Dobre sa vyspi," zavolal, keď prechádzal okolo mojich dverí. Neodpovedala som. Vošiel do hosťovskej izby, kde zvykol spávať. Počula som ho chodiť hore-dolu, púšťať vodu a potom dom úplne zatíchol.

Vyspí sa z toho, pomyslela som si. Po raňajkách pôjde domov a moja matka mu už konečne prezradí naše najväčšie tajomstvo.

Chvíľu som na tú scénu myslela a bolo mi ho ľúto. Nielen pre sklamanie, čo ho čakalo, pokiaľ ide o mňa. Pre syna musí byť priam tragédia, keď sa dozvie také škandalózne veci o svojej matke. Spomenula som si, akú vysokú mienku mal Roy o mame Arnoldovej. Pre muža nemôže byť žiadna žena taká perfektná ako jeho matka. Brody bol typ človeka, na ktorého mohlo veľmi kruto zapôsobiť, že mu nič nepovedali po celé tie roky, najmä tento posledný rok.

Alison by bola zrejme skôr v rozpakoch a nahnevaná, obrátila by to však rovno proti mne, tým som si bola istá. Keď som si predstavila všetok ten rozruch a napätie, ktoré mali vypuknúť v tom inak dokonalom domove, takmer som pociťovala súcit s mojou matkou za to, že sa to čo možno najdlhšie usilovala tajiť. Nebolo by pre nich skutočne omnoho ľahšie, keby som jednoducho zmizla?

Vrátila som sa k tej úvahe v súvislosti s mojím rozhovorom s Victoriou. Mala pravdu, usúdila som. V nadchádzajúcich dňoch by som spolupracovala a svoj návrat do Anglicka by som uľahčila sebe aj ostatným.

Všetky tieto starosti a myšlienky ma unavili. Len čo som sa rozhodla zatvoriť oči a spať, už som aj spala. Zaspala som tak hlboko, že som si neuvedomila, že Brody je už dobrú chvíľu v mojej izbe a stojí vedľa mojej postele. Zrejme ma už raz pobozkal na čelo, prv než som otvorila oči pri druhom bozku. Spočiatku som bola zmätená. Na okamih som dokonca zabudla, že je vôbec v dome.

Jeho dych som cítila blízko pri svojom uchu a prudko som sa obrátila, sotva zadržiac výkrik. V mesačnom svite prenikajúcom cez okno jeho telo priam žiarilo a ja som si v okamihu uvedomila, že tam stojí úplne nahý.

„Neboj sa," povedal.

„Čo tu robíš?"

„Nevedel som zaspať. Iba som ležal a myslel na teba. Nechoď späť do Anglicka. Je mi jedno, čo ti ten chalan nasľuboval. Nebude k tebe taký dobrý ako ja. Budem k tebe ešte lepší, ako je otec k mojej mame."

„O čom to hovoríš, Brody? To vôbec nedáva zmysel. Choď si radšej ľahnúť."

„Hovorím o nás, Rain. Po celý rok si bola priamo tu," vravel a ruku si položil na čelo. „Neraz som prestal počúvať na vyučovaní alebo keď mi ľudia niečo vraveli, a predstavoval som si ťa, v duchu som ťa počul, a dokonca cítil vôňu tvojich vlasov a napĺňalo ma to takou túžbou, až to bolelo. To je láska, nie? Nemôže to byť nič iné."

„Brody, nie..."

„Páčim sa ti. Určite sa do mňa zamiluješ, ak to ešte tak nie je. Jednoducho viem, že sa to stane. Tak či onak, mám vo svojom srdci dosť lásky za nás oboch," povedal.

Sadol si na posteľ.

„Len nám daj šancu," modlikal. „Prosím."

Načiahol ruku, aby sa dotkol mojej tváre, ale ja som sa odtiahla a sadla som si na posteli, pridržiavajúc si pri sebe prikrývku.

„Ešte vždy si opitý," vravela som. „Inak by si tu nebol a nevravel by si tieto veci. Brody, choď sa z toho vyspať."

„Nie, som úplne triezvy."

Naklonil sa ku mne, aby ma pobozkal, ale ja som ho chytila za bradu a odtláčala som ho. On sa nedal, tlačil mi ruku, až som už nevládala a on priblížil pery k mojim. Zvriskla som a oboma rukami som ho celou silou schmatla za plecia a odsotila.

„Čo, hádam mi smrdí dych alebo čo?" spýtal sa. „Nepreháňaj to."

„Toto nemôžeme robiť. Musíš vypadnúť z tejto izby," prikázala som mu.

„Prečo?"

„Nikdy nebudeme milencami, Brody. Skrátka na to zabudni," povedala som čo možno najrozhodnejšie.

„Prečo sa ti nepáčim? Myslíš si, že som nejaký rozmaznaný naničhodník ako moja sestra? Usilujem sa pracovať zo všetkých síl. Nič nechcem zadarmo. Aj teba si chcem zaslúžiť, Rain."

„Nejde o to, Brody. Mne sa páčiš."

„Myslíš si, že moja rodina bude proti? Myslíš si, že pretože sú pôvodom južania, budú mať námietky proti tebe, lebo si Afroameričanka? Ak by to urobili, ja by som na to nedbal. Stratili by ma," tvrdil.

Potriasla som hlavou.

„Brody, prosím ťa, prestaň."

Schytil moju ľavú ruku a začal si ju približovať k perám.

„Prestaň, Brody!" vykríkla som a prudko som si ju vytrhla.

„Čo, ty si myslíš, že si viac ako ja? O to ide?"

„Mysli si, čo chceš. Len už vypadni," povedala som rázne.

„Existuje veľa dievčat, ktoré by ma zo svojej spálne nevyhodili," nafúkol svoje dotknuté ego.

„Tak dobre, choď za nimi," pritakala som.

Nerada som takáto odporná, ale nič iné mi nezostáva, vravela som si. Musela som byť ešte odpornejšia.

„Si pre mňa primladý," pokračovala som. „A si ešte chlapec. Tie roky, o ktoré som staršia, zďaleka nezodpovedajú skutočným rozdielom medzi nami. Som neporovnateľne staršia ako ty a nestojím o žiadne dôverné vzťahy s nikým. Už som ti to povedala. Neviem, odkiaľ si vzal ten nápad, že by sme mohli byť milencami."

„Ani ja," odvrkol nahnevane.

„Takže choď spať. A aj mňa nechaj spať," kričala som.

V tme nevidel slzy, ktoré mi stekali po tvári. Keby ich videl, nevedel by, čo bolo ich príčinou.

„Jasné. Vráť sa do Anglicka," vravel. „Budeš to ľutovať. Zrejme som ťa absolútne zle odhadol."

„To je pravda," súhlasila som. „Zle si ma odhadol." Rukami som si zakryla tvár.

Chvíľu tam stál a hľadel na mňa, potom vyšiel z mojej spálne a zatresol za sebou dvere.

„Ach, matka," zvolala som, „netušíš, koľko bolesti ešte vždy vnášaš medzi svoje deti."

Ponorila som tvár do vankúša, aby mi vysušil slzy. Nedokázala som znovu zaspať. Asi o dvadsať minút som začula, ako Brody s dupotom prešiel okolo mojich dverí.

„Želám ti úžasný život," zakričal a buchotal dolu po schodoch.

„Brody!" zvolala som.

Vstala som a uháňala za ním. Vchodové dvere sa zatresli, keď som bežala dolu po schodoch. Dobehla som von, ale on už sedel v aute, ktoré s hnevom vytúroval na plné otáčky. Za piskotu pneumatík ho obrátil a odfrčal po príjazdovej ceste.

„Brody!" kričala som za ním a bežala dolu po schodoch.

O niekoľko sekúnd sa svetlá jeho auta stratili v diaľke. Bol preč.

Nepochované hriechy

⁓

*B*ola to taká strašidelná nočná mora, až sa stala skutočnosťou. Ľudia sa boja svojich snov nie preto, že sa budú prehadzovať v spánku a zobudia sa celí spotení, dokonca s plačom. Nie, svojich snov sa boja, lebo si myslia, že to môžu byť predpovede, ktoré ich predstavy premenia na hrozné proroctvá.

Celé hodiny po tom, čo Brody, priam šialene zúrivý, odišiel, som nevedela zaspať. A keď sa mi to konečne podarilo, vo sne som videla, ako zadné svetlá jeho auta postupne rástli. Najprv sa zmenili na dve zúrivé oči a potom splynuli do obrovskej ohnivej gule, ktorá vybuchla súčasne so zvonením telefónu, pričom z desivej čiernej oblohy nado mnou na mňa padal horúci popol.

Keď som sa zobudila na to zvonenie, srdce mi búšilo ako zvon, kradlo mi dych a napĺňalo mi pľúca chvením, ktoré sa šírilo dolu chrbticou až do prstov nôh. Telefón zvonil a zvonil. Sadla som si, obrátila som sa a zdvihla slúchadlo.

„Haló," ozvala som sa.

Nasledovalo ticho, hlboké a zlovestné, do ktorého nikto neprehovoril.

„Brody? To si ty?"

Počula som mohutný a hlboký ston.

„Brody?"

„Je mŕtvy!" zvriskla. Bolo to najmrazivejšie zvriesknutie, aké som kedy počula. Priam mi preniklo cez srdce, až tak, že ho na okamih zastavilo a potom znovu spustilo. Každý kúsok zo mňa sa akoby chcel odtrhnúť a explodovať ako svetlo v mojom sne a vymrštiť mi ruky a nohy, hlavu a trup na všetky strany sveta.

„Je mŕtvy!"

Žalúdok sa mi zovrel. Hrdlo sa mi stiahlo a krvi by sa vo mne nedorezal. Sotva som vládala udržať slúchadlo. Každou sekundou akoby viac a viac oťažievalo.

„Čože? Matka? Kto zomrel? Čo to hovoríš?"

„Grant mi práve volal z miesta nehody. Mal hlas, akoby aj on bol umrel. Nespoznávala som ho. Znovu a znovu som sa ho pýtala: ‚Si to ty, Grant?' Nakoniec iba vykríkol, že Brodyho už niet. ČO SI TO UROBILA?" kričala aj ona tak nahlas, že mi išlo ucho prasknúť.

„Brody? Čo sa vlastne stalo? Nemôže byť mŕtvy," ledva som vládala vypovedať.

„Neviem. Neviem. Vraveli, že asi hodinu jazdy od domu mojej matky stratil v zákrute kontrolu nad autom a narazil do stromu. Prečo šiel autom tak neskoro? Myslela som, že zostane na noc, ak nie u teba, tak u Victorie. Čo sa stalo? Čo si mu urobila? Čo si mu povedala?"

Telo sa mi začalo príšerne chvieť. Kosti mi hrkotali, zuby klepotali.

„Povedala som mu, že nemôžeme byť milencami. On si to želal a ja som musela byť neoblomná a tvrdá, aby som mu v tom zabránila."

„Ó, bože," vzdychla. „Je to moja vina. Všetko je moja vina."

Nepovedala som nie. Nenachádzala som pre ňu ospravedlnenie, pretože vo svojom srdci a vo svojej duši som bola presvedčená, že ona za to nesie zodpovednosť. To, že som k nej neprejavila súcit, malo však nečakaný dôsledok. Náhle sa jej hnev obrátil proti mne.

„Nemohla si si niečo vymyslieť? Nemohla si ho nejako pribrzdiť, aby sa natoľko nerozčúlil? Prečo si s ním tak za-

obchádzala neskoro v noci a poslala ho preč v takom sta-
ve? Prečo u teba zostal, keď Victorii hovoril, že odíde? Ty
si ho na to nahovorila? Áno, však áno? Chceš sa mi po-
mstiť, však?"

„Samozrejme, že nie."

„Tak prečo potom v takom stave odišiel? Prečo si ho ne-
zastavila?"

„Čo si chcela, aby som mu povedala, matka? Mala som
ja byť tá, kto mu povie pravdu, pretože ty si na to nema-
la odvahu? To nie je moja vina!"

„Možno si nemusela byť až taká tvrdá," zabedákala.
„Prečo si ho jednoducho neignorovala?"

„Prišiel za mnou uprostred noci, matka. Prišiel do mo-
jej spálne nahý. Chcel sa so mnou vyspať."

„Prestaň! Vymýšľaš si. Prestaň!"

„Chcel, aby som bola jeho dievča. Vravel, že ma veľmi
miluje, a že nech si ktokoľvek myslí, čo chce, on ma vždy
bude milovať."

„Ja takéto niečo nebudem počúvať. Brody je mŕtvy.
Môj syn... Grant ma znenávidí," povedala hlasným še-
potom šialenca. „Bude ma z toho obviňovať. Chápeš vô-
bec, čo sa stalo?"

„Je mi to veľmi ľúto," vyslovila som cez slzy. „Priala som
si, aby bol mojím bratom. Chcela som, aby bol mojím
priateľom."

„Pil niečo? Pili ste obaja z alkoholu mojej matky? Uro-
bili ste si divoký večierok! Preto sa chcel s tebou vyspať!"

„Matka, nič také sa nestalo. Priniesol nejaké pivo, ale
keď odchádzal, nebol opitý," povedala som.

„Priniesol pivo," zahundrala pre seba, akoby objavila sku-
točného vraha. „Grant to bude chcieť vedieť. Priniesol pivo."

Vedela som si ju predstaviť na pokraji šialenstva, s oča-
mi doširoka roztvorenými.

„Pil ho pri večeri, niekoľko hodín pred svojím odcho-
dom, matka."

„Tak potom toto všetko je možno jeden veľký omyl,"
povedala oveľa pokojnejším a nádejnejším hlasom. „Možno si to Grant nejako pomýlil. Možno šlo o nejakého
iného mladíka v podobnom aute. Zavolám mu na autotelefón. Možno je to tak."

„Nemyslím," povedala som potichu.

„Alison ešte vždy spí. Zničí ju to. Neustále sa vadili ako
každý brat a sestra, ale milovali jeden druhého. Vieš, on
bude právnik ako Grant," povedala zmeneným, omladnutým, takmer detinským hlasom. Ako keby sa v jej hlase objavil náznak úsmevu. „Bude z neho úžasný právnik.
Každý to hovorí. Má dobrú výrečnosť, je bystrý a robí na
ľudí veľmi dobrý dojem. Mala by si ho vidieť v smokingu.
Porotcovia sa budú pretekať, aby mu vyhoveli."

„Grant vraví to isté," pokračovala a jej slová sprevádzal
akýsi ďalší náznak smiechu. „Boh si ho teraz nepovolá. Je
to omyl. Grant iba spanikáril, keď uvidel tú hroznú nehodu. Zavolal priskoro. Každú chvíľu zavolá opäť a povie:
‚Megan, Megan, urobil som veľkú chybu.'"

Neodpovedala som. Brody sa zabil. Zrazu som nevládala dýchať. Hruď akoby mi zamrzla a pľúca sa uzamkli.
Začala sa mi točiť hlava.

„Necítim sa dobre, matka. Už nemôžem ďalej hovoriť."

„Čože? Haló? Matka," hovorila.

„Čože? Čo si to povedala?"

„MATKA!" zvrieskla.

Slúchadlo mi vypadlo a ja som sa chytila za žalúdok.
Prv než mi všetko z neho vyrazilo von, stihla som dobehnúť do kúpeľne a padnúť na kolená. Dlho a dlho som
vracala do toaletnej misy, až kým ma nepochytila ukrutná bolesť. Vtedy som sa zviezla na bok na studenú dlážku kúpeľne. Kolená som si tuho pritiahla k žalúdku a v okamihu som zaspala.

Keďže telefón bol vyvesený, nikto mi nemohol volať. Zlá správa mala účinok elektrického šoku, dokonca aj na veľkú vzdialenosť. Jake tú hroznú zvesť počul od Victorie, ktorá mu povedala, že sa ma pokúšala dovolať a v telefónnej ústredni jej povedali, že linka nefunguje. Sadol do auta, ihneď sem prišiel a zazvonil. Keď som neotvárala, šiel po rezervný kľúč ukrytý v garáži a odomkol si. Nepočula som, keď ma z prízemia volal, ale onedlho dobehol hore a objavil ma v kúpeľni na dlážke.

„Rain!" zvolal a zatriasol mnou.

Otvorila som oči. Mala som pocit, akoby boli z olova a celé ubolené.

„Čo sa stalo?" spýtal sa.

„Čóóo?..."

Obzrela som sa dookola a nespomínala som si, ako som sa ocitla v kúpeľni.

„Victoria volala. Brody sa minulú noc zabil pri autonehode. Vieš o tom?"

Znovu som zavrela oči, tuho som ich zavrela a želala som si, aby nebola pravda, že Jake je tu, a že keď ich znovu otvorím, budem opäť v posteli a všetko to bol iba zlý sen. Budem za to do smrti vďačná, pomyslela som si, urobím všetko, čo len Boh bude chcieť.

„Rain," naliehal Jake. „Čo sa tu vlastne stalo? Prečo ležíš na zemi v kúpeľni a telefón je vyvesený?"

Vzdychla som a pomaly som sa posadila. Šiel namočiť vreckovku a priložil mi ju na čelo. Pridržala som si ju.

„Je mi strašne zle," povedala som.

„Môžeš sa postaviť?" spýtal sa.

„Neviem," odvetila som.

Pomohol mi vstať a odviedol ma nazad do postele. Keď som už ležala obkrútená prikrývkou, pozrela som sa naňho a povedala som mu, že volala moja matka. Áno, už viem všetko. A vtedy som začala plakať, lenže bez sĺz. Namiesto toho som sa celá chvela. Nateraz moja studnica žiaľu vyschla.

„Musel uhánať ako diabol," povedal Jake. „Auto je celkom rozbité, stlačené ako rozpučená tekvica. Nemal zapnutý ani bezpečnostný pás, takže ho vymrštilo o dosku. Hovoria, že zomrel okamžite. Aspoň dúfajú, že to tak bolo," dodal. „Možno som mal zostať nablízku, keď som zbadal, že prišiel, však?"

Každý rozmýšľa, aký je jeho podiel viny, uvažovala som.

„Nebol by v tom rozdiel, Jake."

„Vari ste sa povadili?" spýtal sa a ja som mu povedala, čo sa stalo. Rozprávala som spomalene, ako niekto v tranze. On iba počúval a potom pomaly pokrútil hlavou.

„Nemôžeš si to pripisovať za vinu, Rain," povedal nakoniec. „Urobila si to, čo bolo správne. Nemali právo zvaliť bremeno toho tajomstva na teba. Neobviňuj sa, Rain. Počuješ ma?"

„Áno, Jake."

„Musím zavolať Victorii a ubezpečiť ju, že dom nie je v plameňoch, ani nič podobné. Urobím ti čaj, dobre?"

„To je príjemná zmena témy," povedala som akoby so smiechom. Nebol to však naozajstný smiech. Bolo to čosi ako iný spôsob plaču, akoby maskovaný vzlyk. „Niekto mi ide urobiť čaj. Bude to najprv M," volala som za ním.

Strčil hlavu do dverí.

„Čože?"

„Najprv mlieko do šálky," vysvetlila som.

„Aha, dobre," povedal a ja som sa opäť akoby zasmiala, až kým som od tých suchých vzlykov nezačala lapať po vzduchu. Nakoniec sa mi aj na to minula energia a iba som nepohnute ležala a civela na strop.

„Mama," zašepkala som. „Ešte vždy si myslíš, že prinášam šťastie? Ešte vždy si myslíš, že si mi mala dať meno Rain pre všetko dobré, čo mám prinášať pre kvety a všetko, čo má rásť?"

Ja sama som omyl, pomyslela som si. Bola som stvorená nedopatrením a celý môj život je len omyl.

Jake mi podával čaj po lyžičkách. Moje telo nechcelo spolupracovať. Už som viac nechcela mať telo. Chcelo sa stratiť a najlepšou cestou k tomu bolo prestať jesť a piť a robiť si starosť o čokoľvek, lenže Jake na tom trval.

„Ja ti to nedovolím, Rain," hovoril. „Teraz sa nesmieš zrútiť. Táto rodina, či už v šťastí, alebo v nešťastí, potrebuje okolo seba silu, nie slabosť. Nikto ťa z ničoho nebude obviňovať. Nikto, kto pozná pravdu, ťa nebude brať na zodpovednosť za čokoľvek."

„Okrem mňa samej," ubezpečila som ho.

„Čo ty môžeš urobiť? Poddať sa, predstierať niečo? Nežilo by sa ti o nič lepšie, keby si sa uzavrela len do seba. Chcem, aby si sa vzchopila, osprchovala a obliekla. Popoludní sem príde Victoria a ty musíš zvládnuť všetko, čo ťa čaká."

Poobzeral sa dookola.

„Toto bola izba Frances. Len si spomeň na svoju starú mamu. Predstav si, čo by chcela, aby si urobila, a urob to," vyzval ma.

„Som unavená, Jake."

„Si príliš mladá na to, aby si bola unavená," odpovedal. „Ja niečo také môžem povedať. Ty nie. Ty ešte máš veľkú časť života pred sebou."

„Najprv M," povedal s úsmevom a krútiac hlavou. „Hneď ho prinesiem."

Vstal z postele a vzal so sebou prázdny pohár od čaju.

„Počkám ťa dolu," povedal. „Som hladný a predpokladám, že aj ty. Urobíme si čosi na zahryznutie."

Dívala som sa, ako odchádza, a potom mi pohľad padol na obrázok starej mamy na bielizníku. Stála na ňom pri jazere, na niečo ukazovala a pritom sa smiala. Zrazu akoby som počula jej hlas: „Jake má pravdu. Spamätaj sa a pomôž mi zvládnuť túto nemožnú rodinu."

„Spomeň si, čo som ti vravela o sebaľútosti. Mysli na to teraz viac ako kedykoľvek predtým."

Zdvihla som sa z postele. Moje telo reagovalo ako klbko reflexov a po pamäti. Urobila som, čo mi prikázal Jake. Osprchovala som sa, obliekla, zišla som dolu a pripravila jedlo. Uvarila som paradajkovú polievku a urobila hrianky so syrom. Bola som prekvapená, že som vôbec vládala prehltať, ale šlo to. S Jakom sme sedeli pri kuchynskom stole a potichu sme sa rozprávali o tom, čo sa stalo.

Ešte sme jedli, keď sa do domu vrútila Victoria s očami plnými desu, hnevu a zmätku. Strmo pozrela na Jaka, ktorý vstal a odložil riad do umývadla.

„Budem pred domom, ak ma bude treba,“ povedal viac-menej obom.

„Čo sa stalo, Rain?“ spýtala sa Victoria, keď vyšiel. „To, čo mi Megan vravela, vôbec nedáva zmysel a teraz je už zrejme aj pod vplyvom sedatív. Grant nechce prísť k telefónu. Vravia, že je celý bez seba a zamkol sa v kancelárii.“

Bezmyšlienkovito som hľadela na dlážku. Odhliadnuc od toho, čo sa stalo mne a čo by táto rodina chcela teraz odo mňa, nevládala som počúvať o ich hroznom bremene smútku. Vyvolávalo to vo mne živé spomienky na mamu, keď zavraždili Beni.

„Grant je absolútne zničený,“ prehlásila Victoria, keď si sadala za stôl. „Neviem, či sa vôbec ešte niekedy dostane k sebe. Megan mu nebude celkom na nič. Teraz je preňho potrebná ako olovená guľa, pripútaná k jeho členku.“

Zdvihla som hlavu a pozrela sa na ňu. Hnevala sa na mňa nie pre to, čo sa stalo Brodymu, ale preto, ako to doľahlo na Granta.

„Neurobila som nič také, čím by som mu zámerne uškodila,“ začala som. Povedala som jej, ako veľmi Brody na mňa naliehal, aby sme spolu povečerali. Rozpovedala som jej, ako mi vyznal lásku a ako všetko nabralo priveľmi vážne rozmery, takže som musela urobiť niečo, čo by zastavilo jeho úmysly.

„A ty si mu vôbec nepovedala, kto si?"

„Možno som mu to mala povedať. Možno by sa bol upokojil, pochopil by to a nebol by sa na mňa tak rozzúril, ale ja som sa bála. Nechcela som spôsobiť nejaké ďalšie problémy."

Uprene sa na mňa zadívala a potom prikývla.

„Nie je to tvoja chyba," povedala s prekvapujúcou razanciou. „Od samého začiatku to bola Meganina chyba. A chyba mojich rodičov, že ju neustále ospravedlňovali a robili čokoľvek, len aby zakryli jej chyby a umožnili jej pozerať sa na svet cez ružové okuliare."

„Keď sa jej nedarilo v škole, vinu zvaľovali na učiteľov alebo na predmet. Keď nerozvážne rozhadzovala peniaze, bolo to vraj preto, lebo ju ktosi oklamal na cene. Vždy bola iba obeťou. Neustále len chudiatko Megan, chudiatko Megan."

„Grant nemal byť taký tolerantný, keď už pravda o tebe vyšla najavo," pokračovala, vraviac vlastne najmä sama pre seba. „Priveľmi dobre vie hrať tú hru, len aby ju ľudia čoraz viac ľutovali. Muži sú strašne slabí, keď majú do činenia s niekým, ako je Megan. Môj otec sa premenil na hlupáka, kedykoľvek sa na ňu pozrel, vypočul si ju alebo videl, čo urobila. Je ako zaklínačka hadov."

„Grant je v odlišnej situácii," pokračovala, chytiac sa za hrdlo, pričom zmenu tónu reči sprevádzalo klipnutie viečok. „Tentoraz sa dostal do pasce. Prirodzene, nemohol len tak vytiahnuť pravdu na svetlo božie a vytrúbiť do sveta, koho si to vlastne vzal za ženu. On má pred sebou úžasnú budúcnosť, to mi je jasné. Človek robí kompromisy, keď chce niečo dosiahnuť. Tak uvažuje človek, ktorý má podnikateľského ducha."

„Grant má úžasného podnikateľského ducha. Vieš, aj u mňa ho obdivuje. Je to očividné."

Pevne zovrela tenké pery a prikývla.

„Musím ísť za ním a zistiť, čo preňho môžem urobiť.

Moja sestra mu nebude ani zamak užitočná. Bude hrať úlohu tragédky, aby si nikto netrúfol obviniť ju z čohokoľvek, čo sa stalo."

Upriamila pohľad na mňa, zreničky sa jej zmenšili a viečka sa jej od hnevu chveli. „Ale ty a ja vieme, aká je pravda, však? Príde deň, keď ju prinútime, aby sa s ňou vyrovnala."

„V poriadku," povedala a vstala. „Pokiaľ ide o to, čo sa stalo, nič nerob a nikomu o tom nič nevrav. Ohlásim sa ti."

„Ako vidíš," povedala s odmeraným úsmevom, „som skutočne jediná v tejto rodine, komu môžeš dôverovať."

Prv než som stihla čokoľvek povedať, zvrtla sa na podpätkoch ako nejaká marionetka a vypochodovala z domu, aby vykonala svoju samozvanú misiu.

Preboha, pomyslela som si, ona je tuším šťastná. Využije ma ako klin, ktorý ešte viac oddelí moju matku a Granta. Je presvedčená, že on sa obráti a vďačne padne do jej nedočkavého náručia.

Vyšla som von, aby som jej povedala, že nemám v úmysle byť súčasťou nejakého plánu na zničenie mojej matky, lenže už bola preč. Bolo počuť iba vzdialené hučanie motora jej auta. Po príjazdovej ceste práve prichádzal Jake.

„Čo vravela?" spýtal sa.

Pozrela som sa naňho.

„Mýlite sa, Jake," povedala som.

„V čom?"

„Nemôže byť pravda, že je to vaša dcéra."

Okrem tety Victorie, ktorá volala, že si vzala na starosť vybavovanie Brodyho pohrebu, nasledujúcich pár dní sa nikto neozval. Každý deň som čakala, že zavolá moja matka a bude nesúvislo bľabotať, prechádzajúc od sebaobviňovania po obviňovanie druhých. Bála som sa zazvonenia telefónu.

„Chvalabohu, že som sa rozhodla prísť sem pomôcť,“ povedala mi teta Victoria. „Grant ešte vždy nie je v stave, že by si mohol sám pomôcť, a Megan je po väčšinu času prakticky ako v kóme. Všemožne si vymáha súcit.“

„Pochybujem, teta Victoria, že by si matka, ktorá stratila syna, vymáhala súcit,“ namietla som.

„Ty ju tak nepoznáš ako ja. Vidím, že Grant je z nej znechutený. Nikomu nič nepovedal, ale keď sa s ním zhováram, vidím mu to na očiach.“

„Pohreb budeme mať v ich miestnom kostole a Brodyho pochovajú v hudsonovskej časti cintorína. Moja matka by si to bola tak želala, čo povieš?“ spýtala sa.

Prečo chcela, aby som bola v týchto záležitostiach jej spojencom? Nemala som v úmysle s ňou v ničom súhlasiť, ani v tom, aké je dnes počasie. Bola som ticho.

„Samozrejme, prídeš aj ty,“ nakázala mi. „Už som to s Jakom predebatovala.“

„Neviem, či by som tam mala ísť,“ povedala som takmer vzlykajúc. Už len od toho pomyslenia mi stuhla krv v žilách.

„To by nebolo pekné,“ nesúhlasila. „Si Brodyho sestra,“ pripomenula mi s potešením.

„Nemyslím, že ma tam budú chcieť,“ povedala som.

„Nikto nič také nepovedal. Ak neprídeš, bude to vyzerať, akoby si tomu bola na vine ty,“ vyslovila dôrazne.

Tá hrozná myšlienka sa mi zvíjala v srdci ako nejaký nebezpečný červ.

„Vyvolalo by to iba ďalšie nechutné klebety o tebe a o celej rodine a Grantovi by to ešte viac priťažilo,“ pokračovala. „Prídeš, budeš niekde v pozadí, ale ukážeš sa a budeš kondolovať,“ prikázala. „Už je všetko vybavené. Len sa vhodne obleč.“

„Už musím ísť. Ja jediná viem Granta donútiť, aby prehltol nejaký kúsok jedla. Vyzerá ako vlastný tieň. Dom je plný smútočných hostí, poväčšine veľmi významných ľudí. Tá nehoda bola vo všetkých novinách. Akokoľvek je to celé hrozné, Grant z toho vyjde ako ešte dôležitejší človek."

„Aké hrozné," bolo jediné, na čo som sa zmohla, ona však nebola pripravená počuť nič, čo by nechcela počuť, najmä nie odo mňa.

„Z tragédií povstávajú tí skutočne silní. Z každého nezdaru si vezmi ponaučenie a hľadaj v ňom niečo užitočné," odrecitovala. „Takto ma to učil môj otec a ja som na to nezabudla. Ak si rozumná, poslúchneš ma."

„Musím už ísť. Zbohom," povedala.

Mama by povedala: „Tá žena má namiesto srdca kus kameňa."

Bez Jaka by som ten pohreb nebola zvládla. Keď sme sa v ten deň viezli do kostola, rozprával o mojej starej mame a o jej schopnosti držať sa statočne a na úrovni bez ohľadu na akúkoľvek situáciu.

„Musím uznať," vravel mi, „že som ju zrejme nikdy nevidel panikáriť. Dokonca aj keď mi povedala, že je tehotná, hovorila z nej sila."

Viem, že mi to všetko vravel preto, aby som sa nebála alebo neprepadla panike. Keď sme sa blížili ku kostolu, nechcelo sa mi veriť, aký početný dav sa tam zhromaždil. Boli tam všetci Brodyho spoluhráči zo strednej školy v sakách z univerzitnej rovnošaty. Jeho najbližší priatelia mali niesť rakvu.

Teta Victoria ma cez uličku v kostole zaviedla k laviciam, rezervovaným pre najbližšiu rodinu. Všetky oči v kostole sa obrátili na mňa. Priam som cítila ich zvedavosť, otázky a prekvapenie, ktoré smerovali ku mne. Pokúšala som sa sústrediť pohľad na oltár, ale keď mi skĺzol na Brodyho rakvu, priam som sa zadúšala. Nevládala som prehltnúť a takmer som sa dusila.

Ach, bože, pomyslela som si, nedopusť, aby som omdlela alebo aby som urobila čokoľvek, čo by na mňa upriamilo ešte viac pozornosti.

Grant vyzeral prepadnutý, schudnutý a pod očami mal tmavé kruhy. Moja matka bola zrejme omámená liekmi. Chvela sa a ledva bola schopná sa pohnúť. Victoria mi povedala, že žena vedľa nej je spoločníčka, ktorú pre ňu najala.

„Grant to považoval za veľmi dobrý nápad," zašepkala mi, keď sme sa posúvali cez rad.

Musím priznať, že Alison mi pripadala hrozne vystrašená a omnoho menšia. Spočiatku, keď sa na mňa pozrela, nijako nereagovala. Videla, ako sme si s tetou Victoriou sadli, potom odvrátila zrak, uprene hľadela na rakvu a napokon sa znovu pozrela na mňa, pričom jej z očí šľahali blesky.

Moja matka po celý čas nezdvihla hlavu. Farár sa nepokúšal dať tej tragédii nejakú hĺbku. Obmedzil sa na poznámky, akí sme všetci boli šťastní, že tu Brody s nami bol doteraz. Okrem Alison, ktorá sa počas celej farárovej rozlúčky prihlúplo škľabila, nikto nijako neprejavil svoje pocity. Grant stoicky hľadel pred seba a moja matka mala hlavu sklonenú a oči zatvorené ako niekto, kto trpí a čaká, kedy sa to skončí.

Nosiči zdvihli rakvu a cez bočný východ ju vyniesli z kostola. Za ňou nasledoval pohrebný sprievod k cintorínu. Keď zomrela Beni a my sme si s mamou našli pokojnú chvíľku, povedala mi, že človek neverí, že jeho milovaný naozaj odišiel, až do chvíle, keď vidí, ako ho spúšťajú do zeme.

„V tom spočíva ‚Prach si a na prach sa obrátiš'," vravela. „Vtedy to človek pocíti tu," vysvetľovala a dlaňou sa tak silno udrela do hrude, až sa mi namiesto nej skrivila tvár od bolesti. „V kostole má človek pocit, že je to iba obrad týkajúci sa niekoho iného, ale keď človek hľadí do hrobu, všetko popieranie skutočnosti sa rúca ako nejaký fiktívny val, ktorý si človek postavil okolo seba."

Ako pravdivo mi zneli jej slová, keď sme sa viezli popod mramorové oblúky a zastali sme v časti, kde boli hroby Hudsonovcov. Moja matka sa zrútila, Grant padol na kolená a Alison sa chytila hystéria. Brodyho spoluhráči tam stáli ohromení krutou skutočnosťou a tvár každého z nich sa premenila na tvár chlapca, plnú strachu a hrôzy. Nebola šanca, že sa to skončí dostatočne rýchlo.

Teta Victoria stála za Grantom. Keď mu jeho priateľ pomáhal vstať, bola pri ňom a snažila sa držať ho za ruku. Moju matku museli do auta odniesť. Konečne už bolo po tom najhoršom. Dlhá cesta nazad k ich domu bola požehnaním. Mohli si vo svojej limuzíne pospať a obnoviť sily.

Chcela som sa vrátiť domov, ale teta Victoria znovu nástojila na tom, aby som šla s ostatnou rodinou.

„Buď budeš súčasťou tejto rodiny, alebo ňou nebudeš," vyhŕkla na mňa, keď som začala protestovať. „Jednoducho slušne prejav úctu."

Mala som pocit, akoby ma šikanovala, ona však mala v úmysle zaťažiť ma ešte väčším pocitom viny.

V dome mojej matky som ešte nikdy nebola. Nebol taký veľký ako dom starej mamy, a ani zďaleka nebol na takom veľkom pozemku, bolo to však veľmi pôsobivé sídlo s rozlohou takmer sedemtisíc päťsto akrov, s bazénom a s vodopádom kaskádovito stekajúcim po kameňoch. Bol tam veľký altánok a dlhá príjazdová cesta v tvare oblúka, lemovaná živým plotom a starodávnymi lampami. Sám dom bol trojpodlažný v georgiánskom štýle. Vľavo za vchodom bolo točité schodisko. Vpravo sa nachádzala veľká obývacia izba, plná smútočných hostí. Teta Victoria vybavila pohostenie a obsluhu. V zadnej časti domu mal Grant veľkú kanceláriu, kde mu prišli kondolovať jeho priatelia. Moja matka ležala v posteli v izbe na poschodí.

Nevidela som žiadnu príčinu, prečo tam mám byť. Nikoho som tam nepoznala a väčšina ľudí ani netušila, kto som ja. Dokonca ani nevedeli, že som bývala u starej mamy Hudsonovej. Zrejme si mysleli, že som jedna z priateliek Alison. Skupinka jej spolužiačok ju obkolesila v podkrovnej knižnici. Nakukla som dnu a rýchlo som šla preč, prv než ma Alison mohla zazrieť. Rozhovoru s ňou som sa chcela radšej vyhnúť.

Nebola som si istá, či mám niečo povedať Grantovi, ale Victoria ma chytila za ruku a prikázala mi tak urobiť.

„Povedz mu, ako ti je to ľúto," poúčala ma.

„Čo vie o tom, že ma Brody navštívil?"

„Megan mu toho veľa nepovedala. Podrobnosti som musela doplniť ja," vravela a privrela oči, akoby jej to spôsobilo nejakú veľkú bolesť.

„Aké podrobnosti?" spýtala som sa s búšiacim srdcom. Čo mu povedala o mne a o tom, čo sa stalo?

„Samozrejme to, v akej ťažkej situácii si bola," odvetila. „A vôbec nie tvojou vinou," dodala a oči vyvrátila smerom k stropu. Vedela som, že to bolo gesto, ktoré malo ukázať na izbu mojej matky, akoby tým symbolicky namierila obviňujúci prst na ňu.

„Aj Grant to pred Brodym tajil," vyhŕkla som na tetu Victoriu.

„Ale nie preto, že by to chcel tajiť. Ver mi," presviedčala. „Ten chudák, ten chudák, ten chudák."

Zastala pri vchode do kancelárie a vlastne ma tam doslovne strčila. Granta nebolo vidno, lebo ho obkolesili jeho spoločníci a priatelia. Niektorí z nich sa obrátili a pozreli sa na nás. Po chvíli odišli a ja som zbadala Granta, ako sedí na červenej koženej pohovke, v ruke nápoj, viazanku uvoľnenú, vlasy strapaté. Oči uprel na mňa, v pohľade sa mu však nezračil žiaden pocit či záujem.

„Rain by ti chcela vyjadriť svoj hlboký súcit, Grant," ozvala sa Victoria, keď sme k nemu spolu podišli.

Obrvy sa mu zdvihli a skúmavo si prezrel moju tvár, hľadajúc v nej nejaký dôkaz úprimnosti.

„Chcela by som vyjadriť ľútosť nad vašou stratou," povedala som. „Ľutujem, že som Brodyho nemohla lepšie spoznať."

Prikývol, pohľad mu zmäkol, vzápätí zatvoril oči a zaklonil sa, aby sa oprel o pohovku.

„Potrebuješ niečo, Grant?" spýtala sa ho teta Victoria. Iba pokrútil hlavou.

Obe sme sa obrátili a odišli sme z pracovne. Keď sme vychádzali, zahundrala si: „Nepotrebuje nič okrem ženy, ktorá bude pri ňom stáť, keď ju najviac treba."

Nemohla som odísť bez toho, že by som šla pozrieť svoju matku, a to aj napriek slovám tety Victorie, že je úplne pod vplyvom sedatív. Povedala som to Victorii.

„Ona ani nebude vedieť, že tam si," vravela. „Načo s tým strácať čas?"

„To vôbec nie je strata času," vyprskla som na ňu a vykročila som k schodisku. Teta Victoria sa za mnou chvíľku dívala, ale potom sa vrátila ku svojim samozvaným povinnostiam náhradnej manželky.

Nevedela som, kam mám ísť, ale pomohlo mi, že najatá sestrička mojej matky práve vyšla z jej spálne. Zastala, aby ma pozdravila.

„Môžem pre vás niečo urobiť?" spýtala sa.

„Rada by som šla pozrieť pani Randolphovú," povedala som.

„Ešte nemôže nikoho prijať," vyhlásila. „Ľutujem. Som si istá, že to chápete." Neprirodzene sa na mňa usmiala.

Venovala som jej rovnaký úsmev, obrátila som sa a predstierala som, že ju nasledujem dolu po schodoch. Keď vošla do obývacej izby, zastala som a vrátila som sa hore. Pomaly som otvorila dvere na matkinej spálni a nakukla som dnu.

Spálňa bola veľmi priestranná a nachádzala sa v nej aj

malá pohovka a polohovacie kreslo pred televízorom. Na veľkých oknách viseli bledomodré zamatové závesy a biele záclony, podobné gáze. Dlážku prikrýval mäkkučký, hrubý tmavomodrý koberec.

Spočiatku som matku vôbec nevidela. Posteľ jej urobili na objednávku a bola väčšia než bežné veľkorozmerné postele. V rohoch mala vysoké stĺpiky, na doske pri nohách bol plastický reliéf ruže a čelnú dosku zdobili dve ďalšie čiastočne sa prekrývajúce ruže symbolizujúce zamilovaných. Takmer stratená v obrovských vankúšoch, ležala tam moja matka a tmavé rozpustené vlasy jej rámovali tvár bledú ako stena. Prešívaná prikrývka jej siahala až po bradu. Tvár mala mierne odvrátenú odo mňa.

Potichučky som zatvorila za sebou dvere a podišla som k nej. Oči mala doširoka roztvorené, ale aj tak vyzerala, akoby spala.

„Matka," povedala som tlmeným hlasom. „Matka."

Pomaly sa ku mne obrátila a uprela na mňa prázdny pohľad.

„Chcem, aby si vedela, ako veľmi mi je ľúto a ako smútim pre to, čo sa stalo Brodymu."

Nemyslela som si, že mi odpovie alebo že ma vôbec počula, náhle však potriasla hlavou a takmer sa usmiala.

„Naše hriechy," zašepkala, „sa vracajú. Človek sa môže snažiť ich pochovať, spáliť, ony však zostávajú a čakajú na svoju príležitosť. Zapamätaj si to. Zapamätaj."

Nesúhlasne som potriasla hlavou. Oči sa jej rozšírili.

„Tá príležitosť si ty," prehlásila. „Ty si sa vrátila. Je v tebe. Tá tma, to zlo," zašepkala. „Si to ty."

Pod viečkami ma pálili slzy. Prehltla som a potriasla hlavou.

„Áno, áno, vystúpila si z temnôt. Samozrejme, je to moja vina. Všetko sa to začalo s Larrym a s mojím otcom. Počula som ťa zaplakať, keď si sa narodila. Myslíš, že som ten plač nepočula znova a znova?"

„Neviem, kde sa to všetko skončí," vravela. „Nemôžem urobiť nič iné, iba čakať. Čo o tom vedel ten farár? Keby vedel o minulosti, bol by mi pohrozil prstom a ukázal na truhlu. A v tej truhle by som sa ocitla ja, nie Brody."

„To dieťa plakalo," pokračovala. „Keď mi to dieťa vzali, plakalo. Vedela som, že to tak nebolo správne, ale môj otec na mňa nedal."

„Matka, nemá to nijaký zmysel. Počúvaj ma..."

„Nemôžem urobiť nič iné, iba čakať," zamrmlala si pre seba a odvrátila hlavu. „Čakať."

„Matka, musíš nabrať silu," radila som jej. „Mysli na starú mamu. Mysli na Granta a Alison."

Zatvorila oči. Ja som tam stála, dobrú chvíľu som na ňu ešte hľadela a potom som sa rozhodla, že bude lepšie, keď sa s ňou pozhováram až po nejakom čase. Načiahla som ruku a dotkla som sa jej vlasov.

Oči mala zavreté, ale usmiala sa.

„Mami, si to ty?" spýtala sa. „Teraz sa už nebojím. Môžeš ďalej spať. Bol to iba zlý sen. Len som vykríkla, ako vravel aj ocko, a teraz je to už preč."

„Zbohom," zašepkala som a vyšla som z jej izby.

Keď som schádzala po schodoch, na plošinke pod nimi sa zjavila Alison a civela na mňa s otvorenými ústami a s rukami vbok, vedľa nej stáli dve jej priateľky. Jedna z nich povedala: „Veď som ti vravela."

„Čo si tam hore robila?" vymáhala si odpoveď.

„Hovorila som s tvojou matkou," odvetila som. „Mala by si byť hore pri nej a držať jej ruku a nie debatovať so svojimi kamarátkami," dodala som a šla som smerom k vchodovým dverám.

Načiahla sa, zdrapila ma za rameno a s myknutím ma obrátila.

„Prečo si sem prišla? Ty sem nepatríš. Keby Brody nebol šiel za tebou, ešte by bol nažive."

„Mysli si, čo chceš," povedala som, vytrhla som sa jej

a odchádzala som, ona však šla za mnou až ku krytému stĺporadiu a jej priateľky v tesnom závese za ňou. Jake predvídavo vykročil z Rolls-Roycea.

„Ty si oblafla moju starú mamu, aby ti zanechala taký veľký majetok," vyfľochla na mňa, „ale my to všetko získame naspäť. Veď uvidíš. My to všetko získame naspäť!"

Neodpovedala som a ďalej som kráčala k autu.

„Si ako nejaká príšera, vieš? Jednoducho nejaká príšera! Vôbec nepatríš do blízkosti našej rodiny. Môj otec sa ťa zbaví, veď uvidíš."

„To je auto mojej starej mamy," vrieskala, keď mi Jake otvoril dvere. „Ty tam nepatríš. Ty patríš dozadu do dodávky. Ty patríš do pekla!"

Obrátila som sa a pozrela som sa na ňu. Strojček na zuby sa jej ligotal v žiare slnečných lúčov, ktoré sa prešmykli cez úzku medzierku medzi mrakmi na čoraz viac sa zaťahujúcej oblohe, a jej oči vyzerali ako dve malé mramorové uličky s malými čiernymi kruhmi uprostred. Ruky mala zaťaté v päsť a telo zmeravené od vzdoru.

Teraz, pomyslela som si, by sa v tele každej z nás sotva niekto dorezal našej spoločnej krvi. Nevedela som si predstaviť, že by sme niekedy mohli spolu prežiť nejakú srdečnú chvíľku.

Čia chyba to bola? Moja? Mojej matky? Mojej starej mamy? Kenova?

Možno to bola kombinácia toho, ako každý uložil svoj vlastný záujem na krehkú loď lásky a nechal ju potopiť sa v mori tragédie, cez ktoré sme sa mali spolu preplaviť.

Hrozilo však, že sa všetci utopíme.

V tejto chvíli mi to bolo jedno. Vlastne všetko mi bolo jedno.

Minulosť v nenávratne

Počasie, ktoré celý deň vyzeralo hrozivo, sa nakoniec naozaj zhoršilo. Asi hodinu predtým, než sme dorazili domov, sa spustil dážď. Obloha sa roztrhla. Proti čelnému sklu auta s Jakom za volantom hnal vietor celé prúdy vody. Stierače len-len stíhali zabezpečovať dostatočný výhľad na diaľnicu. Prívaly dažďa stekali všade navôkol a vytvárali na oknách prúdy sĺz. Zdalo sa mi, akoby som za monotónneho mávania stieračov a hučania pneumatík na mokrej vozovke počula kvíliť oblohu. Okolo nás uháňali iné autá so zasvietenými reflektormi a mala som pocit, že všetci prepadli panike.

„To je teda riadna nádielka," zamrmlal Jake.

Schúlila som sa v kútiku zadného sedadla, zavrela som oči a otvorila ich, až keď som na streche auta začula zahučať zvuk hromu. Rýchlo dopadajúce kvapky zneli, akoby na nás niekto hádzal kamienky. Zdalo sa, že spŕška hustých bleskov po našej pravici priam podpálila vzduch. Nízke mraky zasa vyzerali ako dym stúpajúci sponad stromov a lúk, dokonca aj z domov, popri ktorých sme sa viezli.

Možno je to koniec sveta, pomyslela som si. Možno sa udalosti v mojom živote stali natoľko hroznými. Príroda sa rozhodla hodiť flintu do žita a začať niekde inde, na nejakej inej planéte, možno niekde, kde ľudia budú omnoho menej krutí k sebe, k ostatným a najmä k nej.

Jake sa pokúšal zlepšiť si náladu tým, že mi rozprával, čo všetko vzrušujúce zažil počas búrok, keď bol ešte mladší, najmä keď ho raz búrka chytila v člne s dievčaťom, ktorému tvrdil, že je vynikajúci vodák, len aby ho zbalil.

„Počula si niekedy výraz ‚*chytiť sa do sietí vlastných klamstiev*'? Ten potvorský čln som asi tri razy obrátil, obaja sme sa do nitky zmáčali, a až potom som sa konečne priznal, že neviem, ako ho mám dopraviť na breh. Dalo mi to ukrutne zabrať, a keď sme sa nakoniec ocitli v dosť plytkej vode, dotlačili sme čln k brehu. Nepredpokladala by si, že mládenec, ktorý bol vo vode taký neschopný, raz skončí pri námorníctve, však nie? Lenže u mňa to tak bolo."

„Zakaždým, keď ma potom to dievča videlo, oči sa mu rozšírili, nadobudli divý výraz, nahrbilo plecia a zvriesklo: ‚Koho sa pokúšaš utopiť tentoraz, ty slávny kapitán Marvin?'"

Cítila som, že sa usmievam, lež nesmiala som sa. Jake ma pozoroval v spätnom zrkadle.

„Myslím, že som nikdy nebol kandidátom na cenu Dona Juana. Tvor zvaný žena bol pre mňa vždy záhadou."

„Pre mňa je všetko záhadou, Jake," ozvala som sa nakoniec.

„Vieš, princeznička, ten trik je možno v tom, aby človek netrávil priveľa času rozmýšľaním. Možno je v tom, aby človek šiel ďalej, a také otázky prenechal farárom, filozofom a učiteľom, no nie?"

„Možno," pripustila som. Dobrú chvíľu sme mlčali a potom som povedala: „Keď Victoria najbližšie príde, myslím, že to všetko vzdám, Jake. Pokiaľ ide o to, záhada sa nekoná. Jednoducho sem nepatrím."

„Hej! Na to zabudni. Ty sem patríš práve tak ako ktokoľvek iný."

„V tejto chvíli si nemyslím, že vôbec niekam patrím, Jake."

„Ráno budeš mať na to iný názor," ubezpečil ma. „Keď

táto búrka prejde, vyvedieme von Rain. Je najvyšší čas. Už
sa na teba vyzvedala," pokračoval. To mi na tvári znovu
vyvolalo úsmev. „Dvíha kopyto, dupe a erdží, krúti hla-
vou a vykúka zo stajne, či ťa neuvidí. Ja to viem posúdiť.
Ja viem hovoriť konskou rečou."

„Tak dobre, Jake," povedala som so smiechom. „Prv
než odídem, ešte ju kvôli vám trochu popreháňam."

„Aj kvôli sebe. Aj kvôli nej," opravil ma.

Dážď neustal, ani keď sme dorazili k domu. Búrka
vlastne zosilnela. Stromy sa vo vetre natoľko ohýbali, že sa
takmer prelamovali. Na príjazdovej ceste aj na ulici už bo-
la rozmetaná fúra odlomených konárov. Jake povedal, že
ráno zavolá záhradnícku službu, aby prišli hneď, ako to
počasie dovolí.

„Chceš, aby som pre teba ešte niečo urobil, princeznič-
ka?" spýtal sa, keď pristál pred domom.

„Nie, Jake. Nič mi netreba. Musím si iba odpočinúť."

„Daj si trochu toho horúceho čaju, čo ho voláš ‚plus
M'," navrhol.

„Dobre."

„Ráno zavolám," sľúbil. „Vieš, kde ma zastihneš, keby
si ma potrebovala."

„Ďakujem, Jake. Nevystupujte, aby ste kvôli mne ne-
zmokli. A choďte domov autom," nástojila som. „Ja teraz
nejaký čas aj tak nikam nepôjdem, to je isté," povedala
som. Otvorila som dvere auta, rozprestrieť dáždnik som sa
však nepokúšala. Bola som presvedčená, že by mi ho vie-
tor vytrhol z rúk a dolámal.

Namiesto toho som zabuchla za sebou dvere a oprete-
ky som sa rozbehla ku krytému stĺporadiu. Pri dverách
som sa obrátila a zazrela som, ako si Jake pred odjazdom
odpíja zo striebornej ploskane. Každý má svoj spôsob, ako
sa snaží vyrovnať s osamelosťou, pomyslela som si, kiežby
si však Jake našiel nejaký iný.

V dome bola strašná tma a zima. Postupne som prešla

všetky izby a pozažínala svetlá. Potom som si v kuchyni ohriala polievku. V obývacej izbe som v kozube rozložila oheň, priniesla som si misku s polievkou a bezmyšlienkovite som hľadela do plameňov.

Vietor okolo domu len tak zavýjal, krútil sa a dorážal do okeníc a okien. Jeho nápory na strechu zneli ako dupanie stoviek koní. Vzala som si deku a natiahla som sa na pohovku pri kozube, z ktorého mi sálalo na tvár teplo. Medzi všetkými otázkami, ktoré sa nado mnou vznášali, prevládala jedna. Prečo? Prečo ma osud zavial do tohto domu? Ešte sa iba malo potvrdiť, že je to môj bezpečný prístav, útočisko a svätyňa. Vari sa teraz osud so mnou iba pohráva? Nebodaj som sa stala iba prostriedkom na dráždenie a mučenie tejto rodiny, do ktorej som sa rozhodne nepýtala narodiť? Takéto otázky ma mátali, keď som zaspávala.

Dážď trval ešte niekoľko ďalších dní a okrem toho, že ma z času na čas prišiel pozrieť Jake, nikto iný sa neohlásil. Monotónne sa vliekli dni, keď som čakala na vyjasnenie oblohy a vývoj udalostí. Čo robiť, keď má človek príliš veľa času? Aký smer by mali nabrať myšlienky, keď snívanie za bieleho dňa môže človeka zaviesť do takých smutných končín?

Pokúšala som sa zamestnávať čítaním, sledovaním televízie a počúvaním hudby. Dážď nakoniec ustal a zem začala schnúť. O deň neskôr sa ohlásila teta Victoria, ktorá mi povedala, že mala veľmi veľa práce, lebo sa snažila pomáhať Grantovi prekonať tú tragédiu a vrátiť sa do normálneho života. Keď som sa jej spýtala na moju matku, povedala iba toľko, že jej stav sa nezmenil.

„Rozhodujeme sa ako na to. Nemyslím si, že súkromná terapia bude postačujúca, a ani Grant si to nemyslí," povedala so zlovestným podtónom.

Aké nové intrigy to zasa spriada? Mám si preto robiť starosti?

Vravela, že sa u mňa o dva dni zastaví s dokumentmi, ktoré mi prisľúbila. Nepovedala som jej, že som dospela k rozhodnutiu, ktoré sa jej bude veľmi páčiť. Rozhodla som sa odísť a prenechať im, čo chceli. Jakovi som sa priznala, že som nemala byť taká tvrdohlavá. Mala som prijať kompromis a vrátiť sa do Anglicka. Brody by ešte vždy bol nažive.

Jakovi sa však také reči vôbec nepáčili a povedal mi, že by som sa nemala neustále obviňovať. Nakoniec ma prestal presviedčať a namiesto toho ma nahovoril, aby som si šla zajazdiť na Rain, keďže počasie sa už umúdrilo. Bolo mi jasné, v čo dúfa, a vlastne som v to dúfala aj ja: ten krásny kôň mi môže priniesť trochu pokoja a pohody.

Jazda na koni bola vlastne jediným, na čo som sa zvykla tešiť. Rain si na mňa privykala čoraz viac a začala som veriť tomu, keď mi Jake opisoval, ako sa kobylka nevie dočkať, kedy opäť prídem. Hoci to môže znieť čudne, bola zrejme jedinou živou bytosťou, ktorá ma teraz mala rada, a jazda na Rain bola najlepším spôsobom, ako ujsť pred temnými depresiami.

Kedykoľvek sme vyšli na hrebeň kopca, Rain čakala, že zastaneme a ja zosadnem. Ona sa potom popásala na tráve a ja som si sadla na skalu a dívala sa na krajinu pod nami, na dom starej mamy Hudsonovej a na prekrásny obzor. Vravela som si, že vzhľadom na to, kto som a čím som v detstve prešla, som v podstate mala šťastie. Mala by som sa z neho radovať, ceniť si ho a usilovne bojovať, aby som ho nestratila, lenže múr tragédie, ktorý ho oddeľoval, bol už príliš vysoký a mohutný.

Jednoducho to osud tak nechce, vravela som si. Ujdi. Prestaň bojovať.

Tak ako sľúbila, teta Victoria ma prišla navštíviť s kôpkou dokumentov. Strnulo som sedela, kým ona stále dookola rozoberala rozličné investície, právne dokumenty či opätovné vydávanie certifikátov. Znelo mi to ako nezmyselná hatlanina obchodných informácií, ktoré iba zahmlievali môj unavený a zmätený mozog. Možno som sa viac podobala na matku, než som si myslela. Podobne ako ona som možno iba chcela, aby to všetko niekto za mňa zariadil, a ja som si nemusela robiť starosti s nijakým vybavovaním.

Uprostred nekonečného prúdu jej finančných informácií som dala ruky nad hlavu ako niekto, kto sa chce vzdať.

„Je mi to všetko jedno," povedala som. „Čo najskôr sa chcem vrátiť do Anglicka. Mali ste pravdu."

Chvíľu na mňa vyjavene hľadela, potom prikývla a usmiala sa.

„Takže chceš, aby som sa do toho pustila a majetok predala?"

„Urobte, čo treba urobiť," povedala som.

„A čo toto?" spýtala sa a kývla smerom ku kôpke papierov.

„Nechcem s tým nič mať. Oznámte Grantovi, že prijímam jeho návrh."

Nepovedala nič, ale z toho, ako jej zažiarila tvár a v očiach jej zaihrala radosť, som videla, že prekypuje šťastím. Teraz bude môcť ísť za ním a oznámiť mu: „Uvedom si, aká som užitočná. Len sa pozri, ako viem splniť, čo sľúbim."

Bolo mi to jedno. Ak sa Grant chytí do jej vypočítavých sietí, tak mu treba. Chcem byť od tejto rodiny tak ďaleko, ako sa len dá, a mať s ňou čo najmenej spoločné, aby som za ich úklady neniesla vinu aj ja.

Nadýchla sa a začala zberať dokumenty.

„Veľmi dobre. Zájdem znovu za naším právnikom a budem ho informovať o tejto zmene," povedala. „Si veľmi rozumná, skutočne rozumná. V konečnom dôsledku budeš takto omnoho šťastnejšia."

„Už som šťastnejšia," povedala som.

Zdalo sa, že sa chystá zasmiať, ale namiesto toho iba prikývla a uškrnula sa.

Nasledujúci deň som dostala list od môjho otca v Anglicku. Bola to tá najvzrušujúcejšia vec, aká sa mi za dlhý čas prihodila. Chvíľu som iba sedela a zdesene a zároveň fascinovane civela na obálku. Čo sa stane, ak napísal, že po zvážení všetkého sa on a jeho žena rozhodli, že pre zúčastnené strany bude pravdepodobne najlepšie, ak ich už viac nebudem kontaktovať? Veď by som so sebou priniesla množstvo nových a komplikovaných problémov. Lenže koho iného mám?

Prsty sa mi triasli, keď som otvárala obálku a vytiahla z nej list. Napísal ho na univerzitný hlavičkový papier pravdepodobne v práci. Písal tam list preto, lebo nechcel, aby o tom vedela Leanna?

Drahá Rain,

bolo to krásne prekvapenie, že si sa ohlásila, hoci z Tvojho listu som vycítil, že máš veľké starosti. Som rád, že si mi v tom pre Teba ťažkom období napísala. Nemám žiadny dôvod čosi také očakávať a rozhodne si to nezasluhujem.

Bolo by odo mňa veľmi trúfalé ponúknuť Ti akúkoľvek radu. Vôbec nepoznám všetky podrobnosti Tvojej tamojšej situácie. Nemôžem sa ani len pokúsiť si predstaviť, aké to všetko pre Teba je. Je, napríklad, tajomstvo Tvojho narodenia už úplne odhalené? Alebo je to naďalej iba rodinné tajomstvo, ktoré ako strašidlo máta v rodine Hudsonovcov?

Možno však nič z toho aj tak nie je podstatné. Ide o to, že Ťa očividne nevítajú s otvorenou náručou. Zrejme si ako malý čln unášaný na hladine búrlivého mora, zmietaný vo vlnách a zúfalo hľadajúci nejaké útočisko.

Je to už dávno, čo som sa rozhodol, že sú veci, ktoré sú pre mňa dôležitejšie, ako iba zarábať veľa peňazí. Myslím, že to bol dôsledok všetkej mojej vzbury a protestu. Korporácie, veľké a úspešné podniky, podnikatelia a podnikateľky boli nepriateľom, ktorý mal v úmysle obetovať a zničiť tých menších a slabších v honbe za všemocným dolárom.

Takže máš príležitosť stať sa veľmi bohatou, dokonca ešte o to viac, ak budeš úspešne vzdorovať rodine. Lenže aké bude to šťastie, ktoré nadobudneš po tom, keď ich porazíš? Myslím, že takáto úvaha by mala byť Tvojím rozhodujúcim princípom. Bude Ťa niekedy Megan plne akceptovať? Čo jej manžel? A čo teta Victoria? A ostatní?

Najskôr to u nich vyvolá ešte väčšiu nenávisť.

Prosíš ma o radu. Dovoľ, aby som Ti ju dal. Urob kompromis a vráť sa sem. Tu sa venuj tomu, čo Ťa zaujíma, a daj mi príležitosť, aby som Ti bol otcom, ktorým som doteraz nebol. Leanna súhlasí. Najprv to pre moje deti bude nezvyčajné, ale myslím, že časom sa Ťa naučia akceptovať a chápať.

Vždy sa budeš môcť vrátiť nazad do Ameriky a k inému životu.

Ak tento list vezmeš, pokrčíš a hodíš ho do smetí, pochopím to. Ak sa mi už nikdy neohlásiš, aj to pochopím. Ako som povedal, nemám žiaden nárok na to, aby som čokoľvek očakával.

V Juliovi Caesarovi Shakespeare napísal, že oko nevidí priamo, ale vďaka odrazu. Nájdi spôsob, Rain, ako sa pozrieš do svojho vnútra. Všetky odpovede tam čakajú.

Rovnako ako ja.

S láskou
Tvoj otec

Ani som necítila slzy, ktoré mi prúdom stekali po lícach. Prekvapili ma, až keď som ich už mala na brade. Utrela som si ich a oprela som sa, mysliac na otca. V priebehu mnohých týždňov som prvýkrát pociťovala nejakú nádej. Rozhodla som sa, že ihneď odpíšem a poviem mu, že som sa dokonca ešte pred príchodom jeho listu rozhodla, že sa čo najskôr vrátim. Chcela som sa obrátiť chrbtom k tejto rodine a vziať si to, čo by niekto mohol nazvať reparáciami, náhradou a odškodným za bolesť a trápenie, ktorému som bola a ešte vždy som vystavovaná. Ukončím tie naťahovačky o peniaze, ktoré mám dostať, a odídem. Jediný, kto mi naozaj bude chýbať, je Jake a vychádzky s Rain.

Kým som čakala na to, že teta Victoria s rodinným právnikom dajú do poriadku všetky dokumenty, najviac času som trávila najmä s kobylkou. Jake ma už predtým vzal do koniarne a pomáhala som mu kŕmiť a ošetrovať Rain. Chodievala som na dlhšie jazdy. Odbočili sme doprava a šli sme po trasách, ktoré sme si samy našli pomedzi lesy a cez lúky, takmer až k hranici majetku mojej starej mamy, kým sme sa zasa nevrátili nazad.

Jake vravel, že si počínam vynikajúco a Rain silnie a je štíhlejšia.

„Teraz ste naozaj zohraté," ubezpečil ma. Priviedol aj trénera Micka Nelsena, aby sa na nás pozrel, a raz sme sa aj k nemu pridali, keď si šiel zajazdiť na svojom koni. Rain mi však pripadala nešťastná, možno žiarlila. Vrtela sa, krútila krkom a zdalo sa, že trucuje. Klusala so spustenou hlavou a iba občas sa kradmo pozrela na druhého koňa, ktorý sa správal ľahostajne.

Keď sme sa s Rain pred návratom do stajní rozlúčili s Mickom a jeho koňom, Rain sa zrazu zmenila. Hrdo zdvihla hlavu a znovu prekypovala energiou. Teraz sa jej vôbec nechcelo prestať s jazdením a vlastne akoby ma presviedčala, aby sme sa znovu vydali na vychádzku. Jake sa smial, keď som mu neskôr opísala jej správanie.

„Presne ako nejaká žena," komentoval. „Vyžaduje si absolútnu pozornosť."

V ten večer zatelefonovala teta Victoria, aby mi povedala, že na druhý deň neskôr popoludní príde a privedie aj ich právnika, aby mi všetko podrobne vysvetlil.

„Nechceme, aby si si myslela, že niečo robíme potajomky," povedala. „Nech nehrozí, prosím, že o päť rokov budeme mať nejaké súdne spory."

„Dobre," ubezpečila som ju. „Budem tu."

Povedala som Jakovi, že o druhej musím byť späť. Bol to deň, na ktorý nikdy nezabudnem. Každý detail si premietam ako nejaký puntičkársky detektív, ktorý hľadá kľúč k riešeniu či nejakú odpoveď, alebo dôvod. Čo som mohla urobiť inak? Keby som bola o desať minút dlhšie raňajkovala alebo keby som sa v stajni pohybovala pomalšie, boli by sa udalosti toho dňa vyvíjali odlišne? Mohla som zabrániť tomu, čo sa stalo?

Bola som potrestaná za to, že som nepočúvla Osud alebo nerešpektovala želania starej mamy Hudsonovej? Kde sa vo mne vzala trúfalosť myslieť si, že som paňou svojho osudu? Vnútili ma tomuto svetu, vohnali do tohto tela a tejto duše, dali mi toto meno a všetky myšlienky a vytiahli ma z všemocného božieho tela, aby som sa zrodila nechcená. A teraz som mala tú opovážlivosť si myslieť, že to môžem napraviť?

A potom tam, prirodzene, bol aj Brody ako nejaký tieň vznášajúci sa v mojej mysli, duša, za ktorú som niesla večnú zodpovednosť a ktorá si vyžadovala zadosťučinenie.

Len čo sme sa autom priviezli ku stajniam, podišiel k nám Mick.

„Vaša kobylka, Rain, je dnes veľmi nepokojná," povedal. „Takú nervóznu som ju ešte nezažil. Zrejme by ste sa k nej mali nasťahovať," poradil mi žartom. „Neznáša, že tu nie ste, keď vás tu chce mať."

„Je v poriadku?" spýtal sa Jake podozrievavo.

„Je. Len jej dožičte dlhší čas na zahriatie. Môže to byť tým chladným vzduchom. Vtedy sa kone nevedia dočkať, kedy si popreťahujú svaly a rozprúdia krv."

Previedla som Rain dokola po celej dráhe. Fŕkala, eržala, mykala liacami a kývala hlavou dozadu, akoby vravela: ,Daj na mňa konečne to sedlo a prestaňme už takto nezmyselne chodiť.' Mick sa na tom smial, Jake však mal prižmúrené oči a v tvári obavy.

„Je veľmi podráždená. Nechaj Micka, nech ju dnes vezme on, Rain," vravel mi.

„Čo? Prečo?"

„Nepáči sa mi, ako sa správa. Mick?"

„Ja som za," súhlasil.

Sklamane som sa dívala, ako ju osedlal a založil jej uzdu. Rain sa neustále pozerala na mňa. Dokonca aj Mick si to všimol.

„Cíti, že sa niečo udeje, Jake."

„Veru tak," povedal nakoniec so smiechom.

Keď si Mick sadal do sedla, priam vyhodila zadkom. Micka to prekvapilo a takmer z nej spadol. Celý v pomykove pevne pritiahol opraty. Kobylka zafŕkala, pokrútila sa a dupla ľavým kopytom. Mick ju obrátil a donútil ju kráčať dopredu, ona však zakaždým zastala, odmietala poslušnosť a pokúšala sa obrátiť späť ku mne.

„Mňa asi porazí," posťažoval sa.

Jake sa pozrel na mňa a potom na Rain. Nakoniec prikývol.

„V poriadku. Môžeš si ju vziať ty," pripustil.

Tie slová ho neskôr vohnali do temnôt nadmerného pitia a nakoniec do predčasného hrobu.

Celá šťastná som sa náhlila vyhupnúť do sedla. Len čo som tak urobila, Rain sa upokojila a poslušne čakala.

„Tentoraz buď len krátko," prikázal mi Jake. „Len jeden raz po malom okruhu, dobre?"

„Dobre, Jake." Vyštartovali sme. „Budeš mi chýbať, Rain," povedala som jej, keď sme majestátne pricválali na chodníček. „Keď niekedy prídem na návštevu, budeš si ma pamätať?"

Kedykoľvek som Rain niečo hovorila, vždy zakývala hlavou zo strany na stranu, akoby skutočne rozumela. Na tvár sa mi vrátil úsmev. Rukou som si prehrnula vlasy, zatvorila som oči, aby som cítila vietor, a popustila som uzdu. Rain sa rozbehla a už sme uháňali. Ako vždy, cítila som sa, akoby sme boli jedným zvieraťom so zladenými pohybmi vo vznešenom rytme. Bola som si istá, že aj Jake a Mick sa usmievajú a prikyvujú. Vedela som, že ma sledujú dlhšie než obyčajne. Keď som odchádzala, Jake bol ešte vždy nervózny.

Silná búrka, ktorá tu vyčíňala pred niekoľkými dňami, rozmetala po lúke množstvo listov a konárov. Vlhkosť vylákala von hlodavce a iné tvory, celé vo vytržení nad nečakaným znovuzrodením chrobákov. Tesne pod hrebeňom, kde sme mohli ísť ďalej hore a potom ukončiť to, čo Jake nazýval malým okruhom, sa cestička rozdvojovala aj doprava. S Rain sme tým smerom jazdievali. Rázcestie označovali roztrúsené kamene a zopár starých zoťatých kmeňov.

Mick mi raz vravel, aby som si dávala pozor na hady, najmä na ploskohlavce.

„Tie však aj tak takmer nevidno," povedal, „lebo ich farba im umožňuje, aby doslova splynuli s okolím, najmä so spadnutými stromami. Lenže," ubezpečoval ma, „ako väčšina zvierat nie sú agresívne. Ich heslom je: ‚Ži a nechaj žiť.' Problém je však v tom, že to kone nevedia. Takže sa vždy snaž koňa viesť tade, kde nehrozí, že sú tam uhniezdené hady."

Myslel tým skaly a padnuté kmene stromov či polená. Zvyčajne som sa držala dosť ďaleko vpravo alebo vľavo od označení, lenže teraz som sa nesústredila, ale v hlbokom zamyslení som uvažovala o svojich rozhodnutiach. Za normálnych okolností by sa im Rain vyhla sama, lenže ploskohlavce si živobytie vedia zohnať vďaka tomu, že sú prakticky nespozorovateľné. Nepohnú sa, kým nemusia. Človek môže na ne doslova stúpiť a vôbec si to nevšimne.

Rainino kopyto urobilo presne toto. Ploskohlavce, najmä mladé, mávajú chvost zdvihnutý, aby tak prilákali iné zvieratá, ktoré sú ich korisťou a myslia si, že chvost patrí nejakej jašteričke či čomusi podobnému, a tak podídu dostatočne blízko na to, aby na ne ploskohlavec mohol zaútočiť. Rain jednému takémuto stúpila na chvost a had sa skrútil dokola. Neuštipol ju, ale pohľad naň u nej vyvolal

paniku, ktorej vibrácie prenikli aj cezo mňa, a zabodli sa
mi priam až do srdca.

Vyhadzovala kopytami a krútila sa v zúfalej snahe zba-
viť sa útočiacej hlavy hada. Zvrtla sa tak náhle a prudko,
že som sa nevládala udržať, a vyhodilo ma zo sedla. Ne-
pamätám si ani to, ako som dopadla na zem.

Pamätám si iba náraz do hlavy a do chrbta a potom sa
naokolo rozprestrela tma.

Keď som znovu otvorila oči, hľadela som na nejaké
stropné svetlo v nemocnici na pohotovosti. Počula som,
ako sa ľudia okolo mňa hýbu, ako tečie voda a ako na pult
pri umývadle položili nejakú misku. Okolo mňa prechá-
dzali davy ľudí v bielych plášťoch a až dlho nato som uvi-
dela ustarostenú tvár lekára v stredných rokoch. Mal veľ-
mi riedke sivé vlasy a oči opuchnuté akoby od starostí. Pri
koreni nosa mal červený fliačik, pravdepodobne od oku-
liarov na čítanie.

„Dobrý deň,“ ozval sa a usmial sa.

„Kde som?“ zašepkala som a znelo to akoby zďaleka.

„Ste v nemocnici. Mali ste úraz. Pamätáte si na niečo?“
spýtal sa.

Povedala som mu, koľko som vedela, ale cítila som sa
ako omráčená a bolo mi zle od žalúdka. Moje telo však
akoby bolo niekde v diaľke.

„Nuž, tá rana do hlavy vám spôsobila otras mozgu.
Našťastie, nebol vážny. Zlepší sa to,“ prisľúbil.

Postál nado mnou a úsmev mu zmizol z tváre.

„Chcel by som, aby ste mi ukázali, ako viete zdvihnúť
ľavú nohu,“ povedal.

„Zdvihnúť?“

Prikývol a ja som sa o to pokúsila, ale nič som necítila.
Neudialo sa nič.

„A teraz skúste pravú,“ prikázal mi, dopadlo to však
rovnako. Prikývol. „A toto cítite?“ spýtal sa.

„Čo?“

Vystrel sa.

„Čo je mi?"

„Keď ste spadli z koňa, udreli ste si aj chrbticu. Prevezieme vás do Richmondu, kde majú zdravotnícke vybavenie na presné diagnostikovanie a liečbu poranení miechy."

„Miechy?"

„Čím skôr vás prevezieme, tým väčšiu šancu budete mať na isté zlepšenie," dodal.

Slovo *isté* viselo vo vzduchu ako akási mydlová bublina, ktorej hrozilo, že pukne a stratí sa.

„Nie," zvolala som.

„Len sa upokojte," tíšil ma. „Pošlem k vám vášho otca," dodal.

Môjho otca? Vari snívam?

O niekoľko okamihov neskôr vošiel do izby Jake s klobúkom v rukách a vyzeral, akoby zostarol o veľa rokov. Každá črta jeho tváre bola ostrejšia, oči mal temné a plné bolesti a na čele hlboké vrásky.

„Ako sa ti darí, princeznička?" spýtal sa.

„Jake, nevládzem pohnúť nohami."

Kývol hlavou.

„Neviem, prečo som ti dovolil vysadnúť na ňu. Všetky inštinkty mi vraveli, že sa schyľuje k niečomu zlému," povedal akoby hundravo.

„Takže kto sa to teraz obviňuje za niečo, nad čím nemal moc?" protirečila som mu. Musela som zatvárať oči, lebo izba akoby sa chcela so mnou zakrútiť.

„Mal som s tým rátať. Som starší a skúsenejší."

„Prestaňte, Jake." Chvíľu som rozmýšľala. „Povedali ste lekárovi, že ste môj otec?"

„Áno. Vďaka tomu je nateraz všetko papierovanie jednoduchšie. Tieto inštitúcie..." hundral.

Otvorila som oči a načiahla sa za jeho rukou.

„Už teraz ste mi viac otcom než ten, akého som mala, Jake," vyriekla som.

Spodnú peru zasunul pod hornú a pevnejšie zovrel čeľuste. Keď sa dospelému mužovi tlačia do očí slzy, vyvoláva to vo mne ešte hlbší smútok. Myslím, že každý má právo na to, aby pociťoval smútok alebo plakal, keď sa mu žiada, lenže človek ako Jake, ktorý už toho v živote tak veľa videl a prežil toľko útrap, vyzeral ako niekto, kto je príliš pevný, ako skala, na to, aby nad niečím smútil na verejnosti.

„Idem vybaviť sanitku," povedal a náhlivo odišiel, ale ešte som mu stihla zazrieť slzu, ktorá mu putovala dolu po chlapských lícach.

Bola to veľmi nepohodlná jazda. Musela som byť pevne pripútaná, aby som sa čo najmenej hýbala, hoci nehrozilo, že by som vyskočila a pustila sa do tanca. Dokonca aj keď som zdvihla hlavu iba o nejaký ten centimeter nad vankúš, cítila som sa ako na kolotoči. Bola som rada, že som podchvíľou znovu zadriemala.

Traumatologické oddelenie v Richmonde bolo rušné, ale fungovalo dobre. Odovzdali ma tamojším doktorom a tí mi rýchlo stanovili diagnózu. Vyšetrili mi pľúca a potom sa sústredili na poranenie chrbtice. Urobili mi neurologické vyšetrenie, vyšetrenie reflexov a opäť ďalšie testy. Skúmali ma rozličnými prístrojmi, aby zistili, aké vážne je poranenie.

Všetko mi pripadalo akoby rozmazané a z ničoho nič som zrazu čakala v nemocničnej izbe. Vo dverách sa zjavili dvaja lekári. Chvíľu sa potichu zhovárali a potom podišli k posteli. Jeden bol omnoho starší ako druhý, mal sivé vlasy, ale jasnomodré oči a prívetivú tvár. Mladší mal hnedé vlasy aj oči. Vyzeral skôr ako vedec než lekár. Mala som pocit, že sa nedíva na mňa, ale vlastne na nejaký zdravotný problém.

„Som doktor Eisner," povedal starší muž. „Toto je doktor Casey, môj asistent." Usmial sa a pozrel na papier na tabuľke so štipcom, ktorú držal v ruke.

„Takže sa voláte Rain?"

„Áno," povedala som. Cítila som, že sa mi pery pohli, ale hovorila som tak ticho, že som sa ani nepočula.

„Zaujímavé meno," poznamenal. „Nuž, moja milá, čo vieme o vašom poranení. Máte poškodenú oblasť miechy, ktorú my nazývame L3 a L4." Obrátil tabuľku so štipcom a ukázal mi obrázok ľudskej chrbtice.

„Ako vidíte," pokračoval a jeho hlas znel ako hlas učiteľa, „miecha je asi štyridsaťpäť centimetrov dlhá a vedie od spodnej časti mozgu cez stred chrbta zhruba až po driek. Nachádzajú sa v nej nervy. Voláme ich horné motorické neuróny a ich úlohou je prenášať impulzy z mozgu do nervov miechy pozdĺž chrbtice. Tieto nervy, ktoré sa rozkonárujú z miechy do iných častí tela, sa volajú nižšie motorické neuróny. Komunikujú s rozličnými časťami tela, vysielajú impulzy na začatie činnosti, napríklad pohybu svalov. Zatiaľ tomu rozumiete?"

Prikývla som, zadržiac dych.

„Miechu," pokračoval a ukázal na ňu, „chráni prstenec kostí, ktoré sa nazývajú stavce. Vo všeobecnosti možno povedať, že čím vyššie na chrbtici sa poranenie nachádza, tým väčší je rozsah straty funkčnosti. Takže ak sa budete teraz dívať so mnou," povedal a perom ukazoval na obrázok, „uvidíte, že vaše poranenie je, chvalabohu, nižšie, než sú oblasti, ktoré by mali negatívny vplyv na dýchanie a hornú časť tela. Poranenie teda vplýva na vaše nohy."

„Takže," povedal hneď nato, prv než som sa mohla niečo spýtať, „zistili sme, že vo vašom prípade ide o takzvané čiastočné poškodenie, čo znamená, že sa zachovala istá funkčnosť pod primárnou úrovňou poranenia. Myslíme si, že budete môcť trochu hýbať pravou nohou. Časom ju budete môcť do istej miery zaťažiť a pomocou nej si sadnúť alebo vstať z vozíka."

„Z vozíka?" vykríkla som.

„Áno," prikývol a na tvári mal stále ten milý, láskavý

úsmev. Jeho asistent na mňa iba zízal a ja som sa cítila o to horšie.

„Prečo? Polámala som si chrbticu?"

„Nuž," povedal doktor Eisner s ešte širším úsmevom, „chrbtica nemusí byť zlomená a aj tak môžu nastať problémy. Zvyčajne je pomliaždená alebo silne odretá. To vám môže vysvetliť doktor Casey," povedal a pozrel sa na mladšieho lekára.

Ten si odkašľal a namiesto úsmevu sa samoľúbo uškľabil. Hovoril veľmi cez nos, akoby mu slová vychádzali skôr cez nozdry a nie cez ústa.

„Miecha napuchne. V poranenej oblasti krvný tlak prudko klesne a bunky nemajú dostatočný prísun látok z krvi. Krvácanie sa začína v strede miechy a šíri sa smerom von. Odumierajúce nervové bunky produkujú tkanivo zaceľujúce rany a nervové spojenia v mieche sa prerušia. Výsledkom je ochrnutie," uzavrel bez prejavu akýchkoľvek emócií.

„Takže som trvalo ochrnutá?"

„Od pása dolu," povedal doktor Eisner. Jemu sa to zrejme videlo lepšie, ako to vlastne mohlo dopadnúť. „Ešte vždy vyhodnocujeme výsledky vyšetrenia vášho močového mechúra," uzavrel.

Mlčala som. Videla som, že pozorne sleduje, ako zareagujem.

„Umriem?" spýtala som sa ho nakoniec.

„Ale nie, nie," ubezpečoval ma.

Želala som si, aby povedal: „Prirodzene."

Niekoľko ďalších dní do mňa štuchali a preháňali cezo mňa elektrické impulzy. Doktori preskúmali každý kúsok môjho tela. Cítila som sa ako kopa mäsa, ale nesťažovala som sa, ani som veľa nehovorila. Ak sa ma spýtali, či to, alebo ono cítim, tak som odpovedala podľa toho, či som to cítila, alebo nie. To bolo všetko. Nezhovárala som sa

ani so sestričkami, ani s medikmi. Chceli, aby som roz-
právala, ja som sa však iba uprene dívala.

Môj stav po otrase mozgu sa upravil a čoskoro som do-
kázala omnoho lepšie zdvihnúť hlavu. Bola som schopná
sa nakŕmiť, hoci som nemala nejakú veľkú chuť do jede-
nia. Často mi zapli televízor, ja som ho však vlastne ne-
sledovala ani nepočúvala. Pripadal mi ako veľká žiarovka,
plná tieňov.

Jake ma navštevoval každý deň. Ubytoval sa v Rich-
monde u nejakého priateľa. Nosil mi cukríky a časopisy.
Náhle starnutie, ktoré sa na jeho tvári zjavilo po mojej ne-
hode, ho už plne malo v moci. Dokonca sa mi zdalo, že
mu aj vlasy viac šedivejú. Plecia mával vždy trochu zhrbe-
né a robilo mu problémy pozrieť sa priamo na mňa, ako-
by predpokladal, že môj pohľad bude plný obvinení.

Moju pozornosť pútalo iba to, čo robí moja nežičlivá
rodina, a ako reagovala na tieto prekvapivé udalosti.

„Victoria je, prirodzene, znepokojená a zmätená. Všet-
ky jej plány sú nateraz odročené, možno aj navždy," po-
vedal mi Jake.

„Mne na tom nezáleží," ubezpečila som ho.

„Teda, no, kým sa tvoj stav nezlepší, musí ti na tom
záležať. Budeš potrebovať všetky financie, ktoré ti patria,
a nesmieš sa vzdať ani centu, chápeš? Dovolil som si oslo-
viť pána Sangera a on sa toho ujal."

„Kým sa môj stav nezlepší? Ten sa už nezlepší nikdy,
Jake. Čo ste nehovorili s lekármi?"

„Určite ešte všeličo musíš podstúpiť, ale vďaka terapii
zosilnieš a..."

„Navždy budem na vozíčku," povedala som.

Vedela som, prečo sa predo mnou pretvaruje, lenže ja
som to nemohla.

„Neobviňujte z toho Rain," vravela som mu. Pozrel sa
na mňa. Videla som, že čosi sa zmenilo. „Čo ste s ňou
spravili, Jake? Neublížili ste jej, však nie?"

„Samozrejme, že nie, ale rozhodol som sa ju predať," povedal. „Načo by mi vôbec bol taký kôň?"

Odvrátila som zrak. Možno moje meno bolo prekliatím. To, že ten krásny kôň dostal meno po mne, ho zatratilo. Teraz bude bez viny trpieť, a to len preto, že sa narodil. Nie div, že sme spolu tak dobre vychádzali.

„Nemali by ste to urobiť, Jake."

Chvíľu sa ešte díval na dlážku a potom zdvihol zrak. Oči mal také červené, že boli jasne popretkávané červenými žilkami.

„Volal mi Grant," ozval sa.

„Áno?"

„Pýtal sa na teba. Megan ešte nič nepovedali."

„Jej to bude jedno. Povedzte im, nech si s tým nerobia starosti. Povedzte im... že aj mne je to už jedno," ubezpečila som ho.

Jake sa pozrel na mňa a potom von z okna.

„Nemusíte sem chodiť. Viem, že by ste boli radšej doma."

„Počúvaj, to mi nehovor," povedal. „Nenechám ťa tu samu."

„Musím si na to zvyknúť, Jake. Kto teraz bude chcieť byť so mnou?"

„Len tak nehovor," prikázal mi. „Frances by veľmi..."

„Ľutovala, že ma vzala k sebe," ukončila som vetu namiesto neho. „Ak som niekedy predtým bola bremenom, teraz ním som určite."

Jake pristúpil bližšie k posteli a chytil ma za ruku. Pevne ju stisol.

„Zlepší sa to, princeznička. Nedovolím, aby si zoslabla. Radšej si zvykaj na to, že ma máš na krku," pohrozil.

Uprene som sa naňho pozrela. Oči sa mu rozjasnili a potom opäť potemneli. Bolo mi ho ľúto.

„Dobre, Jake," súhlasila som. „Urobte, ako chcete."

„V poriadku," odvetil. „Zajtra prinesiem ďalšie informácie. Len si vbi do hlavy, že nad tým všetkým zvíťazíme," povedal.

Usmial sa.

„Totiž, ako by si mohla sklamať Victoriu? Ak sa tvoj stav nezlepší, nebude si môcť brúsiť zuby na tvoj majetok, no nie? Ako by to vyzeralo? Teraz je v slepej uličke. Maj nad ňou zľutovanie," žartoval.

Musela som sa usmiať.

Bol to dobrý pocit, akoby som práve rozbalila prekvapujúci darček.

A vtedy mi priviezli vozík.

To mi pripomenulo, že úsmevy a smiech sú čosi ako vzácne starožitnosti. Človek ich môže oprášiť, ale nemajú už žiadnu inú úlohu, iba spočívať na poličkách, aby nám pomáhali spomínať na krajšie časy, keď ešte existovalo čosi, čo sa volá nádej.

Návrat domov

O týždeň neskôr sa objavil doktor Casey s kamennou tvárou a so sestričkou, ktorá vyzerala tak trochu ako myš. Keď jej niečo hovoril, nebola k nemu obrátená tvárou, ale hlavu držala rovno, takže sa zdalo, že na mňa sústredene hľadí, pričom oči sa jej dvíhali, až kým takmer nezašli pod viečka, a potom sa pozrela naňho. Vyzeralo to, akoby sa musela pozrieť ukradomky alebo akoby bol nejakou kráľovskou výsosťou, na ktorú sa nemožno pozrieť priamo.

Vykonal bežnú prehliadku. Keď sa ma dotýkal, mal gumené rukavice a to vyvolalo vo mne pocit, že som nakazená. Po prehliadke odstúpil od postele tak prudko, akoby sa vzďaľoval od život ohrozujúcej osoby, a ja som sa vtedy cítila ako ten najnebezpečnejší zdroj infekcie.

„Doktor Eisner a ja sme skompletizovali vyhodnotenie vášho stavu," začal tichým nosovým hlasom. Keď hovoril, krk mal strnulý a hnedé oči sa mu ani nepohli. Pripomínal mi bábku v životnej veľkosti, ako sa mu hýbala sánka pri vyslovovaní slov, ktoré mu sám *osud* uložil na jeho sýtoružový jazyk. „Terapia vám umožní posilniť nohy a zabráni atrofii svalstva. Kým však nevynájdeme nejakú novú, sľubnejšiu liečbu poranení chrbtice, budete na hranici možností vášho vyliečenia."

„Ako viete, občas sa vyskytnú bolestivé svalové kŕče. Ak nebudete primerane aktívna, objavia sa ranky od tlaku. Znížená mobilita a slabší krvný obeh môžu spôsobiť nepríjemné vredy na koži. Budete si musieť zvyknúť denne si prezerať kožu."

„Každý deň sa okúpte a poriadne osušte, najmä medzi prstami a v lonovej oblasti. Terapeut vám dá príručku o starostlivosti o seba s inštrukciami, ktorými sa budete riadiť. Treba, aby ste všetkému porozumeli prv, než vás prepustia," povedal.

„Prepustia ma?"

„Z tohto oddelenia nemocnice áno," povedal. „Tu pre vás už nemôžeme veľa urobiť. Preložíme vás na oddelenie fyzikálnej terapie. Zasvätia vás do postupu, ktorým sa budete riadiť po celý zvyšok života," dodal nezúčastnene. Znelo to ako rozsudok o uväznení, ktorý vyšiel z úst nejakého drsného sudcu.

Napísal niečo na moju tabuľku a potom ju podal sestričke. Tá sa na mňa letmo pozrela, usmiala sa a čakala.

„Máte ešte nejaké otázky?" spýtal sa doktor.

Otázky? To je to jediné, čo ešte mám, pomyslela som si. Napríklad, čo by sa bolo stalo, keby nás Ken Arnold po mojom narodení vzal bývať do iného mesta? Čo by bolo so mnou, keby sa Beni nebola zaplietla s členmi gangu a nezabili ju, a keby mama nebola tak vážne ochorela? Čo by sa bolo stalo, keby som sa nikdy nebola dozvedela pravdu o sebe? Čo by sa bolo stalo, keby som bola zaspala a zmeškala poslednú jazdu s Rain?

Pozrela som sa na lekára. Očividne prahol po tom, aby som mu adresovala nejakú otázku, tváril sa ako nejaké údajne geniálne dieťa, ktoré chce dokázať svoju inteligenciu.

„Kedy sa zobudím?" spýtala som sa.

„Prosím?" Doktor vyzeral zmätene.

Sestrička zdvihla tenké tmavohnedé obočie a pootvorila svoje malé ústočká.

„Ale nič," povedala som. „Človek nemôže dostať odpovede od ľudí v jeho zlých snoch."

„Ó," povedal a jeho bledé pery sa stiahli do malého

kruhu. Práve teraz si vlastne uvedomil, že moje utrpenie
ma zasiahlo hlbšie než iba na miestach, do ktorých mohol
štuchať a rýpať, dokonca aj keď šlo o röntgenové prístro-
je. „O chvíľku za vami príde doktorka Snyderová. Je to
naša psychologička. Veľa šťastia," dodal a obrátil sa.

Sestrička ma potľapkala po ruke. Pozrela som sa na ňu
tak, že sa zvrtla rýchlejšie ako nejaká marionetka, a náhli-
la sa von z izby za doktorom. Zrak som uprela k fádnemu
stropu, bielemu ako krieda. Od tej nehody som nespáva-
la dobre. Ak som aj zadriemala, vzápätí som sa vždy hneď
zobudila. Aj teraz sa mi to prihodilo, a keď som sa zobu-
dila, počula som ženský hlas, ako vraví: „Dobrý deň."

Pomaly som obrátila hlavu, myslela som si, že to je
sestrička a chce niečo upraviť na posteli. Bola som pre-
kvapená, keď som zistila, že žena, ktorá ma oslovila, se-
dí... na vozíku.

„Som doktorka Snyderová," povedala.

Podala mi ruku. Ja som sa na ňu iba dívala, a tak ruku
stiahla.

„Podľa výrazu prekvapenia na vašej tvári vidím, že dok-
tor Casey vám o mne nič nepovedal. Vlastne ani neviem,
prečo by ma niečo také malo zaraziť. V skutočnosti," po-
kračovala a zrazu vyzerala, akoby sa rozprávala so svojím
terapeutom, „by som mala byť veľmi rada. Nepovažuje ma
za nič menej, ale ani za nič viac, než čo som... psycholo-
gička, nie telesne postihnutá psychologička, a to je to, čo
všetci potrebujeme, však?"

„Aj vy raz budete chcieť, aby vás ľudia videli takú, aká
ste," dodala.

„Nik nebol schopný vidieť moje skutočné ja, dokonca
ani pred nehodou. Prečo by som mala predpokladať, že
teraz sa to zmení?" odpovedala som otázkou.

Zdvihla pravé obočie ako výkričník a usmiala sa.

Mala vlastne veľmi peknú tvár, orámovanú ryšavočer-
venými vlasmi, pristrihnutými do oblúka okolo malej bra-

dy. Napriek jej stavu modrozelené oči jej priam žiarili, boli plné života a nadšenia. Líca jej pod očami lemovali drobučké pehy, ktoré potom mierne klesali k brade, a mala peknú, do krémova sfarbenú pleť. Pery mala také purpurové, že vôbec nepotrebovala rúž. Keď sa ktokoľvek zadíval na jej tvár, určite si myslel, že toto je jedna z najzdravších a najšťastnejších osôb, aké kedy videl.

Mala na sebe bledučko modrý sveter, bielu blúzku a tmavomodrú sukňu. V ušiach sa jej ligotali diamantové náušnice v tvare srdca. V preliačinke na hrudi nad malými prsami jej spokojne spočíval zlatý prívesok.

„Viem, že to pre vás nie je bohvieaká útecha, ale keby to poranenie bolo o niekoľko palcov vyššie, boli by ste na tom omnoho horšie než teraz." Znovu sa usmiala a pozrela sa mimo mňa, smerom k svojim spomienkam a myšlienkam. „Môj otec mi raz povedal, že meradlom v živote by nám mali byť naše skutky a náš osud, nie skutky a osud iných. ‚Namiesto toho, aby si myslela na to, koľko ľudí je na tom lepšie ako ty,' vravieval, ‚mysli na to, o koľko lepšie na tom si, než by si bola mohla byť, keby...'"

„‚To *keby*, Ainsley, visí nad hlavou každého z nás,' povedal." Spustila bradu a hovorila hrubším hlasom, imitujúc otca.

„Ainsley?"

„Áno. Môj otec nástojil na tom, aby mi matka vybrala nejaké nezvyčajné meno. Vyzerá to tak, Rain, že aj vaši rodičia urobili to isté."

„To meno malo znamenať samé dobré veci," ozvala som sa.

„Aj bude, môže. Skúsim len tak naslepo hádať," povedala, oprela sa o operadlo a tvárila sa, že usilovne rozmýšľa. „Ležali ste tu a uvažovali, prečo práve ja? Čo som urobila?"

„Nie je to celkom tak," namietala som.

„Ale to je niečo prekvapivé. Konečne je tu niekto, kto si myslí, že si to zaslúži?"

„To som nepovedala. Lenže nie som až natoľko prekvapená," dodala som. Mala krásny, prenikavý pohľad. Jej oči boli plné záujmu, ale nie tak ako u doktora Caseyho. Zračila sa v nich srdečnosť, nadšenie, a to spôsobom, vďaka ktorému som mala pocit, že som dôležitá, že som objav.

„Chcete mi povedať prečo?" spýtala sa.

„Neviem, či mám na to dosť času," povedala som. „Pozriem sa do kalendára."

Zasmiala sa.

„Čo sa vám stalo?" spýtala som sa jej. „A nepovedzte mi, že ste spadli z koňa."

„Nie. Ja som vlastne nikdy nejazdila na koni. Najbližšie som sa k tomu dostala, keď som na hodoch jazdievala na poníkovi. Ja som mestské dieťa. Mala som vážnu dopravnú nehodu. Príves traktora mi pred takmer štyrmi rokmi zdemoloval auto. Museli ma z auta doslova vyrezávať. Pamätáte sa, čo som vám vravela o tom veľkom *keby*?"

„Ste si istá, že ste na tom lepšie, ako ste mohli byť?" spýtala som sa bez emócií.

„Som ešte vždy šťastne vydatá. Mám dve dorastajúce dcéry, vďaka ktorým neprepadám sebaľútosti. A okrem toho milujem pizzu a podľa toho, čo mi povedali psychológovia, na druhom svete žiadna nie je. Vraj sa človeku ani nežiada!"

Chvíľu som sa na ňu vyjavene pozerala a potom som sa zasmiala. Ten zvuk bol pre mňa taký prekvapujúci, že som ho nechala znieť o trochu dlhšie.

„Takže," povedala a hlbšie sa usadila na vozíku, „teraz mi vy porozprávajte svoj príbeh."

Bola dobrou poslucháčkou a vôbec nevyzerala tak, akoby jej myšlienky blúdili alebo akoby si myslela: ,Prečo som sa vôbec začala týmto dievčaťom zaoberať?' Položila mi veľa otázok a čosi si zapísala do malého notesa. Možno som už prahla po rozhovore. Možno som už vo svojom duševnom väzení bola zavretá pridlho, ale našla som v sebe akoby bezodnú zásobu slovnej energie. Bol to zároveň aj dobrý pocit, všetko to zo seba dostať. Bolo to, akoby som si na tele prepichla zapálené miesto a sledovala, ako vyteká všetok hnis. Prirodzene, že som všeličo preskočila a pokúšala som sa zahrnúť iba ľudí a udalosti, čo mali pre môj príbeh najväčší význam.

Nakoniec som zmĺkla a pozrela sa na ňu. Úsmev z tváre jej zmizol a namiesto neho sa jej tam usadil vážny výraz niekoho, kto sa práve dopočul, že prišiel o najbližšieho priateľa či priateľku.

„Ľutujete, že ste sa ma na to spýtali?"

„Nie. V skutočnosti som vám vďačná, že ste taká zhovorčivá. Väčšina mojich pacientov rozpráva tak, že sa cítim, akoby som bola zubárka. A trhala zuby," dodala, keď zbadala, že nerozumiem.

„Aha."

„Viete, niekedy, vlastne často, je pre ľudí, ktorí majú pomerne ľahký život, náročné vyrovnať sa s takými vážnymi ťažkosťami. Vy ste už v živote toľko toho preskákali, že som si istá, že si poradíte dobre."

„Istotne," pritakala som. „Som iba polienkom, odštiepeným zo starej tragédie."

Zasmiala sa.

„Už napredujete. Máte totiž zmysel pre humor."

„To nie je humor. To je zamaskovaný pocit zhnusenia," povedala som. Zrazu som sa cítila unavená. Zatvorila som oči.

„Teraz vás nechám, aby ste si odpočinuli, ale zajtra prídem opäť a znovu sa pozhovárame. Ako viete, idú vás premiestniť na oddelenie fyzikálnej terapie."

„Dobre. Prerobia ma."

„Najťažšie pre nás je uvedomiť si, že naše kedysi zdravé telo už plne nefunguje a sužujú ho tisícky druhotných problémov, s ktorými sa musíme zmieriť."

„Nevravte mi iba dobré správy," povedala som. Zasmiala sa.

„Nebudem. To, čo teraz robíte, vaša reakcia na všetky udalosti, je sebaobrana. Naučiť sa akceptovať tento stav a vyrovnať sa s ním je takmer rovnako devastujúce, ako bola sama nehoda. Nik nechce byť závislý od iných."

„Najmä ja nie," zahundrala som si pod nos.

„Ale verte mi, rehabilitačný program vám pomôže k nezávislosti. Len sa mu nebráňte. Učte sa, Rain, počúvajte, buďte ochotná všetko skúsiť a znovu nadobudnete sebadôveru a stanete sa produktívnou súčasťou spoločnosti. Viem o celých tuctoch paraplegikov, ktorí to zvládli."

„Pánabeka, ja mám také šťastie, len si to zatiaľ ešte neuvedomujem, však?"

Usmiala sa.

„Nie, neuvedomujete. Spomeňte si na *keby* môjho otca," pripomenula mi a obrátila vozík.

Dívala som sa, ako vychádza, rukami poháňajúc kolesá, a mizne mimo dohľadu.

To som ja, pomyslela som si. To som ja odteraz až do dňa, keď zomriem.

Zaborila som tvár do vankúša a želala si, aby som si ho vládala pridržať tak, že by som prestala dýchať.

V ten večer ma presťahovali na rehabilitačné oddelenie. Na druhý deň skoro ráno ma pozdravil tím terapeutov a všetci mi vysvetlili svoju úlohu v rámci môjho rehabilitačného programu. Natoľko ma zamestnávali, že som takmer nemala čas na sebaľútosť. Okolo mňa boli pacienti s podobným postihnutím, pričom mnohí na tom boli omnoho horšie, presne tak, ako to hovorila doktorka Snyderová. Keď som videla pacientov postihnutých na všetky štyri končatiny, bolo mi to jasné. Žasla som, ako väčšina z nich usilovne pokračovala v terapeutických činnostiach.

Keď sa doktorka Snyderová vrátila, rozprávali sme sa o tom a zdalo sa mi, akoby na nich bola priam pyšná. Teraz sme boli akoby jedna uzavretá rodina a to, čo niekto individuálne dosiahol, sa odrazilo na celej našej skupine.

„Zakaždým, keď máte pocit, že to vzdáte," povedala, „pomyslite na nich. Pravda je taká, Rain, že prevažná väčšina paraplegikov sa adaptuje veľmi dobre, a to bude aj váš prípad," predpovedala presvedčivo. „Budete šoférovať, budete mať plnohodnotný spoločenský život a ak budete chcieť, tak aj rodinu."

„Rodinu?" Musela som sa na tom zasmiať. „Kto by ma chcel za ženu?"

„Niekto, kto sa do vás zamiluje," povedala celkom jednoducho.

„Určite."

Ešte bude treba, aby som dala vedieť môjmu otcovi do Londýna alebo Royovi, čo sa mi stalo. Myslím, že v duchu som dúfala, že v priebehu noci umriem, a nebudem o tom musieť nikomu povedať, ale s plynúcim časom som si uvedomila, že tak budem musieť urobiť veľmi skoro. O čo som rozhodne nestála, to bol ich súcit. S doktorkou Snyderovou sme sa o tom rozprávali a ona mi radila: „Len im určite povedzte, ako dobre sa vám darí pri terapii, a potom vám nehrozí ich ľútosť. Prirodzene," dodala, „urobte všetko pre to, aby sa vám naozaj darilo dobre."

„To znie ako vydieranie," povedala som. Ona sa zasmiala a vravela, že to je jedno, len aby to fungovalo.

Obľúbila som si ju. Pri pomyslení, že od nej odídem, som sa obávala odchodu z rehabilitačného strediska. Keď som jej to prezradila, povedala, že je to lichotivé, ale nechce, aby som mala taký pocit.

„Nevytvorte si k nikomu vzťah závislosti, Rain. Bojujte proti nemu a natrvalo si zachováte sebaúctu. Ja mám dodávkové auto, na ktorom jazdím. Naboku sa dá spustiť plošina, a tak môžem na vozíku nasadať a vysadať. Nepotrebujem ani to, aby mi niekto otvoril dvere. Hádajte, čo sa mi stalo minulý týždeň," povedala s hrdým úsmevom.

„Čo?"

„Dostala som pokutu za prekročenie rýchlosti. Policajt ma zastavil a oznámil mi, že som šla osemdesiatkou, kde je povolených iba päťdesiatpäť. Povedala som mu, že som si tú tabuľku nevšimla, on však prehlásil, že by som mala byť pozornejšia a k pokute za rýchlosť mi naparil aj ďalšiu za nepozornosť. Vypisoval pokutové lístky a potom sa pozrel dolu a zbadal, že sedím na vozíčku. Prestal písať a chvíľku to vyzeralo, že od ľútosti ide tie lístky roztrhať. To ma priam rozzúrilo.

,Ak mi chcete dať pokutový lístok, tak pohnite,' povedala som. ,Mám ísť s niekým na obed.'

Očervenel ako paprika a chytro dokončil vypisovanie. Poďakovala som mu a vyštartovala s úsmevom na tvári. Aha," povedala, otvorila kabelku a vytiahla papierik. „Môžete si ho pozrieť. Ja som si z neho urobila kópiu a zavesila som si ju na stenu v kancelárii."

Chvíľu som na ňu vyjavene pozerala a vzápätí som sa rozosmiala viac než kedykoľvek predtým.

Nakoniec som sa prepracovala k tomu, že som bola schopná sama nasadnúť na vozík aj z neho zosadnúť. Jake ma ešte vždy často navštevoval. Videl ma aj pri rehabilitačnom cvičení. Keď som sa naňho nečakane pozrela, zachytila som na jeho tvári smutný, skľúčený výraz, od ktorého mu potemneli oči, a v unavenej tvári sa mu prehĺbili všetky vrásky. Bol zhrbenejší a zrejme o seba aj menej dbal. Vlasy mal rozstrapatené a často vyzeral, že by potreboval oholiť. Keď bol blízko, videla som, že tenučké cievky v očiach boli zreteľnejšie. Len čo zbadal, že sa naňho dívam, tvár sa mu silou vôle rozjasnila. Rozprával mi o dome a o tom, ako je oň dobre postarané. Dostala som list od Roya, v ktorom mi písal, že je vonku z väzenia a počíta dni. V ďalšom liste od môjho otca bol letáčik oznamujúci blížiace sa predstavenie v Burbageho škole. Samozrejme, nevedel, že som sa vážne poranila. Bolo pre mňa veľmi bolestné, keď som videla ten plagát a vedela, že sa už do školy nikdy nevrátim.

V jedno popoludnie, keď som oddychovala v posteli, Jake mi prišiel povedať, že budem mať návštevu.

„Zajtra sem príde Victoria," povedal. „Ak chceš, budem počas jej návštevy nablízku."

„To je v poriadku, Jake. Nenechala som sa od nej naľakať predtým. A teraz mi to už vôbec nehrozí."

Usmial sa, ale aj tak vyzeral veľmi vystrašene.

„Jake, nedávate si na seba pozor," povedala som. „Stará mama by si o vás robila starosti."

Prikývol.

„Som v poriadku."

„Čoskoro ma odtiaľto pustia a potom budem potrebovať vašu pomoc," vravela som.

Zdvihol hlavu a oči mu ožili.

„Samozrejme, urobím čokoľvek, čo budeš potrebovať," ubezpečil ma.

„Potrebujem, aby ste boli fit," povedala som. „Viac než jeden invalid na majetku nie je povolený. Čítala som rajónovacie predpisy."

Prikývol a tlmene sa zasmial.

„Dobre, princeznička," súhlasil. „Dám sa dokopy."

„Fajn."

Po jeho odchode som sa zahĺbila do úvah o blížiacej sa návšteve tety Victorie a pokúšala som sa uhádnuť jej úmysly. Vôbec som nepochybovala, že je presvedčená o tom, že má rozhodujúce slovo. Bola som si istá, že s Grantom snovali plány proti mne, ale aj tak som bola na nich všetkých zvedavá, najmä na moju matku, hoci som si veľmi želala, aby som ich navždy vypudila zo svojej mysle.

Vzápätí po mojom príchode z rehabilitačného cvičenia sa objavila Victoria. Ešte som ani nebola v posteli. Sedela som vo vozíku a práve som zapla televízor, aby som si pozrela ďalší diel televízneho seriálu. Z chodby som začula známe klopkanie jej podpätkov a potom vrazila dnu, akoby sa niekto opovážil zakazovať jej vstúpiť. Chvíľu bola zmätená, lebo v posteli som nebola. Potom ma zbadala a vystrela sa do svojej bežnej podoby pravítka.

„No tak, ako sa máš?" spýtala sa.

„Ako vyzerám?" odpovedala som otázkou.

Pod pravou rukou stískala kabelku, pritláčajúc si ju o bok, akoby to bola nejaká pištoľ v puzdre. Mala na sebe svoj zvyčajný sivý kostým, blúzku a topánky s hrubými podpätkami a vyzerala rezolútne a oficiálne. Videla som však, že sa v prostredí nemocnice cíti nesvoja. Oči jej behali ako vyplašenej sliepke. Ústa mala trochu narúžované a na lícach trochu červene.

„Vyzeráš mimoriadne dobre," odpovedala. Zbadala vozík a podišla k nemu. Chvíľu sme sa na seba iba dívali. „Keď som dospievala, istý čas ma veľmi lákala jazda na koni. Začala som chodiť na hodiny jazdenia, ale nikdy som nebola dosť graciózna či uvoľnená a domov som sa vždy vracala ubolená," povedala a ukázala na kríže a stehná.

„Ale Megan jazdila veľmi dobre. Môj otec jej kúpil koňa, krásneho Araba. Starostlivosť oňho stála majetok, a to všetko iba kvôli jej príležitostným jazdám. Samozrejme, čoskoro ju jazdenie začalo nudiť a môj otec nakoniec mal dosť súdnosti, aby toho koňa predal. Uplynuli celé mesiace a ona ani nevedela, že ho už predal, a po celý ten čas sa naňho ani nespýtala. Nikdy ti o tom nerozprávala?"

„Na také príbehy sme nemali dostatočne dlhé príbuzenské rozhovory," povedala som odmerane.

„To verím. Vieš, to, že ťa zobrala nazad a zaviedla k našej matke a vzápätí na teba zasa zabudla, je pre ňu typické. Nemá nijakú vytrvalosť v pozornosti, či už ide o nové oblečenie, deti, jazdu na koni, golf, jednoducho čokoľvek, dokonca vrátane svojho manžela."

„Ako sa má?" spýtala som sa.

„V skutočnosti je... po tieto dni rovnako vyradená ako ty. Už netrávi čas vo svojej izbe, ale zďaleka nie je taká, ako bývala. Vôbec nie je Grantovi na nič ani spoločensky, ani politicky. Neporiadajú žiadne večierky a Grant musí na väčšinu podujatí chodiť sám. Na jeden večierok som ho sprevádzala ja, keďže som tam zhodou okolností práve bola," dodala.

„Aké milé od vás, že ste podstúpili takú obeť," neodpustila som si. Či už zámerne, alebo nie, ale môj sarkazmus akoby jej unikol.

„Robím, čo môžem. Mám tu ešte ďalšie povinnosti. Už vie, čo sa ti stalo," dodala po krátkej pauze, počas ktorej sa pozrela na mňa. „Unúvala sa vôbec zavolať ti?"

„Nie."

„To ma neprekvapuje."

„Ani mňa, ale nie z toho istého dôvodu," dodala som.

„Prestaň," vyrazilo z nej. Znelo to ako facka. Bolo to také nečakané, že som stihla iba zdvihnúť obrvy. „Niet príčiny na také sebazničenie. Ver mi, že nejde o trest za niečo, čo si Megan urobila. Za to, čo sa stalo Brodymu, nesie vinu výlučne ona. To, že ti nezavolala, je skrátka jej spôsob, ako si nájsť obetného baránka. Vždy bola taká. Doteraz nikdy nepreberala zodpovednosť za svoje činy. A ani odteraz sa to nezmení."

„Tak či onak, prišla som ti povedať, že všetko zariaďujem."

„Čo tým myslíte?" spýtala som sa a predpokladala som, že teraz spustí kanonádu slov.

„Všetko, čo je potrebné pre teba urobiť, sa urobí," prehlásila svojím bežným šéfovacím spôsobom. „Aj teraz musím zastúpiť Megan a urobiť, čo by mala urobiť ona. Tak to už bolo toľko ráz, že mi to vôbec neprekáža."

„A čo vlastne robíte?"

„Dala som pre teba na prízemí domu pripraviť spálňu. Požiadala som zdravotnícke zariadenie, aby zabezpečili všetko potrebné. Najala som zdravotníčku na plný úväzok, ktorá už má prax ako asistentka sestričky. Volá sa pani Bogartová. Keď prídeš, bude ťa už čakať."

„Keď prídem?"

„Bola som v stálom kontakte s tvojimi tunajšími lekármi a terapeutmi. Z tejto inštitúcie ťa prepustia o dva dni."

„O dva dni!"

Už len sama myšlienka, že odídem a vrátim sa do skutočného sveta, ma ukrutne desila.

„Tak mi to povedali. Vybavila som, aby do domu prišiel terapeut minimálne tri razy do týždňa."

„Prečo to všetko robíte?" spýtala som sa.

„Prečo?" Usmiala sa, vlastne sa skôr potichu zasmiala. „Prečo? Pretože nik iný to neurobí, najmä nie tvoja matka."

„Aha, prirodzene, o všetkom som ju informovala, aj Granta," dodala. „Chce, aby si vedela, že neprechováva žiadne negatívne pocity voči tebe. Ubezpečujem ťa, že ťa absolútne neobviňuje za to, čo sa stalo Brodymu," zdôraznila. „Teraz už mala čas všetko si to v mysli usporiadať," dodala ešte.

Prekrížila dlhé tenké nohy a oprela sa o operadlo, pričom na úzkej tvári sa jej usídlil výraz ohromnej spokojnosti. Oči mala zelektrizované od radosti. Takže o to tu ide, pomyslela som si. Využíva ma ako klin oddeľujúci Granta od mojej matky. Konečne našla spôsob, ako ma účelne využiť vo svojej celkovej stratégii.

Spomenula som si na radu, ktorú mi dala doktorka Snyderová, že je nevyhnutné, aby som od nikoho nebola závislá. To v prípade Victorie platilo dvojnásobne.

„Ako viete, že sa vôbec chcem do toho domu vrátiť?" spýtala som sa.

Naklonila hlavu, akoby ju tá myšlienka prevážila na jednu stranu a narušila jej rovnováhu.

„Kam inde by si teraz chodila?"

„Mohla by som ísť nazad do Anglicka," povedala som. Bola to taká nereálna predstava, až som mala problém vysloviť ju presvedčivo. Chvíľu na mňa iba civela.

„A čo tam?"

„Čokoľvek."

„To je nezmysel. Predovšetkým tam nebudeš mať o všetko postarané ako tu. Tam je navyše život drahší. Nemáš ani občianstvo. Nebudeš môcť výhodne využívať ich zdravotnícke služby."

„Aj tak som sa rozhodla, že dom nepredám. Po tom, čo sa ti stalo, nie si schopná uvažovať jasne a rozumne. Budeš sa musieť spoľahnúť na mňa a basta. Moju matku by rozhnevalo, keby som ťa opustila."

Vstala.

Nevedela som, či sa mám zasmiať, alebo nie. Odkedy si robila starosti s tým, čo by si myslela stará mama? Neuvedomovala si, že viem jasne dešifrovať tento jej falošný a nový zmysel pre zodpovednosť? Neuvedomovala si, že presne viem, čo zamýšľa a čo robí?

Lenže aké možnosti výberu som vôbec mala? Využi to, pomyslela som si. Využi ich všetkých.

„V poriadku," pristala som. „Aspoň na istý čas."

„Bude to na dlhšie než na istý čas, Rain," namietla. „Nemá význam, aby si bola ako tvoja matka a žila vo svete snov a ilúzií. Keď sa zmieriš s faktami a s realitou, budeš silnejšia a v konečnom dôsledku šťastnejšia."

„Vy ste šťastná, teta Victoria?" spýtala som sa.

Úsmev, ktorý jej rozžiaril tvár, bol akoby rozkvitajúcim kvetom, čo sa priveľmi dlho ukrýval pod pevnou škrupinou jej tváre.

„Už začínam byť," povedala. „Konečne."

Vyzerala, akoby jej oči boli plné príjemných predstáv. Potom zamrkala, pozrela sa dolu na mňa a znovu sa vzpriamila.

„Napozajtra zariadim tvoj prevoz naspäť do tvojho domova. Viem, že Jake ťa často navštevuje. Akékoľvek ponosy mi odkáž cez neho a ja sa vynasnažím urobiť čokoľvek, čo je v mojej moci."

„Je niečo, čo by si potrebovala alebo chcela v tejto chvíli?"

„Iba znovu fungujúce nohy," povedala som.

„Nuž, každý z nás nesie nejaké bremeno."

„A aké je to vaše, teta Victoria?"

„Táto rodina," povedala bez zaváhania. „Aj vždy bola."

Povedala dovidenia a vypochodovala za klopkania podpätkov, ktoré slablo, keď sa na chodbe vzďaľovala, a nakoniec stíchlo.

V tú noc som napísala najnáročnejšie listy vo svojom živote, jeden Royovi a jeden môjmu skutočnému otcovi, a obom som im rozpovedala, čo sa mi stalo a aké dôsledky to teraz pre mňa má. Riadila som sa radami doktorky Snyderovej, list som naplnila optimizmom a svoju tragickú nehodu som vykreslila ako nejaký malý pád po potknutí.

„*Na istý čas,*" uzavrela som obidva listy, „*chcem zostať doma a ukončiť liečbu. Niekedy v blízkej budúcnosti znovu premyslím svoje plány na návrat do Anglicka.*"

Obom som im dala najavo, aby si o mňa nerobili starosti, a sľúbila som, že sa im ohlásim.

V tú noc sa mi strašne ťažko zaspávalo. Písanie listov vo mne vyvolalo množstvo spomienok na šťastnejšie časy. Môj otec mi poskytol ohromnú nádej a prísľub a ja som sa na to, že ho zasa uvidím a stanem sa súčasťou jeho rodiny, tešila omnoho viac než na čokoľvek v mojom živote. Teraz mi to však pripadalo neuskutočniteľné.

Uvažovala som, ako hrozne sa Roy asi bude cítiť a ako sa bude v istom zmysle obviňovať, že tu nie je a neochraňuje ma. Obávala som sa, že kvôli mne sa podujme niečo vykonať a dostane sa do maléru, a tak som ho v liste vystríhala, aby neurobil nič také, pre čo by som sa cítila ešte horšie. Dúfala som, že ma počúvne, vedela som však, aký dokáže byť tvrdohlavý.

V tú noc sa mi zjavili všetci. Videla som sa s Beni na tanečnej zábave. Kráčala som popri mame a počúvala jej veselé rozprávanie. Vybavili sa mi dlhé prechádzky s Randallom Glennom v Londýne, potulky po meste a pozdĺž brehov Temže. Všetky moje spomienky sa viazali na to, že sa pohybujem. Aké je to hrozné, stratiť niečo, čo považujeme za natoľko samozrejmé, pomyslela som si.

Netrvalo dlho a vankúš som mala celý zmáčaný od sĺz, takže som ho musela obrátiť, aby som sa na ňom pokúsila spať. Zaspala som až takmer nad ránom a na fyzikálnej terapii sa mi veľmi nedarilo. Doktorka Snyderová za mnou prišla, aby sa so mnou o tom pozhovárala.

„Som rada, že ste skľúčená a plačete nad sebou," povedala, čo ma prekvapilo. „Len sa spokojne nenáviďte za to, kto ste a aká podľa vás ste, lebo to vás bude lepšie motivovať, aby ste sa zmenili k lepšiemu a stali sa takou ženou, ako to od vás očakávam."

Načiahla sa, chytila kolesá môjho vozíka a obrátila ich, takže som sa ocitla čelom k zrkadlu.

„Len sa naďalej vyjavene dívajte na to dievča. Ste vy to stvorenie, ktoré vidíte, Rain?"

„Neviem, kto je to?" povedala som.

„Presne tak. Vyžeňte tú neznámu osobu, ktorá získala vládu nad vaším telom. Vyžeňte ju pomocou terapie a vášho odhodlania získať znovu vládu nad svojím osudom."

„Už nikdy nebudem môcť ruka v ruke kráčať s nejakým mužom. Už nikdy nebudem môcť tancovať."

„Ale budete môcť."

„Ako?"

„Budete ho držať za ruku a poveziete sa vedľa neho na vozíku. A budete tancovať v duchu a budete taká silná, že vás nebude vidieť inak, než akoby ste stáli po jeho boku. Tak je to medzi mnou a mojím manželom a tak to bude aj vo vašom prípade," ubezpečovala ma.

„Len smelo do toho, Rain Arnoldová, odíďte odtiaľto a ujmite sa svojho života."

Usmiala som sa na ňu.

„Prídete ma niekedy pozrieť?"

„Nie," povedala. Môj úsmev pohasol. „Vy prídete navštíviť mňa," opravila ma a ja som sa zasmiala. „To je pravdepodobnejšie. No, musím už ísť pozrieť nejakých pacientov, ktorí ma teraz naozaj potrebujú," ukončila rozhovor a poberala sa preč.

„Doktorka Snyderová," oslovila som ju.

„Prosím?" spýtala sa, keď sa obrátila.

„Ďakujem vám."

„Ja ďakujem vám," opätovala.

„Za čo?"

„Zakaždým, keď vidím v tvári nejakého pacienta rozhodnosť, posilní to aj mňa. Veď to pochopíte. Príde ten čas, keď to pochopíte," povedala.

Dívala som sa za ňou, ako sa vezie preč. Potom som prehltla zradné slzy a siahla hlboko do svojej duše až k prameňu odvahy, ktorý vo mne vytvorila mama Arnoldová.

Budem silná, opakovala som si. Budem.

Na druhý deň zavčas ráno sa zjavil Jake. Už som bola oblečená a na vozíku.

„No pozrime," povedal, „aká krasotinka!"

Chvíľu som sa pohrala s vlasmi a trochu som si narúžovala pery. Bola som taká nervózna, že sa mi triasla ruka, takže som si rúž musela zotrieť a narúžovať sa znova. Ako som tam sedela a čakala na Jaka, v žalúdku akoby som mala plno mravcov, ktoré divo pobehovali a šteklili ma.

„Ako je vonku?" spýtala som sa ho.

„Je krásny letný deň. Obloha bola perleťovoružová, keď

som sa dnes ráno zobudil. Od radosti, že sa vrátiš, som sa zobudil veľmi skoro.“

„A ja som z tej istej príčiny nespala.“

Zasmial sa.

„Nuž, princeznička, je načase ísť domov.“

„Viete, čo všetko pre mňa pripravila?“

„Áno. A musím uznať, že si veľmi dala záležať na tvojej spálni. Čokoľvek je vymyslené pre ľudí v tvojej situácii, všetko ťa tam čaká. Stretol som sa s tvojou asistentkou,“ povedal so šibalským úsmevom. „Má mocnejšie ramená a širšie plecia ako ja a vyzerá tak, akoby obyčajným zachmúreným pohľadom vedela skoliť aj diabla. Victoria musela poriadne hľadať, kým niekoho takého našla. Rozhodne s ňou nie sú žiadne žarty.“

Prešiel za môj vozík a začal ma viezť von z izby.

„Počkajte, Jake,“ povedala som a obrátila som sa, aby som sa ešte raz pozrela na izbu, ktorá sa pre mňa stala čímsi ako svätyňou.

„Princeznička, ty sem už nepatríš,“ zašepkal Jake. „Poďme odtiaľto.“

Položil ruku na moju a ja som prikývla, zatvorila oči a oprela sa o operadlo. Ako sme vychádzali, všetky sestričky a niektorí rehabilitační pracovníci sa so mnou rozlúčili a želali mi veľa šťastia. Vyzerala som doktorku Snyderovú, ale nebolo ju vidno. Veď sa už rozlúčila a zanechala ma bez slávnostných fanfár. Bola to iba súčasť jej liečebného postupu alebo to bolo preto, že sa nevedela prinútiť lúčiť sa pri odchode? S obľubou som si mysliela, že sme viac než iba lekárka a pacientka. Navštíviť ju bude určite jednou z mojich priorít, pomyslela som si.

Pri chodníku čakal zaparkovaný Rolls-Royce starej mamy Hudsonovej. Prvý raz v živote som potrebovala pomoc, aby som sa dostala na zadné sedadlo. Lekári chceli, aby som sa väčšmi spoliehala na pravú nohu, a používala ju viac, keď sa budem potrebovať premiestniť z vozíka na stoličku, ale najmä do auta, pripadalo mi to však trochu trápne a Jake nechcel, aby som sa cítila nepríjemne. Nečakal na mňa, aby som to skúsila. Namiesto toho ma zdvihol a usadil dnu, akoby som bola nejaké dieťa.

„Takže vypadneme odtiaľto a ideme domov," povedal, vyhýbajúc sa môjmu pohľadu.

Poskladal vozík, vložil ho do kufra a sadol si za volant.

„Zapla si si bezpečnostný pás?" spýtal sa.

„Viem riadne sedieť, Jake. Prestaňte ma považovať za mrzáčku."

Zasmial sa. Obom sa nám uľavilo.

„Domov, Jake," prikázala som.

„Áno, áno."

Vyštartoval a ja som sa obzrela na nemocnicu. Vari som tam skutočne bola tak dlho? Bola som naozaj paralyzovaná? Kedy sa prebudíš, Rain Arnoldová? Nie je možné striasť zo seba tento zlý sen?

Jake nenávidel aj tú najkratšiu chvíľku ticha. Rozprával a rozprával, opisujúc i tie najmenšie detaily v dome, jeho údržbu, záhradu aj meniace sa farby lístia. Celý čas mlel, dokonca opísal aj zápletku televízneho filmu, ktorý pozeral.

„Jake, kde je teraz Rain?" spýtala som sa, prerušiac ho.

„Rain? No, tá je teraz na skutočnej konskej farme na sever od Virginie. Nerob si starosti, budú sa tam o ňu dobre starať. Dostal som za ňu dobrú cenu."

„Ste klamár, Jake," zareagovala som.

„Nie, je to pravda."

„Viete, Jake, naozaj by som bola rada, keby ste ju neboli predali. Vždy sa bude cítiť osamelá."

„Ja som jej, princeznička, nemohol venovať toľko starostlivosti, koľko potrebovala. A to je všetko. Naozaj."

„Jasné, Jake. Vezmete ma niekedy, aby som sa na ňu šla pozrieť?"

„Určite," prisľúbil.

Pokúšal sa zmeniť tému. Po chvíli sa zmieril s tým, že nastalo ticho, a iba ďalej šoféroval. Ja som zadriemala, a keď som sa zobudila, boli sme už tak blízko pri dome, že mi srdce začalo búšiť. Neviem, prečo som bola taká nervózna.

„Konáš správne, keď sa sem vraciaš," ubezpečil ma Jake. Sledoval ma v spätnom zrkadle a zrejme mi na tvári zbadal zaváhanie. „Bude tu o teba dobre postarané a poznáš to tu, čo veci uľahčí. Bude ti tu dobre, princeznička. Uvidíš."

„Viem," súhlasila som tíško.

Potom sa ukázal dom. Vyzeral vyšší a väčší, než aký som si ho pamätala.

„Čo je to tam vedľa stĺporadia?" spýtala som sa Jaka.

„Tamto? Victoria požiadala Milesa Hollingera, aby pre teba postavil rampu. Teraz môžeš na vozíku vojsť do domu aj z neho vyjsť. Bol som prekvapený, že na niečo také myslela. Človek nikdy nevie, čo Victoria urobí, ale vie urobiť tie správne veci," povedal.

„Takže rampa?"

„Len počkaj, kým uvidíš ostatné zmeny, ktoré urobila vnútri. Všetko je prispôsobené tak, aby si tam mala pohodlie."

„Možno tam budem mať až prílišné pohodlie," zahundrala som. Jake to však nezačul. Nestane sa ten dom mojím novým väzením? kládla som si otázku. Doktorka Snyderová ma varovala, aby som sa nestala príliš závislou od iných ľudí. Uvedomovala si, že by sa človek mohol stať príliš závislým aj od svojho prostredia?

Pozor na barličky, varovala som samu seba.

Zdalo sa mi, akoby to už bolo pred tisícimi rokmi, keď mi stará mama Hudsonová zo schodov do domu mávala na rozlúčku. V ten deň mala v tvári toľký smútok a chmáry. Možno vedela, aké to raz bude pre mňa ťažké, vrátiť sa do tohto domu.

Uväznená vo vlastnom tele

Jake po rampe vytlačil môj vozík ku vchodovým dverám.

„Mala by som to urobiť sama, Jake."

„Nabudúce, princeznička," upokojoval ma.

Nebola som taká ťažká, ale počula som, ako funí a dychčí.

„Priveľa fajčíte, Jake," povedala som mu. Zasmial sa a prikývol. Chcela som dodať, že aj priveľa pije, pretože som to cítila z jeho dychu, ale neurobila som to.

Prv než mohol siahnuť na vchodové dvere, otvorila nám ich mohutná Afroameričanka tak prudko, že ma prúd vzduchu takmer vtiahol do domu. Vyzerala impozantne a šediny v nakrátko ostrihaných vlasoch svedčili o tom, že mala zrejme už nad päťdesiat. Jake mal pravdu, že jej ramená sú mohutné a mocné. Krátke rukávy jej modro-bielej rovnošaty boli na nich riadne napnuté. Keď hýbala rukami, bolo vidno, že svalstvo nemá ochabnuté. Bola vysoká, prinajmenšom taká ako Jake, a mala drobné poprsie, ale široké boky. Na zadnej strane krku sa jej črtali mäsité záhyby, čo vyzerali ako nejaká struna, na ktorej sa knísala veľká okrúhla hlava, keď sa na mňa zvrchu prekvapene pozrela. Asi si myslela, že sa tu objaví snehobiela južanka. Akú inú neter by mohla mať Victoria Randolphová?

„Ja som pani Bogartová," povedala, pričom zdôraznila to ‚pani'. Jej prísny výraz tváre a chladné popolavé oči jasne signalizovali, že nástojí na takom oslovení. S tykaním a oslovovaním krstným menom rátať nemožno. Toto nebola žiadna černošská slúžka z románu *Odviate vetrom* a v jej tvári nebola otázka, kto som alebo nie som. Pohľadom prešla zo mňa na Jaka, hrubú spodnú peru vysunula nad hornú tak vysoko, až sa jej jasne črtala brada i sánka.

„Odtiaľto ju už vezmem ja," oznámila mu.

Ak mal akýkoľvek úmysel protirečiť jej, rýchlym a rozhodným uchopením držadiel môjho vozíka mu v tom zabránila. Prakticky ho odsunula z cesty a mňa aj vozík odtransportovala do domu. Keď som už bola dnu, obzrela som sa za ním. „Jej veci položte sem," prikázala a kývla na stôl v chodbe.

„Áno, pani," povedal Jake a zasalutoval.

Zasmiala som sa, ale prv než som mu stihla poďakovať, už ma tlačila ďalej.

„Počkajte," povedala som, „chcem poďakovať Jakovi."

„Môžete mu poďakovať neskôr. Musíme sa postarať, aby ste si tu čím skôr privykli," prehlásila.

„Toto je môj domov. Ja som si tu už privykla."

Namiesto odpovede ma iba tlačila ďalej vedľa obývačky, jedálne a kuchyne do časti, ktorú zvyklo obývať služobníctvo. Bola som šokovaná, koľko tam nastalo zmien. Starú tmavú posteľ z javorového dreva so štyrmi stĺpmi, ktorú som považovala za akúsi starožitnosť, vymenili za sterilne vyzerajúcu posteľ s kovovým rámom, vybavenú mechanickým zariadením. Stlačením gombíka mohol jej obyvateľ vyzdvihnúť alebo spustiť jednotlivé časti. Na stene okolo postele boli nainštalované chladne pôsobiace sivé kovové lampy. Pekný mosadzný stropný luster vymenili za tyče neónových lámp a na stene oproti posteli bol nainštalovaný televízny prístroj úctyhodných rozmerov.

Aj zvyšná časť izby bola zmenená. Malá stolička a stolík, ktoré bývali v kúte, rovnako ako mäkučké odpočívadlo, zmizli. Namiesto nich tam bolo množstvo rehabilitačných prístrojov a iných zariadení, ktoré som spoznávala, lebo ich mali aj v nemocnici. Keď som nakukla do kúpeľne, zistila som, že ju úplne prerobili pre potreby telesne postihnutej osoby. Okolo toalety a vane boli nainštalované tyče a oporné držadlá.

„Zrejme ste už z cesty veľmi unavená," povedala pani Bogartová.

„Nie," odvetila som. „Nie veľmi."

„Ale ste," trvala na svojom. „Len si to neuvedomujete. Takéto cesty, ktoré my ostatní zvládame automaticky," povedala, akoby som bola nejaká mimozemšťanka, „si od telesne postihnutej osoby vyberajú svoju skrytú daň. Verte mi, slečna Arnoldová, hovoria zo mňa roky a roky skúseností."

„Môžete ma volať Rain," povedala som. Moje slová ignorovala, šla k posteli a odhrnula prikrývku. „Ešte nepôjdem do postele," povedala som rozhodnejšie.

Ustrnula, pozrela sa na mňa a okom jej znovu myklo.

„Ak budete spolupracovať, všetko bude pre vás jednoduchšie a budete sa cítiť omnoho príjemnejšie. Verte mi."

„Prečo neustále vravíte ‚verte mi'?" spýtala som sa.

Vyjavene sa na mňa pozrela a potom prikývla. Na dôkaz záverov, ktoré si o mne urobila, jej oči mrkli.

„Takže tak. Idem sa postarať o vaše veci. Vy sa zariaďte, ako chcete, a zavolajte ma, keď budete chcieť ísť do postele."

Prikrývku prihrnula nazad k vankúšu.

„Veď to môžem urobiť aj ja," ubezpečila som ju.

Vystrela sa. Urobila takú grimasu, pri ktorej sa jej pery rozťahovali čoraz väčšmi do nadutých líc, až kým bieloba jej zubov netvorila dramatický kontrast s čiernou pokožkou.

„Pani Randolphová si ma najala, aby som vám asistovala, pretože som posledných dvadsať rokov strávila opatrovaním telesne postihnutých ľudí v nemocniciach a doma. Úzko som spolupracovala s terapeutmi a lekármi. Mala som pol tucta pacientov, ako ste vy."

„Čaká vás, dievča, nejedna obrovská hora ťažkostí, ktoré budete musieť zdolať," pokračovala a oči jej planuli pobúrením nad mojimi trúfalými námietkami proti jej návrhom a príkazom. „Čakajú vás hory problémov, o ktorých ešte ani netušíte. Doteraz ste boli v nemocnici s dvadsaťštyrihodinovou starostlivosťou, ľudia vás poťľapkávali a vyvolávali vo vás pocit, že ste pupkom sveta."

„Tu ste úplne sama so svojimi bolesťami a trápeniami, kŕčmi, kožnými a toaletnými problémami. Už sám presun do tejto postele a z nej vám bude pripadať taký namáhavý, ako prejsť desať kilometrov, verte..."

„Môžete ma vziať za slovo," prerušila svoju lekciu. „Môžete ma vziať za slovo, pretože som to zažila a videla."

Kývla hlavou, na tvári sa jej usadil chladný úsmev a potom pokračovala.

„Myslíte si, že pretože ste tu doma, všetko sa vráti do starých koľají. Nuž, nevráti, už nikdy, takže sa budete musieť usilovať, aby ste to čo najlepšie zvládli, a na to som tu: aby som vám ukázala cestu a umožnila vám mať osoh z mojich skúseností."

„No a toto je prvý a posledný raz, čo vám dávam túto príučku. Ak chcete, aby som tu bola, zostanem a budem si robiť svoju prácu. Ak mi budete vzdorovať a protirečiť a ja budem musieť vynakladať dvojnásobné úsilie, zbalím si veci a odídem sa starať o niekoho iného, koho rodina mi už aj tak klope na dvere a kto si bude moje služby viac vážiť."

„Nechcem, aby to znelo drsne, ale ak nebudeme skutočnosti čeliť už dnes, zajtra bude všetko ťažšie. A tomu môžete uveriť, či už poviem ‚verte mi', alebo nie."

„My?"

„To, čo je ťažké pre vás, je ťažké aj pre mňa, pretože ja vám s tým musím pomôcť," povedala bez váhania. „Toto nie je ako opatrovať doma nejakú pacientku, ktorá si nepamätá svoje meno či vek, alebo kedy bola naposledy na záchode. Vy máte myseľ v poriadku, ale telo je poškodené. Ja som už videla, čo to s ľuďmi urobí, a čo to znamená."

„Takže teraz môžete zostať sedieť na vozíku a nemusíte ísť odpočívať. Môžete dokonca jazdiť po chodbe, až kým vás od poháňania nerozbolia ruky, bude však omnoho lepšie, ak si na chvíľku ľahnete, nazbierate trochu síl, zajete si dačo teplé a potom si začnete privykať."

„Taká je moja rada. Urobte, ako chcete," dodala a vykročila preč. „Ja idem po vaše veci."

Jej ostré, úprimné slová mi vtlačili slzy do očí. Doktorka Snyderová ma varovala, že teraz sa mi slzy budú v očiach zjavovať omnoho častejšie. Radila mi, aby som im nevenovala toľko pozornosti ako za iných okolností. Lenže keď som cítila, ako mi tie horúce kvapky stekajú po tvári, bolo ťažké predstierať, že to nič nie je. Srdce ma s každým úderom bolelo viac a viac. Necítila som sa zronená, ale cítila som prázdnotu. Všetko hrejivé a dobré zo mňa zmizlo, keď som spadla z Rain a dopadla na skaly.

Sedela som a hľadela na naškrobené biele povliečky na prikrývkach a vankúšoch mojej postele. Keď ma Jake viezol domov, tešila som sa na mäkučké vankúše voňajúce orgovánom a na úžasnú páperovú prešívanú prikrývku, pod ktorou mi bývalo tak teplučko a bezpečne ako v hniezde. Keď som sa poobzerala po izbe, ktorú pre mňa dala prerobiť teta Victoria, nadobudla som pocit, že sem preniesla nemocnicu, a ja som sa vlastne nevrátila do domu starej mamy Hudsonovej a do svojho domova.

Tá malá plť optimizmu, ktorú som priviazala o mólo v mojom prístave, sa znovu zmietala a potápala v chladných a temných vlnách. Vlastne som cítila, že sa mi telo vo vozíku akoby scvrkáva, a plecia sa mi zhrbili.

Pani Bogartová mala pravdu, pomyslela som si. Prečo by som mala predstierať, že sa nič nestalo? Prisunula som sa bližšie k posteli, načiahla sa a stlačila gombík, aby som ju spustila nižšie, presne tak, ako ma to naučili v nemocnici. Potom, dodržiavajúc postupnosť krokov, ktoré som sa naučila v terapeutickom stredisku, som sa na rukách vyzdvihla zo stoličky, oprela som sa o pravú nohu a prehodila na matrac. Lenže prikrývku som dosť neodhrnula a ocitla som sa na nej. Nešikovne som sa prekotúľala vyššie a odokryla som posteľ. Teraz som si musela vyzuť topánky. Oboma rukami som si chytila koleno, pritiahla si nohu a pokúšala sa vyzuť si topánku. Zrazu mi to pripadalo také únavné, že som zalapala po dychu a klesla do vankúšov. Noha mi padla ako olovená tyč a do chrbta mi vyslala kŕčovitú bolesť. Pridusila som výkrik a prehltla zabedákanie.

O chvíľu neskôr som počula, ako sa pani Bogartová vrátila s mojimi vecami a zložila ich. Podišla k posteli.

„No, tak je to dobre," povedala. Nepýtala sa, či ju nepotrebujem, alebo nechcem pomoc, a už mi aj vyzúvala topánky, pomáhala mi sadnúť si a narábala so mnou, akoby som bola iba nejakou nafukovacou bábikou. Vytiahla vyššie prikrývku, narovnala vankúš a uložila ma naň. „Trochu si odpočiňte. Urobím vám niečo na obed."

„Aha, ten šofér vravel, že sa ešte príde na vás pozrieť, ale povedala som mu, aby deň či dva počkal," dodala.

„Deň či dva? Prečo?"

„Musíte si zvyknúť na denný režim, prv než začnete prijímať návštevy. Ráno príde terapeut. Neviem, aký s ním budete mať časový rozvrh, a nechcem, aby vás vyrušovali počas odpočinku. Musíte si šetriť sily na terapiu. Nemusím dodať ‚verte mi'," pridala, pripomenúc mi, že som sa opovážila kritizovať jej vyjadrovanie. „To už viete z pobytu v nemocnici."

„Mala som nejakú poštu alebo telefonáty?" spýtala som sa jej rýchlo, skôr než odišla.

„Bola som tu iba deň pred vaším príchodom," povedala. „Včera pre vás nebola žiadna pošta ani telefonáty a ani dnes zatiaľ nič. Odpočiňte si," diktovala mi a odišla, zostala po nej iba ozvena jej krokov. Zdalo sa, akoby ten veľký dom pohlcoval každý zvuk, až kým nenastalo absolútne ticho.

Privrela som oči a potom som ich otvorila a pozrela sa na strop. Snívala som o tom, že budem hore, v izbe starej mamy. Myslela som, že sa tam budem cítiť znovu v bezpečí a šťastná. Toto sa vôbec nepodobalo na návrat domov. Zďaleka som nemohla mať pocit, že sa vraciam do normálneho života. Všetko, čo tu bolo a čo sa tu pre mňa robilo, mi po celý čas pripomínalo, kým som bola a kým som: väzenkyňou, ktorú premiestnili z jedného väzenia do druhého.

Prirodzene, teraz som bola zavretá v najhoršom zo všetkých väzení, nech už som bola kdekoľvek.

Tým väzením bolo moje vlastné telo.

O niekoľko okamihov, napriek mojej snahe dokázať, že pani Bogartová nemá pravdu, som unavená zaspala.

Keď som sa prebudila, s prekvapením som zistila, že som spala viac ako dve hodiny. Ledva som stihla otvoriť oči a pozrieť sa na hodinky, už sa v izbe zjavila pani Bogartová s podnosom, na ktorom mala misku paradajkovej polievky a hrianku so syrom. Nadobudla som presvedčenie, že po celý čas chodila ku mne nakúkať a tak zistila, že som sa už prebrala. Mohla som teda za to, že na mňa toľká pozornosť urobila dojem, napriek jej hrozným spôsobom? Rovnako ma šokovalo aj to, čo mi priniesla na jedenie. Hneď mi to zbadala na tvári.

„Hovorila som s vašimi sestričkami v nemocnici a zistila som, čo máte rada," vysvetľovala čulo. „Človek tak neriskuje zvyšky a šetrí čas."

Stolík na jedenie v posteli mi položila na nohy, vytiahla ma do polohy v sede a navŕšila za mnou dva vankúše tak rýchlo a zručne, že som sa za ten čas sotva stihla nadýchnuť. Potom poodstúpila a vyzvala ma, aby som sa pustila do jedenia, skôr než mi vychladne polievka.

„Ďakujem," zahundrala som. Chvíľku zostala stáť a pozorovala ma. Takmer som predpokladala, že začne kritizovať spôsob, ako jem, a začne mi vysvetľovať, že zo svojej skúsenosti z ošetrovania paraplegikov pozná nejaký lepší spôsob jedenia.

„Veľmi ste od tej nehody schudli?" spýtala sa.

„Myslím, že tri alebo štyri kilogramy," povedala som.

„Je lepšie, že ste ľahšia," odobrila, „hoci nepredpokladám, že ste kedy boli tučná. Nevyzeráte na to, že by ste boli taký typ."

„Aký typ?"

„Typ, ktorý nedbá na svoju postavu," vysvetľovala. „Musela som opatrovať pacientov, ktorí boli takmer dva razy takí ťažkí ako vy. Nie je to hračka, verte mi," tvrdila. Len čo to povedala, urobila pauzu. Pozrela som sa na ňu a na okamih som si myslela, že sa usmeje alebo rozosmeje a ľadová stena medzi nami konečne pukne.

Lenže namiesto toho sme práve v tej chvíli začuli, že sa vchodové dvere otvorili a zatvorili. Vzápätí nasledovalo nespochybniteľné vyklopkávanie topánok tety Victorie s hrubými podpätkami. Vpochodovala do domu a po chodbe sa blížila k nám. Pani Bogartová sa v okamihu zvrtla, aby ju pozdravila.

„Ako sa má?" začula som otázku tety Victorie.

„Tak dobre, ako to jej stav dovoľuje," povedala pani Bogartová pomerne vyhýbavo. Od dverí sa na mňa pozrela a potom odišla, kým teta Victoria vošla.

Mala na sebe omnoho štýlovejší modrý kostým a prekvapilo ma, že bola trochu nalíčená. Dokonca som si myslela, že si dala väčšiu prácu so svojimi zvyčajne fádnymi vystrihanými vlasmi. Mala ich zrejme upravené fúkanou.

„Rain, ľutujem, že som tu nebola, aby som ti pomohla sa zabývať, ale mala som veľmi dôležité stretnutie so skupinou staviteľov z New Yorku, ktorí pomýšľajú postaviť nejaký tematický park, veľmi podobný Disneylandu, na jednom z našich pozemkov. Mohol by to byť veľmi, veľmi výnosný obchod. Je to mimoriadne vzrušujúce. Keď sa už budú rysovať detaily, poviem ti o tom viac. Len spokojne dojedz obed," povedala a mávla rukou.

Bola som hladná, a tak som pokračovala v jedení.

„Nuž," povedala, keď podišla bližšie a prezrela si zariadenia, „dúfam, že si sa potešila tomu, ako som to tu urobila. Prirodzene, najprv som sa poradila s terapeutmi. Vôbec sme nešetrili na výdavkoch."

„Čo ste urobili s nábytkom, ktorý tu bol?" spýtala som sa.

„Nuž, dala som ho do komisionálnej predajne. Možno z neho niečo utŕžime."

„Bola by som radšej, keby ste ho tu boli nechali. Omnoho viac by sa mi páčila tá stará a vzácna posteľ než toto tu."

„To je nezmysel, moja drahá. Zďaleka by nebola taká praktická. Prečo by sme ti tvoj už aj tak ťažký údel mali ešte sťažovať?"

„Prirodzene, väčšinu z toho, čo som tu urobila, som prediskutovala s Grantom. Chcela som sa rozprávať aj s Megan a zapojiť ju do udalostí a zariaďovania, ktoré sa ťa týkajú, lenže ona je teraz na tom omnoho horšie ako kedykoľvek predtým, keď sa objavia nejaké ťažkosti. Dokonca ani neznesie, aby sa čo i len spomenulo tvoje meno," referovala škodoradostne. „Prirodzene, Grant je pre to všetko celý bez seba. Práve pred chvíľou som s ním telefonovala. Možno ťa dokonca príde navštíviť. Sám!" dodala.

„Načo?" spýtala som sa vzápätí.

„Načo?" zasmiala sa. „No predsa, aby urobil to, čo káže

zodpovednosť. Má pocit, že musí napraviť maléry, ktoré Megan zanechala a naďalej zanecháva."

Celá naradostená sa nad všetkým usmiala.

„Prekvapuje ma, že by si o mňa robil starosti," povedala som skepticky.

„Nech ťa to neprekvapuje. Vieš, akú prísahu manžel a manželka skladajú, keď sa berú, to, že budú spolu v dobrom aj v zlom? Nuž, Grant je ten typ človeka, ktorý také veci berie vážne. Zdedil Meganine omyly a nie je z tých, kto uteká pred povinnosťami."

„Omyly? Ak to slovo ešte raz budem počuť v súvislosti so mnou, zvriesknem tak nahlas, že to bude počuť aj moja matka," pohrozila som.

„Niekedy," povedala a ignorujúc ma, pravým ukazovákom prešla po vrchnej časti môjho vozíka, „si želám, aby môj otec bol mal syna, ako je Grant. Lebo keby som mala brata takých kvalít, ako je Grant, rodinný podnik by bol omnoho väčší, než je teraz. Žena to nemá v podnikateľskom svete ľahké, akokoľvek dobre sa snaží prezentovať."

„Moja matka v tom mala pravdu," povedala a na okamih sa pozrela hore, „ale ja som to nechcela pripustiť, takže som predstierala, že žiadne problémy nemám, hoci som vždy zvádzala sizyfovský boj o úspech. Veľmi som potrebovala mať niekoho ako Grant po svojom boku."

„Vari ste nikdy nemali nikoho po svojom boku?" spýtala som sa jej, čiastočne zo zvedavosti a čiastočne preto, aby som akoby nabodla ihlou ten jej samoľúby úsmev.

Prst na vozíku sa jej zastavil, vystrela sa a mierne nostalgický výraz jej z tváre odletel, akoby ju uchopil za ramená a zatriasol ňou.

„Nie. Ale nie preto, že by som nechcela," dodala pevným hlasom. Na tvári sa jej zjavila trpkosť. „Kým sa moja sestra hrala so svojimi buričskými spolužiakmi z fakulty, ja som pomáhala otcovi. Mal omnoho viac zdravotných problémov, než kto tušil, najmä však Megan. Želal si, aby to tak bolo. Vždy mi prízvukoval: ,Len to nepovedz Megan. Ochraňuj Megan, vzácnu, krehkú Megan.'"

„Vieš, kde bola v ten deň, keď zomrel? Predvádzala modely šiat na dobročinnom jachtárskom večierku. Vedela, že je vážne chorý, nebola však ochotná to akceptovať. Musela som na ten večierok zatelefonovať a privolať ju sem. Grant bol na súde, ale prišiel hneď, ako mohol. Ja som bola pri otcovi, keď posledný raz vydýchol, nie Megan, jeho miláčik."

„A potom to všetko padlo na moje plecia. Kto mal čas na nejaké romániky?"

„Ale prečo sa o tom všetkom rozprávame?" zvolala, keď si uvedomila, že je priveľmi priama a otvorená. „Hovorme o tvojej situácii a o tom, čo teraz treba urobiť," usúdila a začala všetko odrapkávať svojím bežným spôsobom vyratúvania.

„Po prvé, zmluvne som sa dohodla s jednou súkromnou terapeutickou spoločnosťou a zajtra pošlú svojho najlepšieho odborníka. Mal by tu byť pred desiatou a už pred príchodom bude dôkladne oboznámený s tvojím zdravotným stavom. Po druhé, hovorila som s Jakom o Rolls-Royce. Teraz je už nadbytočný a príliš honosný. Vlastne som si to vždy myslela, ale matka mala rada takéto konvenčné príznaky vyššej spoločnosti."

„Jake má za úlohu vymeniť limuzínu za dodávku, ktorú špeciálne vybavíme pre teba."

„Nechcem, aby sme to auto predali. Je to auto starej mamy Hudsonovej. Je to..."

„Rain, miláčik," vravela s úsmevom, „akékoľvek bolestné je pre nás, aby sme sa s tým zmierili, skutočnosť je taká, že moja matka zomrela. Nemá význam na tom aute lipnúť. Myslela som si, že si už vykročila na rozumnejšiu cestu. Prečo sa chceš držať auta, do ktorého ťa niekto bude musieť preložiť, kedykoľvek budeš chcieť niekam ísť, o vyložení z neho už ani nehovoriac? Aký budeš mať pocit, keď ľudia budú sledovať, že ťa ako nejaké dieťa prenášajú z miesta na miesto?"

„Čo ty na to?" uzavrela.

„Máte pravdu," pristala som s nevôľou. Prirodzene, že mala pravdu, najmä keď som si predstavila samu seba, ako ma niekto drží ako dieťa, alebo ma prenáša do vozíka niekde na rohu ulice, na chodníku či parkovisku.

„Dobre." Prešla ku skrini a otvorila ju. „Po tretie, všetky tvoje šaty preniesli sem dolu. Je tu všetko, čo budeš potrebovať: topánky, spodná bielizeň, skrátka všetko."

Obrátila sa, rozhliadla sa a spokojne prikývla.

„Je ešte niečo iné, čo by si chcela mať vo svojej izbe?"

„Zrejme ste si všimli, že tu nemám telefón," povedala som.

„Aha. Máš pravdu. Na ten som nemyslela. Čo najskôr ho dám nainštalovať. Nebola som si istá, či nebudeš príliš unavená, aby sme predebatovali obchodné záležitosti, takže som dokumentáciu nechala v kancelárii. Prinesiem ju potom všetku koncom týždňa. Čo povieš?"

„Fajn," prikývla som.

„Dobre. Porozprávam sa s pani Bogartovou, aby som sa ubezpečila, že jej je jasné, čo sa od nej požaduje. Nechcem, aby horné poschodie spustlo len preto, že tam nebývaš," povedala. „Zajtra ťa zasa prídem pozrieť."

Venovala mi bleskový úsmev a odišla. Dojedla som hrianku, oprela sa dozadu a myseľ mi zaplavila ľútosť. Žiadalo sa mi zavrhnúť všetko, čo bolo v tejto izbe: posteľ, zariadenia, držadlá, všetko to, čo potvrdzovalo moju invaliditu, lenže ak ešte vo mne zostala nejaká vzbura, zrejme už onemela a ukrývala sa v niektorom tmavom kúte môjho ukonaného srdca.

Namiesto toho som sa načiahla po diaľkovom ovládači televízora a ako riadna veteránka nemocničných vojen som zapla prijímač a nechala som obrazovku zažiariť rozptýlením, obrázkami a slovami, hudbou a príbehmi, aby mi odviedli myseľ od rozmýšľania o sebe. Jednoducho som si dala dávku televíznej terapie na otupenie bolesti z reality a na privítanie v akejsi hmlistej existencii v Krajine zabudnutia.

Môj prvý deň doma sa už takmer končil. Uviazla som v sieti ako nejaké divé vtáča. Teraz som mohla iba sedieť na bidle vo svojej klietke, hľadieť na svet cez tyče a uvažovať, či je ešte niečo také, na čo sa môžem tešiť, a ako a kedy znovu nájdem pieseň, ktorá kedysi tak ľahko plynula z mojich teraz už zmĺknutých pier.

Pani Bogartová mala spôsob, ktorým ma upozornila na to, že je nablízku. Z času na čas som začula, ako v iných izbách niečo premiestňuje, štrngá riadmi a príbormi, ako keby práve skončila servírovanie pre plný dom hostí, no a inokedy vysávala, čosi leštila alebo utierala prach. Dokonca aj keď bola na poschodí, počula som, ako dupoce po kobercoch a po drevenej dlážke. Nábytok škrípal, keď ho posúvala, a zásuvky zasúvala tak prudko, že to znelo ako výbuch.

V tú prvú noc sa chodila na mňa pravidelne pozerať. Niekedy sa iba zjavila vo dverách, zadívala sa na mňa a potom pokračovala po chodbe. Inokedy sa ma spýtala, či nechcem niečo na pitie, či som už bola na záchode, či mi netreba pomôcť, ak niekam chcem ísť.

Požadovala som toho veľmi málo. Moja zvedavosť, pokiaľ ide o dom, môj pôvodný úmysel previezť sa vo vozíku po izbách na prízemí a prezrieť si nábytok v nich, sa spľasli ako balón, ktorý má trhlinku. Namiesto toho som bola schúlená v posteli, televízor vydával prúd tichučkých zvukov a kreslil tiene na steny. Ja som zatvorila oči a podchvíľou zaspávala a precitala, až kým prvé lúče ranného svetla neprenikli cez záclony a nepredelili tmu, akoby som bola znovu vykopaná a objavená.

Kto by chcel byť takto objavený? pomyslela som si. Ja som rozhodne nebola nejaký poklad.

Pani Bogartová sa zjavila takmer v okamihu, keď som otvorila oči. Viem, že bola ubytovaná na poschodí v jednej z hosťovských izieb. Vari spala s uchom na dlážke a čakala, kedy sa ozvú moje vzdychy, sprevádzajúce prebúdzanie?

„Dobré ráno," povedala, sotva na mňa pozrúc, keď prechádzala cez izbu, aby viac odtiahla záclony. Šla do kúpeľne a začala mi napúšťať vaňu. Keď sa vrátila, niesla niečo zelené vo fľaši.

„Čo je to?" spýtala som sa.

„Práve som vám to išla vysvetliť. Pani Randolphová mi dovolila, aby som pre vás objednala jednu škatuľku. Je to bylinkový prášok do kúpeľa, ktorý majú moji pacienti radi. Pomáha pri udržiavaní zdravej pokožky. Voda bude zelená, ale to si nevšímajte."

„Aha. Vďaka," povedala som. Prikývla a pomohla mi z postele. Na vozíku som zašla do kúpeľne, kde mi stiahla nočnú košeľu. Rýchlo som sa zakryla, ale potom som si uvedomila, že akýkoľvek ostych nie je na mieste. To je jedna z prvých vecí, na ktoré si človek v mojom stave musí navyknúť, pomyslela som si. Mala som aj tak pocit, že moje telo mi už nepatrí.

Naďalej pripravovala kúpeľ a letmo sa na mňa pozrela.

„Ste pekné dievča," povedala na moje prekvapenie. „Videla som, ako pekné dievčatá v nemocnici zvädnú ako kvety bez slnka a vody. Vás to však nepostihlo. Zatiaľ," dodala. Potom si to ešte premyslela a kývla hlavou. „Možno vás to ani nepostihne, ale musíte o seba dbať."

„Neviem, či to budem vedieť," pripustila som.

„Ak to nebudete vedieť, tak nebudete," povedala a pokrčila plecami. „Nikomu to neuškodí, iba vám."

„Ďakujem za povzbudenie," zamrmlala som.

Nakoniec sa usmiala, nebol to však srdečný úsmev. Bol to úsmev irónie a sebauspokojenia.

„Do pekiel hrmených, dievča, ja tu nie som najatá na to, aby som vám robila roztlieskavačku. Mám vám pomáhať a udržiavať dom v slušnom stave, aby to tu nevyzeralo nechutne, keď sem príde nejaká návšteva. Väčšina ostatného záleží na vás, na vašom lekárovi a terapeutovi. Ja vám len vravím, čo som za tie roky videla a čo viem."

„Prečo sa vám chce robiť takúto prácu? Zrejme je veľmi namáhavá," povedala som, keď mi pomáhala dostať sa z vozíka do vane.

„Je dobre platená," povedala. „Okrem toho," pokračovala, kým ja som si už užívala kúpeľ, „veľmi zavčasu som v nej nadobudla prax. Môjho otca veľmi skoro postihla artritída a bol na vozíčku a moja matka bola..."

„Čo bola?" spýtala som sa, keď váhala.

Pozrela sa dolu na mňa.

„Bola nanič," povedala a nechala ma, nech sa okúpem.

Trvalo jej tak dlho, kým sa vrátila, až som rozmýšľala, či nepredpokladá, že sa z vane dostanem sama, osuším sa a presuniem do vozíka. Aj tak sa musím o to aspoň pokúsiť, pomyslela som si a pustila som sa do toho.

„Len tam ešte pekne zostaňte, slečinka netrpezlivá," povedala, keď vpochodovala do kúpeľne. „Na niečo také si ešte nemôžete trúfnuť a ak by ste to skúšali a dolámali si ešte čosi iné, hádajte, koho budú za to viniť?"

Veľmi šikovne mi pomohla dostať sa z vane, utrieť sa a obliecť. Otvorila skriňu a spýtala sa ma, čo si chcem dať na seba.

„Nezabudnite," pripomenula mi, „že dnes ráno príde rehabilitačný terapeut."

Vybrala som si športový úbor. Keď som si ho obliekla, odstúpila a pozrela sa na mňa.

„Keď sme sa tak napracovali, aby ste boli čistá a voňavá, hádam si len nenecháte také strapaté vlasy? Aspoň si ich trochu prekufujte," povedala mi. „A potom sa odkotúľajte do kuchyne na raňajky."

Mala som takmer taký pocit, ako keď nejakému mládežníkovi povedia, že si môže vziať rodinné auto a sám sa na ňom previezť. Možno jej drzosť naozaj zaberá, pomyslela som si, pretože som sa odviezla k toaletnému stolíku a prekefovala som si vlasy. Potom, prekvapená, aká som hladná, som sa vyviezla z izby a prešla som po chodbe.

Konečne som mala pocit domova.

Možno to bolo preto, že sme boli v kuchyni a nie v mojej izbe, ktorá pripomínala nemocnicu, ale keď som jedla raňajky, pani Bogartová bola zrazu zhovorčivejšia. Aj ona raňajkovala so mnou a rozprávala mi príbehy o niektorých svojich bývalých pacientoch. Jeden bol mimoriadne smutný: o dvanásťročnom chlapcovi so sklerózou multiplex, ktorý zomrel v čase, keď ho opatrovala.

Pochádzala z mestečka na sever od Richmondu a nikdy nebola za hranicami štátu Virginia. Vravela, že väčšinu rokov dospievania a roky po dvadsiatke strávila starostlivosťou o svojho otca. Muži, s ktorými nadviazala nejaký romantický vzťah, boli nakoniec unavení z toho, že sa s ním musia deliť o jej energiu a pozornosť.

„Myslím, že niektorí ľudia sú jednoducho stvorení na to, aby sa celý život starali o iných," uzavrela rozprávanie. „Aspoň ja sa za to nehanbím."

„Prečo by ste sa mali hanbiť?" spýtala som sa jej.

Pozrela sa na mňa tými svojimi ebenovými očami, plnými odhodlania a odsekla: „Vy by ste chceli čosi také robiť po celý život, dievčatko?"

Chvíľu som váhala a potom som usúdila, že toto je žena, ktorá chce počuť iba pravdu. Akoby mi to istým spôsobom dodávalo sily.

„Nie, pani," povedala som presvedčivo.

Chvíľu na mňa vyjavene hľadela. Vari tá ľadová stena už puká?

„Takže kto je vaša matka? Predpokladám, že nie pani

Victoria," povedala a valcovité ruky si preložila pod malým poprsím.

„Nie. Jej mladšia sestra Megan."

„Nie je vydatá za vášho otca, však?" spýtala sa a v očakávaní naklonila hlavu nabok.

„To určite nie," povedala som. Prikývla s úplným porozumením.

Povedala som jej o starej mame Hudsonovej a o tom, ako som sem prišla bývať. Počúvala a podchvíľou cmukla alebo stisla pery. Tvár jej zvážnela, keď som opísala, čo sa prihodilo Brodymu. Potom bez slova vstala a odpratala zo stola. Môj príbeh zrejme celkom pohltil jej myšlienky. Veľmi dlho potom mlčala. Nakoniec si utrela ruku kuchynskou utierkou a obrátila sa nazad ku mne.

„Nemá význam, aby ste sa po celý čas pýtali prečo," povedala. „Odpovede na tie otázky nie sú tu, medzi živými. Príčinu všetkých našich bremien zistíme až neskôr. Práve to sa myslí prísľubom v zasľúbenej zemi."

„To vravieval môj otec," dodala s náznakom úsmevu len sama pre seba. A potom, ako keby si uvedomila, že svoju charakterovú rolu nechala na nejakom javisku, stisla pery, zatlieskala a zagánila na mňa.

„Takže choďte nazad do svojej izby a pripravte sa na terapiu. Terapeut tu už bude každú chvíľu. Len choďte, odvezte sa odtiaľto sama," prikázala mi.

Vytočila som od stola a začala poháňať kolesá. Keď som sa pozrela späť, videla som, ako si niečo práve utiera z kútika pravého oka.

Iba niekto, kto sa veľa naplakal, vie, prečo ktosi iný chce zastaviť prúd sĺz, pomyslela som si.

Terapeut prišiel celkom načas. Počula som, ako zvonec pri dverách zazvonil presne o desiatej. Nervózne som čakala v kresle, obrátenom ku dverám. Veď práve s touto osobou som mala stráviť veľa času a vydať väčšinu svojej fyzickej energie. Všetci terapeuti v nemocnici mi pripadali fajn. Boli to veľmi láskaví, trpezliví a múdri ľudia. Väčšina z nich mala od vyše tridsať po čosi nad štyridsať a mali veľa skúseností. To mi pomáhalo, aby som si viac dôverovala.

Začula som hlas pani Bogartovej. Vždy hovorila autoritatívne a razantne. Kým prichádzali po chodbe, terapeuta som sotva počula. Srdce mi divo búšilo. Schmatla som boky vozíka a sedela som úplne strnulo. Aj tak som však nebola pripravená na človeka, ktorý prišiel.

Mal žiarivo ryšavé vlasy, zopár malých pieh na čele, takmer svetielkujúce tyrkysové oči, dokonale rovný nos, zmyselné pery a mocné sánky. Určite bol aspoň stoosemdesiat centimetrov vysoký, štíhly ako gymnasta, mal široké ramená a úzky driek.

Bol oblečený v bielych nohaviciach, teniskách a v bledomodrom saku, pod ktorým mal priliehavé tričko. Sako nebolo zapnuté, a tak som videla, že má zrejme vypracované svaly, najmä na hrudi.

Najviac ma však prekvapilo to, že podľa mňa nemal viac ako čosi nad dvadsať, hoci teta Victoria o ňom hovorila ako o najlepšom rehabilitačnom pracovníkovi v tom zariadení. Nebola som pripravená na to, aby som svoje dorantané telo odovzdala do rúk muža, ktorý nevyzeral oveľa starší ako ja. Dúfala som, že sa nestanem pokusným králikom alebo objektom niečieho výskumu počas študijného pobytu.

Keď ma uvidel, výraz na jeho tvári mi prezradil, že ani ja som nezodpovedala tomu, čo čakal. Chvíľu sa na mňa prekvapene díval a na tvári sa mu rozhostil náznak úsmevu, pobavenia a údivu. Nakoniec si uvedomil, že sa na seba iba nemo pozeráme, a tak doslova priskočil ku mne s načiahnutou rukou.

„Ahoj," povedal. „Som Austin Clarke."

Pomaly som zdvihla ruku, on po nej nedočkavo siahol a podržal ju v dlani dlhšie, než som predpokladala.

Pani Bogartová zostala stáť vo dverách a chvíľočku sa dívala.

„Ak budete niečo potrebovať, len zakričte," povedala. „Nebudem ďaleko."

„Ďakujem," povedal a obrátil sa nazad ku mne. Prižmúril oči a ústa sa mu potmehúdsky, takmer prekáravo usmievali. „Si azda sklamaná, že nie som nejaký starší chlapík?"

„Áno," povedala som a vyslobodila som si ruku.

„Vravia mi, že budem večne vyzerať ako pubertiak. Mám takú pokožku alebo to možno je iba tento mrkvovočervený vrch hlavy. Uvažoval som, že by som si vlasy nafarbil načierno, lenže potom by som musel niečo urobiť aj s obočím a s pehami. Ľahšie je všetkým vykladať, že beriem pilulky Dicka Clarka." Usmial sa viac zoširoka a očakával, že sa zasmejem. „Myslia si, že sme príbuzní. Austin Clarke a Dick Clark?" Nereagovala som. „Dick Clark z ,Mládežníckeho pódia', ten, ktorý vraj vôbec nestarne."

„Viem, kto to je," povedala som.

Prikývol a poobzeral sa po izbe.

„Fajn. Je tu všetko."

Zložil si malý športový vak a šiel k prvému prístroju.

„Toto je šliapací prístroj. Vieš, prečo čosi také chceme použiť?"

„Na zastavenie atrofie," povedala som sucho.

„Áno, to je jedna vec. Keď sa svaly lýtok a stehien sťahujú, málo okysličená krv, ktorú nazývame žilová, sa prostredníctvom tohto sťahovania svalov na nohe dostáva z nôh do srdca."

„Cievy na nohách majú chlopne, ktoré sú podobné srdcovým chlopniam. Tie umožňujú, aby krv prúdila smerom ku srdcu, ale zabraňujú, aby tiekla spätne smerom k chodidlám. Takto umožňujú iba prúdenie krvi jedným smerom: k srdcu."

„Vo fáze pumpovania, teda stiahnutia svalstva, sa tlak v cievach zvýši, čím sa žilová krv vyženie smerom k srdcu."

„Vo fáze napĺňania alebo uvoľnenia svalstva sa tlak v cievach zníži a cievy sa naplnia krvou v rámci prípravy na ďalšiu fázu pumpovania. Tým sa predchádza trombóze, krvným zrazeninám a zvýši sa periférny krvný obeh, čo je potrebné na výživu tkanív, okysličovanie a odvádzanie metabolického odpadu. Áno, zvyšuje to aj silu svalov a je to prevencia atrofie."

„Takže?" povedal a postavil sa s rukami vbok.

„Takže čo?"

„Neurobilo to na teba ešte dojem?"

„Úžasný," povedala som a on sa zasmial.

„V poriadku. Teda začnime a uvidíme, kam sa dostaneme, dobre?"

Prešiel k zariadeniu a priniesol zrolovaný matrac, ktorý rozložil na dlážku. Potom sa pozrel na mňa.

„Začneme základným vyhodnotením. Vieš, čo chcem urobiť ako prvé?"

„Zahrievanie a potom strečing," povedala som.

„Perfektné. Možno by si terapeutkou mala byť ty."

„Ver mi," prikývla som, „rada by som ňou bola."

Zoširoka sa usmial a pristúpil ku mne. Rukami naznačil, že čaká na moju spoluprácu, a vyzval ma, aby som sa zdvihla z kresla. Vedela som, že čaká, čo dokážem s pravou nohou. Zložila som ju na zem, on ma obišiel, stal si za mňa a položil mi ruky na boky.

„Neboj sa," povedal, „mám ťa."

Tvár mal tak blízko pri mojich vlasoch, že som na krku cítila jeho dych. Celú váhu som preniesla na pravú nohu a vstala som. Potom sa ma ujal on a zľahka a jemne ma zložil na matrac. Chvíľočku na mňa zvrchu hľadel.

„Si v poriadku?" spýtal sa.

„Áno." Zatvorila som oči, stisla pery a zaťala zuby, aby som nevykríkla. Potom som otvorila oči a pozrela som sa hore. Kľačal vedľa mňa.

„Budeme krútiť každučkým kĺbom v tvojom tele. Čo nebudeš vládať urobiť sama, s tým ti pomôžem," povedal.

„Prečo to vôbec robím?" zahundrala som sama pre seba.

Usmial sa na mňa a jeho krásne oči boli plné veselosti.

„Aby som ja mal prácu, pre čo iné?" odvetil.

Aj keby som bola chcela, nevedela by som zabrániť, aby sa mi na tvári neobjavil úsmev.

„Aha, ešte jedna vec," spomenul si. Vstal a šiel k svojmu vaku. Otvoril ho a vybral malý magnetofón. „Rád pracujem pri hudbe. Neprekáža ti to?"

„Nie," povedala som.

Zapol ho.

Čakala som nejaké mierne, upokojujúce, mäkké melodické skladby, aké mi púšťali v nemocnici. Namiesto toho sa ozvalo búšenie do bicích a vzápätí rock.

Pokrčil ramenami.

„Mládežníka možno zobrať preč z rokenrolu, ale nemožno zobrať rokenrol od mládežníka."

Môj úsmev prepukol v smiech.

„Je to v poriadku?"

„Áno," povedala som. „Je to fajn."

O chvíľku nakukla dnu pani Bogartová, hudba ju však odradila. Aj Austin ju zazrel. Chvíľku mala namosúrený pohľad, potom sa zaškľabila, pokrútila hlavou a odkráčala.

„Možno nevyznáva rockovú hudbu," ozval sa.

Zasmiala som sa.

„Sotva."

Začal s otáčaním krku a postupne sme pokračovali nižšie, až kým sme sa nedostali k miestam, ktorými som nevedela pohnúť, a vtedy sa nado mňa naklonil a jemne a graciózne mi krútil kĺbmi.

Začal spievať spolu s hudbou a ja som zabedákala.

„Dobre, dobre," upokojoval ma. „Teraz už vieš, prečo som terapeut, a nie rocková hviezda."

„Stretla sa s tebou teta Victoria?" spýtala som sa ho a zrazu som bola veľmi zvedavá, ako sa to všetko udialo.

„Kto je teta Victoria? Mne iba pridelili klientku a prišiel som."

„Teta sa vystatuje tým, že každé rozhodnutie, ktoré urobí, je správne. Povedali jej, že si najlepší vo vašej agentúre. Sám majiteľ jej to povedal."

Naklonil sa dopredu, ocitol sa iba niekoľko centimetrov od mojej tváre a zamrkal.

„Majiteľ je môj strýko," vravel.

Potom sa zasmial.

Aj ja. Smiala som sa tak z duše, že sa tie neposedné slzy objavili zasa, lenže tentoraz mi neprekážali.

Vôbec nie.

Pilulky proti bolesti

Austin Clarke mal v skutočnosti dvadsaťosem rokov, hoci by sa pravdepodobne mohol vydávať za študenta končiaceho strednú školu alebo aspoň prváka na vysokej. Jeho strýko skutočne vlastnil terapeutickú agentúru, ale Austin mi povedal, že jeho otec nie je rád, že pracuje pre maminho brata.

„Otec chcel, aby som išiel v jeho šľapajach," vysvetľoval Austin. „V New Jersey vlastní spoločnosť, ktorá vyrába elektrické vypínače, lenže mňa nikdy nelákalo celý život stráviť špekulovaním nad nákladmi, aby som bol konkurencieschopnejší pri získavaní kontraktov na odbyt tovaru."

„Môj strýko Byron sa vždy zaoberal zdravotníctvom a telesnou zdatnosťou. Vieš, umiestnil sa ako druhý v jednej zo súťaží, nazvanej Svalovec z Olympie. Môj otec si myslel, že márni čas, ale keď sa strýko zdržiaval v zdravotníckych kluboch, začal sa zaujímať o fyzikálnu terapiu a vyučil sa v tom odbore. Myslím, že mal na mňa veľký vplyv, pretože som začal posilňovať, študovať zdravú výživu a všetko okolo toho. Nakoniec som sa dal na to isté."

„Ani nemusím hovoriť, že môj otec sa rozhodne nevychvaľuje mojimi úspechmi."

„Prečo nie? Veď pomáhaš ľuďom, ktorí ťa potrebujú," namietala som. „Prečo by sa s tým nemal chváliť?"

„Zrejme ide o odveký spor medzi otcom a synom. Čo-si ako mužská pýcha. Každý otec dúfa, že jeho syn chce byť ako on a zaujímať sa o jeho profesiu či záľuby. Rodičia sa vždy snažia uskutočniť svoje sny prostredníctvom svojich detí a zabúdajú na to, že ony sú samostatné bytosti," povedal. „Prepáč," dodal náhlivo. „Nechcem ti hneď v prvý deň toľko toho natárať."

„To je v poriadku. A, mimochodom, ja s tebou aj tak súhlasím."

Vyšli sme von. Po vyše hodinovom zahrievaní a niekoľkých strečingových cvičeniach Austin rozhodol, že do terapie musím vždy zahrnúť čerstvý vzduch. Bol teplý letný deň, dokonca aj trochu vlhký, ale mne to neprekážalo. Na vozíku ma tlačil po chodníčku k jazeru. Keď sme prišli k brehu a malému prístavisku, omočil si ruku vo vode a prikývol.

„Nie je až taká studená, ako som si myslel," vravel. „Plával už niekedy niekto v tom jazere?"

„Už dlho nie. Prečo?"

„Vodná terapia je veľmi účinná," povedal.

„Chceš povedať, že rátaš s tým, že budem plávať?" spýtala som sa s úžasom.

„Určite, prečo nie? Ešte je leto a dni sú horúce, no nie?"

Nesúhlasne som pokrútila hlavou.

„Ani nápad. Ani pred tou nehodou som nebola bohvieaká plavkyňa. Nemala som veľa príležitostí. Som mestské dieťa a v škole sme nemali nijaký bazén. Plávať som chodievala, až keď som tu nastúpila do posledného ročníka strednej školy."

„Počuj, všetci pochádzame z oceána, nevieš? Plávanie je pre nás celkom prirodzené. Veď uvidíme. Myslím, že ti to môže urobiť veľmi dobre, najmä v týchto psích horúčavách."

„Psích horúčavách?" zasmiala som sa.

„Tak voláte ukrutné horúčavy vy dievčatá z juhu, nie?"

„Ja nie som dievča z juhu a ani ty nemáš južanský prízvuk. Odkiaľ si?“ spýtala som sa.

Zasmial sa a vstal.

„Z Trentonu v New Jersey. Moja mama je južanka. Narodila sa a vyrastala v Norfolku. Mám mladšiu sestru, ktorá rada rozpráva ako južanská kráska, drahúšik,“ povedal, preháňajúc južanský prízvuk. „Volá sa Heather Sue Clarková a vždy vyžaduje, aby jej hovorili Heather Sue. Keď jej niekto povie iba Heather, opraví ho, že ona je Heather Sue. A to robí už od troch rokov.“

„A čo ty?“ spýtal sa. „Máš nejakých bratov alebo sestry?“ Obzrel sa na dom. „To je riadne veľký dom na to, aby si tam bývala celkom sama. Kde sú tvoji rodičia? Obaja pracujú? Prečo má všetko toto na starosti tvoja teta?“

Vyjavene som sa naňho pozrela a on iba prepukol do smiechu.

„Prepáč, prepáč,“ vravel, zdvihnúc ruku. „Nemal som v úmysle byť všetečný a atakovať ťa spŕškou otázok.“

„To je v poriadku,“ povedala som. Oprela som sa o operadlo a chvíľu si užívala svieži vzduch, ktorý sa nad jazerom ochladzoval, a potom som začala hovoriť.

Takže je to tu zasa, pomyslela som si.

„Mám nevlastného brata a nevlastnú sestru.“

Prikývol ako niekto, kto čaká na pointu vtipu.

„A nebývam s matkou. Žijem v tomto veľkom dome celkom sama. Teraz aj s pani Bogartovou. Práve sme si ju najali, ale nie je bohvieaká spoločníčka,“ dodala som.

„Naozaj?“ Obrátil sa a pozeral sa na jazero.

„Myslela som, že prv než začneš s mojou terapiou, všetko o mne už budeš vedieť,“ vravela som.

„No, viem, ako sa ten úraz stal. Je mi to ľúto. Vieš,“ povedal a znovu sa na mňa pozrel, „robil som zaujímavú rehabilitáciu detí zahŕňajúcu jazdu na koni. Možno raz znovu nasadneš do sedla.“

„O tom pochybujem."

„Len sa nepodceňuj, Rain," povedal a oči sa mu sústredením zúžili. „Neži vo svete fantázie, ale skôr než dospeješ k nejakým skalopevným rozhodnutiam o svojej budúcnosti a o tom, čo urobíš alebo neurobíš, daj šancu svojmu zotaveniu a rehabilitácii. Koniec prednášky," dodal rýchlo a gestom mi naznačil, že si ústa zatvára na zips.

Uprene som sa naňho zadívala. Poludňajšie slnko na nás vysielalo svoje lúče, ktoré sa prešmykli pomedzi dva nadýchané lenivé mraky, takže to vyzeralo, akoby sme boli vo svetle reflektorov. Nos som mala plný sviežich vôní divých kvetov, ktoré sa miešali s vlhkosťou dreveného doku a s pachom mokrej zeme.

Austinova tvár žiarila aj bez slnečného svitu, ktorý na ňu dopadal. Za jasného denného svetla bolo v jeho tyrkysových očiach vidno fliačky zelenej farby. Vyzeral zdravý a mocný, mladý a prekypujúci energiou, bol všetkým tým, čím som kedysi bola aj ja a čím by som znovu chcela byť. Kedykoľvek sa na mňa pozrel, mal na perách úsmev a láskavo a šťastne sa smial vždy, keď objavil niečo zaujímavé.

Ako sa niekto mohol na mňa pozerať a myslieť na niečo iné než na ľútosť a žiaľ? uvažovala som. Aké tajomstvo poznal? Aký každodenný čarovný nápoj mu dával silu vidieť krásu a dobrotu, nádej a prísľub vo svete, ktorý mne teraz pripadal temný a zlovestný? Bolo to len vďaka tomu, že má šťastie a je zdravý a v dobrej kondícii?

„Si ženatý alebo zasnúbený?" spýtala som sa, keďže som predpokladala, že jeho žiarivý pohľad a svietiaca pokožka nejako súvisia s tým, že je zamilovaný. Zrejme mu niekto naplnil srdce obrovskou radosťou.

Celé dni memorovania *Romea a Júlie* v škole v Londýne mi niektoré verše vryli hlboko do pamäti a niektoré z tých sladkých strof mi veľmi ľahko prichádzali na um:

„Láska je dym prameniaci zo vzdychov. Očisťuje a v oči milencov vkladá jas..."

„Teraz ani jedno z toho. Nie je to dávno, čo som si myslel, že som zamilovaný a že niekto je zamilovaný do mňa, ale keď som bol chvíľu preč, lebo som musel ísť za pacientmi a pracovať, jeden z mojich kamarátov využil príležitosť a láska, ktorú som považoval za naozaj silnú, sa zmenila na nechutnú sentimentalitu."

Postavil sa na malé mólo, zdvihol ruky a zvolal: *„Je preč. Podviedla ma, a nech mi je úľavou, ak ju budem nenávidieť."*

Vzápätí sa zasmial. Od prekvapenia som otvorila ústa.

„Veď to je z *Othella*," zvolala som. Prikývol.

„Vtedy sa mi videlo, že sa to hodí, tak som si to vypožičal. Je to moja vášeň. Mám obrovskú fúru nahrávok hier, dramatického čítania a počúvam ich, keď si robím večeru alebo len tak odpočívam, ležím na pohovke a zatvorím oči." Znovu zišiel dolu a zašepkal: „Som frustrovaný herec."

Podozrievavo som prižmúrila oči.

„Povedala ti moja teta niečo o mne?"

„Počuj, ja som sa s tvojou tetou nikdy nestretol. Môj strýko mi iba pridelil prácu. Prečítal som si všetky tvoje zdravotné záznamy. Vravel som ti, že viem, ako sa stala tá nehoda, ale tvoj životopis mi nik nedal, veru nie. Prečo?"

„Väčšinu roka som strávila v Londýne v dramatickej škole, kde som sa pripravovala na dráhu herečky," povedala som.

„Ty žartuješ! Nuž, budeme ťa musieť čím skôr dostať do formy, aby si mohla začať nacvičovať všetky ženské vozíčkárske roly."

Najprv som sa naňho vyjavene pozrela, ale keď som zbadala, že mu oči šibalsky zaihrali, zasmiala som sa. Bolo to, akoby mi z pliec spadlo bremeno. Kto by si pomyslel, že sa v tomto stave budem zo seba smiať? Koho by bolo napadlo, že by sa mi čokoľvek, čo sa týka mňa, mohlo zdať smiešne?

Usmial sa.

„To je ono," potešil sa. „Aké je to tajomstvo. Nakoniec sa budeš musieť smiať na všetkom. Iba tí, ktorí sa berú príliš vážne, skutočne trpia. Tvoj stav, Rain, sa zlepší tisícimi rozličnými spôsobmi. Viem to," trval na svojom. Položil ruku na moju na rúčke vozíka, sústredene sa mi zadíval do očí a prinútil ma, aby som sa mu pozrela hlboko do očí a uverila jeho úprimnosti.

Bola to iba moja predstavivosť alebo som tam naozaj videla niečo, čo som chcela vidieť? Mohol by sa na mňa ešte niekedy pozrieť nejaký muž a myslieť si, že som krásna? Ak sa niekto videl len ako polovičný človek, tak by ho každý iný určite videl rovnako. Austin zatvoril oči a rýchlo odtiahol ruku ako niekto, kto si uvedomil, že prekročil určitú hranicu.

„Myslím, že by sme sa mali vrátiť späť do domu. Pani Bogartová vydala prísne inštrukcie, kedy sa bude podávať obed. A s tou ženou by som sa veru nechcela dostať do konfliktu."

„Zostaneš na obed?" spýtala som sa náhlivo.

„Pozývaš ma?"

„Ak chceš zostať, môžeš," povedala som v snahe vyhnúť sa akémukoľvek citovému prejavu. Keďže som už tak veľa ráz bola ranená vo vzťahoch, kým som bola úplne zdravá, stala som sa váhavou. Teraz som na to mala ešte väčší dôvod.

„To nie je bohvieaké pozvanie. Moje ego je urazené, lenže," povedal, chytil zozadu rúčky vozíka a začal ho tlačiť, „som hladný ako vlk, a tak tú urážku prehltnem."

Nemohol vidieť úsmev na mojej tvári, keď sme sa vydali späť k domu, ale bol tam, pevne usídlený na perách ako spomienka na nejaký krásny mäkučký bozk.

Bola som presvedčená, že Austin mal aspoň jeden postranný dôvod na to, aby zostal na obed. Väčšinu času sa rozprával s pani Bogartovou o rozličných jedlách. Bol presvedčený, že je dôležité, ako sa stravujem. Videla som, že nie je nadšená, ako spochybňuje jej jedálny lístok alebo že jej čokoľvek diktuje. Lenže Austin mal také nevtieravé spôsoby a chválil ju pre toľko rozličných vecí, že kým sa obed skončil, smiala sa s ním, hoci váhavo, prikyvovala a uznanlivo naňho pozerala.

„Ten mladý muž sa vyzná vo svojom fachu,“ povedala mi neskôr. „Za tie roky som už videla nejedného úbohého terapeuta. Verte mi, je veľmi dôležité mať dobrého terapeuta.“

Austin nechal inštrukcie, aké činnosti by som mala zabsolvovať, keď tu nie je. Chcel, aby som na posilňovači nôh cvičila trikrát denne vždy aspoň desať minút. Pani Bogartová sa týčila nado mnou, keď som sa z vozíka presúvala do cvičebného zariadenia, ja som však nástojila na tom, že čokoľvek, čo vládzem, urobím sama. Nič ma v myšlienkach neburcovalo viac ako varovanie doktorky Snyderovej, aby som sa nestala od nikoho závislá. Nezávislosť je kľúčom k bráne na ceste ku skutočnému vyzdraveniu, pomyslela som si.

Aj keď to znamenalo, že mi trvalo desať ráz tak dlho, aby som niečo urobila, robila som to sama. Rýchlo som sa naučila, ako sa každé ráno dostanem z postele, oblečiem, a hoci to dosť bolelo a bolo problematické, aj ako si navliecť ponožky a obuť topánky.

Niekedy som sa natoľko unavila, že som zaspala na vozíku. Hlava mi klesla, ruky viseli, a keď som sa po dvadsiatich minútach či hodine zobudila, cítila som bolesť aj na nových miestach. Pani Bogartová sa držala v ústraní, čakala na svoju príležitosť alebo možno stála za dverami a počúvala. Možno dúfala, že budem kričať, aby prišla, a stanem sa závislejšou od nej, lenže ja som ju nevolala, ak to nebolo absolútne nevyhnutné. Na niektoré veci som si však ešte veľmi netrúfala, napríklad dostať sa do vane a von z nej, a vtedy mi musela pomáhať.

Prvé dva týždne mal Austin chodiť každý deň. Skutočnosť bola taká, že som sa na jeho príchod vždy tešila viac než na čokoľvek iné. Postupne moje činnosti rozširoval. Cvičila som za zvukov jeho hudby a bola som čoraz silnejšia. Trávil veľa času tým, že so mnou nacvičoval základné pohyby nevyhnutné pre každodenný život, ukázal mi spôsoby, ako sa môžem ľahšie dostať z postele, lepšie pohybovať telom tak, aby sa mi netvorili otlačky, a ako narábať s vozíkom, aby som ho využívala čo najefektívnejšie. Vyžadovalo to zopár pokusov, ale nakoniec som bola schopná sama sa dopraviť hore po rampe pred domom.

Počas častých prestávok mi Austin rozprával o niektorých svojich klientoch, z ktorých dvaja žili v starobinci.

„Obaja sú mysľou ešte pomerne mladí. V mnohom sú podobní ako mladí telesne postihnutí ľudia. Iba si odmyslím ich vrásky a sivé vlasy a beriem ich rovnako ako kohokoľvek iného, kto sa snaží znovu nadobudnúť pohyblivosť, ktorá by sprevádzala ich mladistvú mentalitu. Myslel som na to, že by bolo perfektné, keby nám všetkým najprv zlyhal mozog, jednoducho by sa vypol akoby vypínačom..." povedal s úsmevom, hľadiac kamsi bokom. „Áno, len by sa šťuklo vypínačom a naše telá by sa akoby vypli, namiesto toho, aby zoslabli alebo ochoreli a tak zlyhali..."

„A potom by už len pozerali z okna?" dodala som.

„Áno." Jeho úsmev akoby svedčil o pevnom rozhodnutí. „Dostanem ťa odtiaľto, Rain. Nezostaneš trčať za žiadnym oknom. Počínaš si úžasne. Čo by si povedala na to, keby sme zajtra skúsili trochu tej vodnej terapie? Malo by byť takmer tridsať stupňov a slnečno. Stavím sa, že to bude zábava."

„Neviem," potriasla som hlavou plná obáv.

„Ale no, riskni to," naliehal.

Zasmiala som sa.

„Pre mňa to ani nie je veľký risk, no nie?" spýtala som sa.

„Čo tým myslíš?"

„Už toho nie je veľa, v čom ešte môžem riskovať, však?"

„Chyba. Je toho ešte veľa, v čom môžeš riskovať. Máš všetky tieto špeciálne skúsenosti a vedomosti, ktoré môžeš odovzdávať."

„Aké špeciálne vedomosti?" spýtala som sa, vraštiac obočie.

„Vieš, ako zvíťaziť nad tragédiou," povedal.

Neviem, či všetko, čo robil, bolo vopred naplánované, vrátane jeho úsmevov a smiechu, ale nateraz mi to bolo jedno. Cítila som sa veľmi dobre a narastala vo mne nádej, a to bolo niečo, čoho som sa nechcela vzdať, i keby hrozilo sklamanie.

„Fajn," povedala som. „Pôjdeme si zaplávať. Či vlastne ty si pôjdeš zaplávať a ja sa budem vznášať na hladine."

„Nie, nebudeš, uvidíš," ubezpečil ma.

Keď Austin odišiel, prezrela som skriňu a hľadala v nej plavky. Mala som jedny, ktoré som nosila ako rovnošatu v Dogwoodskej škole, a mala som aj dvoje ďalšie, ale boli dvojdielne, jedny z nich také sporé, že vyzerali vlastne ako bikiny. Rozložila som plavky na posteľ a uvažovala. Trvalo by mi celé hodiny všetky si ich vyskúšať, pomyslela som si, ale strach z toho, že by som nevyzerala dobre, bol dostatočnou motiváciou, aby som pozbierala silu.

Pani Bogartová nakukla, práve keď som sa pasovala so školskými plavkami.

„Načo si to obliekate?" spýtala sa a ja som jej povedala o Austinovom pláne.

Nedôverčivo sa na mňa pozrela, ale nepovedala nič. Bez slova podišla ku mne a pomohla mi do plaviek.

„Ďakujem," povedala som. Pokrčila plecami a odišla. Vyjavene som hľadela do zrkadla. Nohy mi pripadali kostnaté a tenké a boky akoby sa mi rozšírili. Do očí mi vstúpili horúce slzy.

„Čo to robím?" hlesla som. „Toto je hlúposť. Čo to robím?"

Začala som zo seba strhávať plavky a tak zúrivo som ich ťahala a kmásala, až som na jednej strane odtrhla zips. V tej chvíli som pocítila, že sa mi začali triasť plecia a žalúdok mi zachvátilo čudné chvenie. Keď som sa pozrela do zrkadla, videla som, že hystericky plačem, ale bol to tichý plač.

Možno som terapiu vnímala príliš intenzívne, nedala som na pani Bogartovú a dostatočne neodpočívala. Možno som sa nechala unášať svetom fantázie v nejakej bubline, ktorá teraz praskla. Nech už bola príčina akákoľvek, zrazu som sa cítila neuveriteľne unavená. Únava a sklesnutosť prenikli do samého jadra môjho bytia a zmenili ma na ochabnutú kôpku bezvládneho nešťastia. Polonahá, neschopná celkom si vyzliecť plavky a znovu sa obliecť, som klesla do vozíka.

Kdesi dolu v hrdle sa mi ozval tichý ston a vzápätí som pocítila chvenie na krku a na zátylku. Náhle ma prepadol aj ukrutný žalúdočný kŕč. Moje stonanie zosilnelo a vzápätí pribehla pani Bogartová. Keď ma uvidela, chvela som sa tak strašne, že vozík hrkotal.

„Dobre," vravela, „dobre. Len pokojne." Hneď ma posunula k posteli, pomohla mi z vozíka a poprikrývala ma. Bola mi taká zima, až mi drkotali zuby. Prikryla ma ešte jednou prikrývkou a potom ďalšou a šla zavolať lekára. O malú chvíľu sa vrátila a povedala, že ma vezmú do nemocnice.

„Nie!" vykríkla som.

„Lekár chce, aby ste tam šli na nejaké vyšetrenie. Musíte tam ísť. Váš šofér je už na ceste. Ukážte, nech vám niečo oblečiem," povedala a obliekla mi teplákovú súpravu, ale aj tak som sa ďalej triasla od chladu.

Neprešlo ani pätnásť minút a Jake už bol pri mojej posteli. Vyzeral sinavý, unavený a ustaraný. Spôsoboval to môj stav, že sa mi videl taký?

„Tak ako, princeznička?" spýtal sa.

Triaška už trochu ustúpila, ale žalúdok mi naďalej zvieral hrozný kŕč.

„Neviem, Jake. Čosi sa stalo. Je mi zle."

„Dobre, tak teda poďme," povedal. Pani Bogartová už tlačila vozík smerom k nám, ale Jake ma zobral z postele a na rukách ma niesol z domu. Hlavu som mala opretú o jeho hruď.

„Môžete ju odviezť na vozíku," radila pani Bogartová.

„Toto je rýchlejšie," odpovedal.

„Nie aby vám to dievča pred mojimi očami spadlo, počujete? Nechcem za to niesť vinu ja."

„Nikto nenechá nikoho spadnúť," uisťoval ju. „Prestaňte si už robiť starosti a otvorte nám dvere," prikázal jej rozhodným hlasom. Náhlivo nás predbehla a otvorila. Jake ma vyniesol von a jemne položil na zadné sedadlo Rolls-Roycea. Potom si sadol za volant a vyštartoval.

„Myslím, že Victoria má s tým autom pravdu," povedal. „Mal som ho predať a obstarať ti dodávku. Prepáč, princeznička."

„Ja nechcem dodávku. Mne sa toto auto páči," vravela som ticho. Oči som mala zatvorené. „Chcem Rolls-Royce starej mamy Hudsonovej."

V nemocnici ma uložili na posteľ s kolieskami a odviezli na pohotovostné oddelenie. Urobili mi testy a o niekoľko hodín neskôr doktor Morton, ktorý mal službu, podišiel k mojej posteli a vysvetlil mi, že mám vážnu infekciu mechúra.

„U ľudí vo vašom stave to nie je nič nezvyčajné," ubezpečoval ma. „Rýchlo to všetko vyčistíme a opäť vás postavíme na nohy."

Začala som sa smiať a on na mňa chvíľu zarazene pozeral.

„Opäť ma postavíte na nohy? Len aby ste sa príliš neponáhľali, pán doktor."

Po tých slovách sa usmial.

„To je len taký slovný zvrat," bránil sa.

„Ja viem. Bože, ako dobre to viem," povedala som.

Zobrali ma do jednoposteľovej izby a dali mi niečo na spanie.

Ďalší deň dopoludnia sa mi viečka roztvorili a uvidela som tetu Victoriu, ako na mňa sústredene pozerá, tvár má samú zlosť a oči vytreštené a temné. Keď si uvedomila, že ju vidím, pritlmila zlosť a odkašľala si.

„Jaka budem musieť tuším prepustiť," prehlásila. „Výslovne som mu prikázala, aby šiel a zohnal dodávku, a čo myslíš, čo urobil? Flákal sa v miestnej vinárni. Zistila som, že po dve noci ho museli domov odviezť taxíkom, pretože bol príliš opitý na to, aby šoféroval. Pravdepodobne bol opitý aj včera, keď prišiel po teba."

„Niekoho takého nemôžeme držať ako tvojho šoféra. Nechcem, aby sa jeho meno dávalo do súvislosti s našou rodinou."

„Nie," povedala som, rezolútne pokrútiac hlavou. „Nebol opitý. Bol absolútne perfektný. Neopovážte sa ho prepustiť. Nie je to váš šofér. Je to môj šofér."

„Čo je to s tebou? Ten človek je opilec. Vždy ním bol. Neraz som mojej matke radila, aby si najala seriózneho, dobre vyškoleného a dôstojného šoféra, a nedržala niekoho, kto nemá žiadne ambície ani úroveň."

„Jake je môj najlepší priateľ na svete," povedala som. „Neopovážte sa ani pomyslieť na to, aby ste mu niečo také povedali."

Videla mi v tvári vzdor, a tak trochu zmenila tón.

„Hovorila som s lekárom. Myslí si, že tvoj terapeut ťa možno nechal cvičiť príliš veľa a intenzívne. Zavolala som do agentúry a požiadala som ich o staršieho a skúsenejšieho terapeuta."

„To nie je jeho chyba. To je u paraplegikov bežný problém. Ja chcem Austina."

„Austina?" zopakovala a vykrivila pri tom ústa.

„S nikým iným nebudem spolupracovať. Nebudem," ubezpečila som ju.

Chvíľu si ma skúmavo prezerala a potom pomaly pokrútila hlavou.

„Hádam si sa k tomu terapeutovi nepripútala? To je veľmi nebezpečné. Také varovanie mi dali ľudia, ktorí vedia, čo hrozí."

„Nie," odvetila som prirýchlo. „Ale cítim sa pri ňom dobre a v rehabilitácii napredujeme. Znovu im zavolajte a povedzte im, že zostane."

„Uvidíme," povedala.

„Ak to neurobíte, nebudem s vami spolupracovať a žiadne vaše dokumenty nepodpíšem," vyhrážala som sa. „Myslím to vážne."

Prekvapenie a hnev jej znovu rozohňovali oči, ale nakoniec rýchlo uhasila plamene zlosti a usmiala sa.

„Nesmieš sa natoľko rozrušiť, Rain. Ja som iba chcela pre teba to najlepšie. Ak to ty chceš zatiaľ inak, tak fajn. Postarám sa o to. Teraz si iba želám, aby si odpočívala a rýchlo sa zotavila, aby si po víkende mohla ísť domov. V utorok prídem aj s Grantom a vysvetlíme ti niektoré z vecí, ktoré treba urobiť s majetkom. V poriadku?"

„V poriadku," povedala som ešte vždy nedôverčivo.

„Nechaj ma zariadiť aspoň tú dodávku. Vybavím to dnes popoludní."

„Ten Rolls-Royce nie je na predaj!" vyhlásila som.

Vylúdila svoj chladný, rafinovaný úsmev a pery roztiahla do tenučkých línií, pretínajúcich jej úzku tvár.

„V poriadku. Zatiaľ si ho necháme. Aj tak je to jedna z vecí, ktorých hodnota, ak sa dobre udržiavajú, môže vzrásť," usúdila, rozhodnutá, že každú nezhodu tak či onak premení na víťazstvo vo svoj prospech.

Vstala a jemne ma potľapkala po ruke.

„Len sa daj do poriadku a o nič si nerob starosti. Budem v kontakte s lekármi. Je niečo, čo by si chcela teraz?"

„Nie," ubezpečila som ju a zatvorila som oči. Keď som ich otvorila, bola preč.

Neskôr, už keď som jedla obed, prišiel ma pozrieť Austin.

„Jestvuje veľa spôsobov, ako sa vyhnúť plávaniu," povedal s úsmevom a podal mi kyticu červených ruží.

„Ďakujem," povedala som, keď som k nim privoniavala. Dal ich do vázy a pritiahol si stoličku bližšie k mojej posteli.

„Toto je menšia komplikácia," povedal. „Príliš si ju nepripúšťaj. Len pekne užívaj lieky a budeš v poriadku. O pár dní budeš doma opäť cvičiť. Nemysli si, že si sa niečomu vyhla. Bude ešte veľa ďalších dní, ktoré budú perfektne vhodné na plávanie."

„To ma naozaj netrápi," povedala som so smiechom.

„Strýko mi vravel, že tvoja teta bola so mnou nespokojná a chce, aby ma nahradil niekto iný," povedal po chvíli.

„Už som sa s ňou o tom rozprávala. Nikto ťa nevymení."

Usmial sa.

„Naozaj si nemyslím, Rain, že čokoľvek, čo sme spolu podnikali, má nejakú súvislosť s týmto ochorením. Keby malo, povedal by som ti to a zmenil by som terapiu."

„Verím ti, Austin. Prosím ťa, s mojou tetou si nerob žiadne starosti. Nevyzerá to tak, že by nám hrozil vzájomný obdiv. Ja som príbuzná, ktorá sa jej ocitla v žalúdku. Dalo by sa povedať, že udržiavame riskantné prímerie."

„Do toho ma nič nie je," ponáhľal sa povedať.

„To je v poriadku. Mne neprekáža, ak budeš o mne vedieť viac. Keď ma budeš lepšie poznať, možno v niečom zmeníš aj spôsob terapie," povedala som.

Pohodlnejšie sa usadil a ja som mu začala rozprávať svoj príbeh. Na chvíľku ma prerušil iba príchod sestričky, ktorá mi prišla podať liek. Austin po celý čas sedel ako prikovaný a jeho reakcie prezrádzal len pohyb očí a to, ako sa rozjasnili či potemneli.

„Takže preto si mi vravela, že máš nevlastného brata a nevlastnú sestru. Myslel som si, že len žartuješ."

„Kiežby som len žartovala," povedala som.

Viečka mi natoľko oťaželi, že nech som sa akokoľvek snažila, nevládala som ich udržať otvorené.

„Radšej ťa nechám odpočívať," počula som jeho slová. „Prídem ťa zasa pozrieť a len čo už budeš dosť v poriadku, opäť začneme terapiu."

Moja hlava prikývla, akoby ňou pohla mocná neviditeľná ruka. Potom som zaspala.

V nedeľu, keď ma prepustili z nemocnice, Jake stál pri novučičkej dodávke, vybavenej elektricky ovládanou zdvižnou plošinkou. Stačilo, aby ma na ňu priviezli, plošinka ma zdvihla a ja som sa mohla v dodávke posunúť na miesto. Hoci to najprv tak nevyzeralo, bol to priam luxus.

„Victoria nebola spokojná s cenou, za ktorú som ju kúpil. Dal som dodávku vybaviť mnohými pomôckami navyše," dodal šeptom, „ale ona do toho veľmi nemohla zasahovať. Celé to zúradoval tvoj právnik. No a môžeš hádať," pokračoval, keď si sadol za volant. „Je technicky vybavená tak, že keď nastane vhodný čas, budeš môcť šoférovať sama."

„Čože? Ako?"

„Toto sedadlo sa vyberie a tvoj vozík sa sem presne zapasuje," vysvetľoval. „Všetko ovládanie je ručné, dokonca aj brzdy. Čo nevidieť, princeznička, budeš môcť zájsť, kam budeš chcieť."

Urobilo to na mňa veľký dojem a nové vyhliadky ma trochu aj vyľakali, ale spolu s krásnym žiarivým letným dňom ma prísľub ďalších možností naplnil väčšou chuťou do života.

Lenže pani Bogartová ma vítala s novým dlhým zoznamom obmedzení a príkazov.

„Ochoreli ste, lebo ste sa pokúšali sama priveľa toho zvládnuť za príliš krátky čas," povedala. „Verte mi, ja som čosi také neraz videla. Teraz už možno počúvnete ľudí, ktorí vedia viac než vy."

Bola som taká rada, že som už preč z nemocnice, že ma jej nespokojný výraz tváre nemohol vyviesť z miery.

Len čo som sa uložila na popoludňajší odpočinok, spomenula si, že som dostala list, a priniesla mi ho. Bol od môjho otca. Správa o mojej nehode a poranení ho mimoriadne znepokojila a ako to opisoval v liste, prehĺbila jeho pocity osobných výčitiek.

Cítim sa taký bezmocný, pretože dokonca ani teraz, keď viac než kedykoľvek predtým potrebuješ rodiča a rodinu, nemôžem pre Teba nič urobiť. Aká veľmi silná musíš byť, aby si to všetko zvládla sama, po tom, čo, ako píšeš, postihlo Megan.

Môžem Ti sľúbiť iba to, že len čo budem mať príležitosť, prídem Ťa do Ameriky navštíviť. Aj Leanne je to veľmi ľúto a bola by rada, keby si mohla prísť sem. Leanna je úžasná. Určite sa čuduješ, prečo by si niekto, kto Ti nie je pokrvný príbuzný, robil také starosti a natoľko s Tebou cítil. Je možné, že láska medzi ľuďmi, ktorí nemajú voči sebe povinnosť, aby sa mali radi, je vlastne tá najhlbšia láska.

Prosím Ťa, veľmi Ťa prosím, napíš mi a daj mi vedieť, ako napreduješ.

S láskou

otec

Hrozilo, že moje slzy tie slová zmyjú do zabudnutia. List som starostlivo poskladala a uložila som ho do zásuvky nočného stolíka. Podchvíľou som ho vyberala a opätovne som si ho čítala. Bolo to úžasné, lepšie by bolo iba môcť počuť jeho hlas a vidieť ho.

Dosť ma znepokojovalo, že sa nehlásil Roy. Už zrejme dostal môj list a vedel, čo sa mi stalo. Vôbec neprichádzala do úvahy myšlienka, že by sa rozhodol, že preto už so mnou nechce mať nič do činenia, hoci by som mu to nevyčítala. Takmer som si kvôli nemu želala, aby to bola pravda.

„Pani Bogartová, nikto mi nevolal, kým som bola v nemocnici?" spýtala som sa jej, keď mi priniesla studenú vodu na zapitie lieku.

„Nie, aspoň nie, keď som ja bola v dome," povedala. „Ale vyšla som aj von čo-to nakúpiť."

„Aha." Chvíľu som rozmýšľala. „Kde je môj telefón? Teta mala zariadiť, aby tu bol."

„Ja neviem. Mám tu na starosti iné veci. A nie je ich málo," dodala.

Poriadne ma to nahnevalo a pokúšala som sa zavolať tetu Victoriu. Keď jej kancelária bola zatvorená, mala telefonickú službu ako nejaký lekár. Ľahostajná telefonistka mi oznámila, že odkaz odovzdá. Povedala som jej, že je to veľmi dôležité.

O niekoľko hodín neskôr, keď som práve večerala, zazvonil telefón a pani Bogartová mi povedala, že volá teta Victoria. Na vozíku som sa odviezla k telefónu a pani Bogartová mi podala slúchadlo.

„Potrebujem telefón," spustila som ešte predtým, než som ju pozdravila. „Sľúbili ste, že sa o to postaráte, a ja..."

„V tejto chvíli, Rain, máme iné, omnoho naliehavejšie problémy. Telefón vybavím, keď sa vrátim."

„Vrátite? A kde ste?"

„Som vo Washingtone s Grantom. Tvoja matka, moja sestra," dodala a v hlase jej zaznelo znechutenie, „predviedla žalostný pokus o samovraždu."

„Čože?"

„Pojedla asi tucet piluliek na spanie. Grant je celý bez seba. Prirodzene, že sme tú správu museli utajiť, aby sa tá hanebná udalosť nedostala do tlače."

„Je v poriadku?"

„V poriadku?" Zasmiala sa. „To sotva. Nie je na umretie, ak ti ide o to. Slúžka ju zavčasu našla, s čím pravdepodobne rátala, a okamžite ju previezli do nemocnice a vypumpovali jej žalúdok. Lekári si rovnako ako ja myslia, že istý čas, pravdepodobne dosť dlhý čas, bude musieť stráviť na psychiatrickej klinike."

„Okrem toho, na budúci týždeň Granta nominujú na kandidatúru do Kongresu. Rozhodne čosi takéto nepotrebuje práve v čase, keď sa mu začína plniť sen."

Urobila pauzu a zhlboka vydýchla ako niekto, kto na pleciach nesie ťažké bremeno.

„Len čo budem môcť, vrátim sa a urobím, čo treba. Obávam sa, že zatiaľ si budeš musieť poradiť sama."

„Čo myslíte, ako som si poradila doteraz?" osopila som sa na ňu. Neodpovedala a ja som sa upokojila. „A čo Alison?" spýtala som sa.

„Prečo?"

„Ako to všetko berie?"

„Našťastie je v Taliansku, cestuje so skupinou študentov. Grant jej o tom nič nepovedal. Prečo by jej mal kaziť výlet?"

„Aha," povedala som. „Prečo by to robil?"

Čím si Alison zaslúžila, že bola požehnaná životom plným šťastia a potešenia vo svete, kde žiaľ vôbec nemal šancu, a keď sa na ňu niečo zosypalo, tak to boli iba samé radovánky a dobroty?

A čo som komu urobila ja, že som žila životom, v ktorom úsmev a smiech bolo treba hľadať ako diamanty a opatrovať viac než vzácne šperky?

„Ak môžete," požiadala som ju, „povedzte mojej matke, že mi je ľúto, že má také problémy, a že jej želám skoré uzdravenie."

Teta Victoria len čosi zamrmlala.

Dokonca aj niekto natoľko necitlivý ako ona určite musel vedieť, ako veľmi som chcela, aby moja matka po nehode vyslovila podobné želanie.

Lenže tak nikdy neurobila.

Teraz som uvažovala, či tak ešte niekedy bude môcť urobiť.

Vzdávam sa

V pondelok sa vrátil Austin, aby pokračoval v mojej terapii. Lekári mu povedali, nech mi dáva len ľahké a nenáročné cvičenia a nech sa postupne vrátime k predchádzajúcemu programu. Omnoho viac času sme teda trávili vonku a zhovárali sme sa. Rozprával mi o sebe a o svojej rodine a zdôveril sa, že sa mu nikdy nepáčilo, ako sa otec správa k matke.

„Mama s ním pracuje v podniku. Vlastne by som mal povedať, že mama pracuje preňho. On sa tvári, že je iba zamestnankyňa. V jeho hlase nepočuť žiadnu zmenu tónu, žiadnu srdečnosť, žiadnu spolupatričnosť. Mama dokonca ani nevie, koľko majú peňazí.“

„Pokiaľ mi pamäť siaha, vždy si čokoľvek od neho pýtala rovnako ako moja sestra Heather Sue alebo ja. Totiž, musí mať jeho dovolenie na to, aby mohla minúť akékoľvek peniaze, dokonca aj na veci pre seba. Môj otec má obchodného manažéra, ktorý kontroluje výdavky na domácnosť aj podnikové náklady a každý mesiac mu podáva správu. Pánboh ochraňuj moju matku, ak by sa niektorá kategória výdavkov nejakým výraznejším spôsobom zvýšila. Potom by to v našom dome bolo ako po zásahu španielskej inkvizície!“

„A mama sa nesťažuje?“ spýtala som sa.

„Jej to tak vyhovuje.“

Zamračila som sa.

„Prisahám. Mama je jedna z tých staromódnych žien, ktoré sú presvedčené, že tieto veci má mať úplne na starosti muž. Myslím že sa jej páči byť závislá."

Boli sme vonku, pod starým rozložitým dubom, ktorý rástol napravo od domu. Obďaleč si nás podozrievavo obzeral párik veveričiek. Oči neustále upierali na nás, a keď stáli alebo sa obracali, akoby priam ustrnuli uprostred skoku.

Hnané vetrom, oblohu križovali tenké dlhé mraky, ktoré na sýtomodrej oblohe vyzerali ako šľahačka. Pre nás bol ten severozápadný vetrík vítaný, lebo odháňal vlhkosť.

Austin ležal natiahnutý na chrbte na tráve vedľa môjho vozíka, žuval steblo trávy a s rukami za hlavou sa díval do oblohy. Zrazu to aj mne pripadalo lákavé.

„Aj ja si chcem ľahnúť na zem," povedala som.

„Tak to urob," posmelil ma. „Nepotrebuješ na to od nikoho ani povolenie, ani pomoc."

Zdvihla som sa z vozíka v podstate silou rúk, oprela som sa o pravú nohu, ktorá po cvičeniach zosilnela, a potom som sa snažila ladne spustiť na zem, ale namiesto toho ma hodilo doľava a padla som na Austina. Skríkol od predstieranej bolesti, rozhodil ruky okolo mňa a zopár sekúnd ma držal. Obrátila som sa a naše tváre sa ocitli iba niekoľko centimetrov od seba. Uprene sme sa na seba pozreli. Usmial sa.

„Pekný pokus," komentoval a zdvihol hlavu práve dosť na to, aby perami dosiahol na končok môjho nosa. Pobozkal ho a znovu skláňal hlavu.

„Pekný pokus," opätovala som.

Usmial sa viac zoširoka, potom akoby sa na okamih zahľadel do svojho vnútra a načerpával akúsi silu a hĺbku, pričom znovu zdvihol hlavu a dotkol sa perami mojich úst. Bol to mäkučký a ľahučký bozk, ale akoby zelektrizovaný očakávaniami. Vo mne prebudil pocity, o ktorých som si myslela, že ich už niet, že sú rozdupané a navždy zmrzačené v dôsledku mojej nehody. Dych sa mi zrýchlil a srdce mi začalo búšiť.

„No nie," povedal, keď sa odtiahol. „Prepáč, niečo také som nemal v úmysle."

„Chceš povedať, že to nie je súčasť mojej terapie?"

Zasmial sa a pokrútil hlavou.

„Myslel som si, že ten, čo má zmysel pre humor, som tu ja."

„Možno nežartujem," povedala som.

Prestal sa usmievať, potom ma jemne odsunul a ja som si naznak ľahla na trávu. Austin si sadol, vzal z vozíka vankúš a dal mi ho pod hlavu.

„Je to pohodlné?"

„Áno," pritakala som.

Sedel, dobrú chvíľu hľadel dolu na mňa, pohrával sa okolo pier so steblom trávy a rozmýšľal. Vánok sa mu oprel do niekoľkých pramienkov vlasov, ktoré mu akoby tancovali nad čelom.

„Nesmiem nadväzovať citové vzťahy s klientmi," povedal. „Nie je to fér a nie je to veľmi profesionálne. Nesmiem niečo také znovu dopustiť. Vážne," presviedčal ma. „Ak by som to dopustil, musel by som strýka požiadať, aby ma nahradil niekým iným."

„Tým nechcem povedať, Rain, že nie si veľmi pekné dievča. Práve že si. Keby som nebol tvojím terapeutom, mohol by som sa do teba zamilovať."

„Jasné," odvrkla som mu. „Videl by si ma, ako na vozíčku krútim kolesami, veziem sa po ceste a povedal by si si, že to dievča by si rád spoznal."

Odvrátila som sa, v duchu soptiac, sklamaná, skoro ako nejaký šíp hnevu, ktorý hľadá terč a nachádza iba vzduch.

„Robíš chybu, keď si myslíš, že už nie si veľmi atraktívna."

Obrátila som hlavu nazad k nemu.

„Aká by zo mňa bola milenka?"

„Bola by z teba dobrá milenka. Vieš, naďalej môžeš mať deti. Je to trochu náročnejšie, ale môže sa to stať. Mám jednu klientku, čo má vyše dvadsať, a tá nedávno rodila. Pomáhal som jej zotaviť sa. Má zlaté malé dievčatko."

„Naozaj?"

„Samozrejme," potvrdil. „Vari sa lekári s tebou na túto tému nerozprávali?"

„Nie," povedala som.

„Ale mali."

Strhol sa a spozornel, keď začul zvuk auta, blížiaceho sa po príjazdovej ceste.

„Dakto prišiel," povedal.

„Pomôž mi sadnúť si," požiadala som ho.

„To je teta Victoria," oznámila som, keď vystúpila z auta. Mala namierené k domu, ale vtom nás zazrela. „Radšej ma vezmi nazad," poprosila som ho. „Prináša správy o mojej matke."

„Dobre."

Pomohol mi do vozíka a viezol ma späť k domu. Victoria čakala pri rampe. Keď sme sa priblížili, vykročila smerom k nám.

„Čo za terapiu môžete absolvovať vonku?" domáhala sa odpovede od Austina ešte predtým, než som ich mohla predstaviť.

„Je dôležité, aby bola každý deň na čerstvom vzduchu," odpovedal.

„Na čerstvom vzduchu by ju mohla voziť pani Bogartová. Je to privysoká cena za terapeuta, ak robí len manuálnu prácu."

„My vonku aj cvičíme, teta Victoria. A väčšinu času sa poháňam ja sama. A vôbec, terapiu by sme mali prenechať terapeutovi, však? Teraz je dôležitejšie, ako sa má moja matka."

„Neplánujem rozprávať o tom tu vonku za prítomnosti neznámej osoby," vyhlásila. „Odvezte ju do jej izby," prikázala Austinovi a šla ku vchodovým dverám.

„Je mi to ľúto," zašepkal mi do ucha. „A predstav si, čo by sa bolo dialo, keby bola prišla o pár minút skôr."

Myšlienka na takú možnosť mi rozbúšila srdce a vohnala horúčosť do tváre.

Keď sme už boli v mojej izbe, Austin si vzal svoj vak a povedal mi, že príde na druhý deň poobede v rovnakom čase.

„Dúfam, že som ti nevyrobil nejaké nové nepríjemnosti."

„S tým si nerob starosti," ubezpečila som ho, napriek tomu však odchádzal s ustarosteným výrazom na tvári.

Ešte asi pätnásť minút po jeho odchode som netrpezlivo čakala na tetu Victoriu. Konečne som začula, ako sa po chodbe blíži jej príznačné klopkanie.

„Som pár dní preč a všetko v kancelárii je hore nohami," ťažkala si, keď vchádzala do izby. „Namôjdušu je čoraz ťažšie zohnať schopných ľudí. Už aj zohnať niekoho, kto vie poriadne vybaviť telefonáty, je teraz kumšt. Čoraz viac a viac času musím venovať tomu, aby som hasila nepríjemné komplikácie."

Zalapala po dychu a vyjavene sa rozhliadla.

„Kde je tvoj terapeut?" spýtala sa a *terapeut* vyslovila tak, akoby šlo o neslušné slovo.

„Odišiel. Myslím, že ste ho odplašili," oznámila som jej.

Zdvihla obočie.

„Aj by mal byť vyplašený. Všetci vedia, Rain, že si dedičkou. Myslela si na to vôbec niekedy? Bývaš tu v tejto rezidencii, ktorá je súčasťou ohromného majetku. Musíš byť opatrná. Všelijakí chamtiví dobrodruhovia sa budú snažiť opantať si ťa v tvojom oslabenom stave."

„Austin nie je chamtivý dobrodruh."

„Ako to vieš? Na to, aby si mohla urobiť taký záver, ho ešte nemôžeš dobre poznať," usúdila skôr, než som mohla odpovedať. „Poznáš ho iba krátko. Ľutujem, že sa s tebou musím rozprávať takto, ale nie je tu tvoja matka, ktorej by prislúchalo, aby ťa usmernila."

„Jednoducho ďalšia vec, ktorú Megan hodila na moje plecia," zahundrala a prekvapila ma tým, že sa dosť nemotorne usadila na jedinú stoličku v izbe. Hlavu spustila do záklonu, zatvorila oči, palcom a ukazovákom si stlačila spánky a vzdychla. „Som taká unavená," povedala. Potom sa usadila vzpriamenejšie a pozrela sa na mňa.

„Tvoju matku umiestnili do psychiatrického ústavu dovtedy, kým lekári neusúdia, že je emocionálne a mentálne dosť vyrovnaná na to, aby sa vrátila do spoločnosti a nepokúšala sa každý druhý deň o samovraždu. Grant je veľmi znepokojený. Konečne sme to povedali Alison, ale nemalo význam, aby sa vracala. Ona s tým nemôže urobiť nič."

„Mohla by ju navštíviť a pomôcť jej postarať sa o seba a o jej budúcnosť," navrhla som.

Teta Victoria sklonila hlavu nabok a s úškľabkom sa na mňa pozrela.

„Alison Randolphová? Že by ona niekomu pomohla?"

„Nuž, prečo ju tak rozmaznali?"

„Prečo? Jablko nepadá ďaleko od stromu. Stačí sa pozrieť na jej matku."

„Vy ju naozaj nenávidíte? Nenávidíte svoju vlastnú sestru," obvinila som ju.

„Mala by som, ale nie je to tak." Chvíľu ma sústredene skúmala. „Teraz je pre teba ľahké vynášať nado mnou rozsudok. Z ničoho nič si vpadla do tohto domu a rodiny, raz tu, raz tam si k niečomu pričuchla a už máš pocit, že ovládaš celú našu minulosť, že vieš, akí sme a čo všetko sme preskákali."

„Áno, som rozhodná, silná a odlišná od Megan, nie je to však len moja chyba. Ona nikdy tak nepoznala nášho otca ako ja, totiž nikdy ho tak nemusela poznať. Kládol na mňa rozličné nároky, aké voči nej nikdy nemal. Odo mňa očakával vždy viac."

„Nemysli si, že som sa nespočetnekrát nepýtala prečo,"

pokračovala ešte skôr, než som vôbec stihla pomyslieť na nejakú otázku.

V skutočnosti som sa bála prehovoriť, bála som sa ozvať, aby som tým neprerušila kúzlo tohto sebaobvinenia. Zrazu akoby sa jej pohľad vzdialil a potemnel.

„Videla som, ako sa díva na Megan, ako má oči plné prívetivosti, lásky a pýchy. Na mňa sa tak nepozrel nikdy, dokonca ani vtedy nie, keď som jeho podniku priniesla významné zisky. Mňa jednoducho iba poťapkal po pleci alebo len prikývol, kým pri nej bol priam vo vytržení a celý rozosmiaty."

„Ako sa otec môže tak odlišne správať k svojim deťom?" čudovala sa nahlas.

Mala som pokušenie povedať jej to, odhaliť Jakovo tajomstvo. Možno by to tak bolo pre ňu lepšie. Možno by pre ňu hanba z toho, že je Jake jej otcom, bola omnoho menej zraňujúca než hrozná bolesť, ktorú pociťovala, keď sa jej nedarilo získať lásku a obdiv nevlastného otca. Keby o tom vedela, mohla by byť milšou, láskavejšou ženou, ktorá by sa vedela lepšie vyrovnať sama so sebou, a nebola by taká zatrpknutá.

„Nuž, viem, aká je Megan pekná. Ako by som to mohla nevedieť od samého začiatku? Keď má človek mladšiu sestru, ktorá je taká atraktívna a populárna, nie je to ľahké. Každý, kto sa na mňa pozrel, si pomyslel, prečo aj ja nie som taká istá. Dokonca ju pozývali na večierky, ktoré poriadali moji rovesníci, a mňa nepozvali!"

„Myslíš, že mi Megan za to bola niekedy vďačná? Sotva. Všetko brala ako samozrejmosť, dokonca aj otcovu lásku, vlastne najmä jeho lásku."

Zavrela oči a vzápätí ich otvorila. Rýchlo sa na mňa pozrela.

„Takže ma nesúď veľmi prísne a neobviňuj ma, že ju nenávidím. Áno, nenávidím to, čo sa z nej stalo. To sa nehanbím pripustiť. Na to som hrdá."

„Som hrdá," zašepkala a chvíľu uprene hľadela na dlážku. Takmer som zatajila dych.

Videla som, ako zamrkala a potom sa znovu pozrela na mňa.

„No a teraz sa vráťme k tebe. Ešte vždy si myslím, že by bolo múdrejšie, keby si mala iného terapeuta, staršiu, skúsenejšiu osobu, možno nejakú ženu. Ak má terapeut pracovať účinne, musí udržiavať väčší odstup, musí byť neosobnejší. Skrátka ako nejaký lekár."

„Veľmi si cením, že si robíte starosti, ale takto je to v poriadku."

Sústredene sa na mňa pozerala a pery mala natoľko zovreté, až jej zbledla brada.

„Dobre. Vidím, že si rozhodnutá podstupovať vlastné chyby. Prejavuje sa v tebe tvoja matka, tak je to. V nejednom mi pripomínaš Megan."

„Poďme však ďalej." Otvorila kufrík a vytiahla nejaké papiere. „Mám tu zopár vecí a potrebujem, aby si ich podpísala. Keďže moja matka ti v rámci svojej neobmedzenej múdrosti odkázala takú veľkú časť našich investícií, musela by si byť prakticky denne zaangažovaná do každej investície. Aby sa to všetko urýchlilo, potrebujem, aby si mi podpísala splnomocnenie. Nebudeš na tom o nič horšie ako teraz," dodala náhlivo. „Vlastne tým pravdepodobne ešte získaš, pretože ja sa budem môcť chopiť príležitostí prv, než zmiznú. To mi umožní pokračovať v spravovaní majetku a zvyšovať jeho hodnotu."

Podala mi papiere. Po prečítaní niekoľkých viet som si pomyslela, že im rozumiem asi toľko, ako keby boli napísané v čínštine. Mala by som ich podpísať alebo by som jej mala povedať, že ich najprv dám prečítať môjmu právnikovi?

„Môj právnik by sa na mňa mohol nahnevať, keby som niečo podpísala bez jeho súhlasu," ozvala som sa celkom tichučko.

„Ach, preboha živého," zvolala a vytrhla mi dokument z rúk. „Je to obyčajný rutinný papier, štandardná plná moc, ktorá ma oprávňuje podpisovať dokumenty v mene nás oboch. Tak nech si ich ten tvoj právnik prezrie," povedala akoby kútikom úst, „a potom ich môžeš spokojne podpísať a nebudeš sa musieť obávať pazúrov svojej zlej tety."

„A vy by ste niečo podpisovali bez svojho právnika?" vyprskla som na ňu.

Prekvapene sa na mňa pozrela.

„Nie," pripustila. „Ale ani by som nehľadela darovanému koňovi na zuby. Keby som mala takú tetu, ako som ja, zodpovednú, spoľahlivú a starostlivú, ktorá dohliada na môj majetok, rozhodne by som s ňou neodmietala spolupracovať."

„Nechcem, aby to vyzeralo, že som nevďačná. Je toho skrátka na mňa priveľa," pripustila som.

Prikývla.

„Áno, si dcérou svojej matky. Megan sa nikdy nehanbila priznať svoje slabé stránky."

„Nepriznávam slabé stránky," zvolala som. Vedela ma tak hrozne rozčúliť, že som sa cítila ako pridusená škrtidlom.

„Ako chceš," povedala, vstala a rukou mávla mojím smerom, akoby som bola iba nejaká mucha, ktorú odháňa. „Ja mám práce dosť. Dúfala som, že mi to pomôžeš uľahčiť, ale namiesto toho sa budem jednoducho iba naďalej so všetkým plahočiť ako doteraz. Prídem opäť, len čo budem môcť," dodala, keď kráčala ku dverám. Tam, ešte vždy chrbtom ku mne, na dobrú chvíľu zastala, akoby sa rozhodovala, či mi má, alebo nemá niečo povedať. Nakoniec sa obrátila.

„Je tu ešte jedna vec," povedala. „Takmer som zabudla, ale vlastne som nateraz nechcela vyvolávať ďalšie problémy."

„O čo ide?" spýtala som sa unaveným hlasom.

„Ide o tvojho nevlastného brata Roya."

„Čože? Čo je s ním?"

„Nuž, predpokladám, že máš právo vedieť všetko, čo sa ťa týka, či už si na vozíčku, alebo nie."

Znovu otvorila kufrík, prehŕňala sa v nejakých papieroch a nechala ma netrpezlivo čakať.

„Na obálke bolo napísané meno mojej matky, takže list postúpili mne bez toho, aby si všimli, že sa tam píše „do rúk" a tvoje meno. Sekretárka obálku otvorila a dala mi ju na stôl, tak ako to robí aj s ostatnou korešpondenciou. Kam som ju len dala... aha, tu je."

Vytiahla ju.

„Je od vojenského právnika, ktorý v mene tvojho brata oznamuje, že ho bude súdiť vojenský súd za nedodržanie podmienok skúšobnej lehoty."

„Čože? Akej skúšobnej lehoty?"

„Podrobnosti rozhodne nepoznám," povedala.

Podala mi list. Rýchlo som ho prebehla očami s rukou na hrdle v mieste, kde sa mi akoby zasekol dych. Roy sa pokúsil dezertovať z vojenčiny, chytili ho a uväznili.

„Ach, bože," zabedákala som. „Pravdepodobne to urobil po tom, keď sa dozvedel, čo sa mi stalo. Nemala som mu o tej nehode napísať."

„Nie. Asi nie. Možno keby si sa bola spýtala mňa, ja by som ti poradila inak. Presne ako Megan," zopakovala, pokrútiac hlavou, „skrátka konáte impulzívne. Skôr než urobíš akékoľvek rozhodnutie, vždy trochu od tej veci akoby poodstúp," školila ma. Potriasla hlavou a potom prudko zatvorila kufrík. „Už musím ísť."

Obrátila sa a nechala ma tam s tým hrozným listom v ruke, celú zdesenú s myšlienkou, kedy už prestanem nechtiac ubližovať ľuďom, ktorých milujem.

Našťastie ma Austin prekvapil. Možno to bolo preto, že keď volal, pani Bogartová mu povedala, že na večeru som nevládala nič zjesť, a tak sa rozhodol znovu prísť. Keď som sa dozvedela tú smutnú novinu o Royovi, už len od myšlienky na jedlo sa mi žalúdok zovrel ako päsť. Nakoniec som odišla od stola a napriek príkazom, vyhrážkam a varovaniam pani Bogartovej som sa odviezla preč. Najprv som si iba chcela ísť ľahnúť, lenže moje znepokojenie a hnev prerástli do štádia, keď som takmer vybuchla od napätia. Bol súmrak a vonku ešte vždy pomerne teplo. Šla som ku vchodovým dverám, otvorila som ich a vyviezla sa von.

„Kam máte namierené, slečinka, v takýto pokročilý čas?" spýtala sa pani Bogartová.

„Len trochu von. Chcem byť sama," zdôraznila som a zavrela som pred ňou dvere. Zviezla som sa po rampe, potom som zabočila a po príjazdovej ceste šla smerom k jazeru. Zastala som pri spodnom konci cestičky. Bezmyšlienkovito som hľadela do vody a myslela na Roya, opäť zatvoreného v nejakom vojenskom väzení a znepokojeného zrejme asi ako ja, pretože aj on sa dostal do pasce.

Samozrejme, mala som si uvedomiť, že niečo také urobí, vravela som si. Ako som uvažovala, keď som písala ten list? Vari som ho nepoznala dosť dobre a nevedela, že bude myslieť jedine na to, ako sa ku mne dostať, a nič iné preňho nebude dôležité? Vo svojich myšlienkach ma vždy uprednostňoval a seba kládol až na druhé miesto.

Najprv som mala myslieť naňho a nie na to, že všetkým dám vedieť o svojej tragédii. Jednoducho som si iba želala súcit. Bola to všetko moja vina, len moja vina. Pociťovala som nenávisť za to, čo sa mi stalo, a že musím byť na vozíku. Želala som si, aby sa roky vrátili a aby som opäť pracovala na rozličných úlohách. Myslievali sme si, aké je to hrozné, ale aj tak sme na tom boli lepšie. Vymenila by som sto takýchto domov a sto luxusných áut a všetky peniaze za to, keby som zrazu mohla vstať a chodiť.

„Mama!" zvrieskla som. „Pozri, čo sa s nami udialo a naďalej sa deje!"

Môj hlas sa niesol ponad jazero a jeho ozvena znela v korunách stromov. Zazrela som, ako zo suchého konára vyletela vrana a skryla sa v tme.

Bože, pomyslela som si. Každá živá bytosť by odo mňa mala ujsť. Aj ja sama by som od seba mala ujsť.

Ruky som zrazu mala akoby zelektrizované novou energiou. Pevne som uchopila kolesá vozíka, pokrútila nimi a pohla som vozík dopredu, na štrkovitý a zeminový chodník, ktorý viedol k mólu a k jazeru. Vozík poskočil a kolesá sa zasekli vo vyjazdených koľajach, takže vozík prudko zastal. Zaklonila som sa dozadu a celou silou potlačila kolesá, aby sa vozík nadvihol, a pokračovala som ďalej. Po tvári mi prúdom tiekli slzy. Ruky ma boleli.

V polceste som už vozík nemusela poháňať. Šiel sám od seba, ale potom narazil na kameň, otočil sa a pomaly sa naklonil. Pokúšala som sa ho vyrovnať, lenže som príliš rýchlo preniesla váhu a preletela som cezeň, takže som sotva stihla vykríknuť. Dopadla som na mäkkú, trávnatú plochu. Pravé koleso sa naďalej krútilo. Bola som akoby pokrútená a čiastočne ešte vo vozíku.

Zdalo sa mi, že to trvalo hodiny, kým sa mi podarilo pohnúť a nájsť dostatok síl v nohe, aby som vládala znovu postaviť vozík na kolesá a sadnúť si doň. Nakoniec sa mi to predsa len podarilo, a tak som tam iba sedela, zhlboka dýchala a potila sa, až sa mi pramienky vlasov prilepili na čelo.

Slnko zapadlo za vrchovce stromov a tma vyčarila tiene z okolitých lesov. Objavili sa hviezdy a jazero bolo zrazu atramentovo tmavomodré a sivé.

Zbadala som, že som zababraná, a veľmi ma to vyľakalo. Nebola som ani oškretá, ani som nekrvácala, ani som si silne neudrela žiadnu časť tela, ale na rukách a na šatách som mala trochu blata a zeme. Keď som už zasa pravidelne dýchala, opäť som v sebe pocítila narastať tú istú hrču znepokojenia a hnevu. Dokonca ani toto som nevedela urobiť poriadne. Hrča narastala, až kým mi nezačala tlačiť na srdce, a to sa divo rozbúšilo.

Je zo mňa úplná ruina, pomyslela som si. Kde je tá nezávislosť, ktorú som si mala vybudovať? Navždy budem dojímavou mrzáčkou a budú ma na tomto svete udržiavať len na to, aby som niekomu znepríjemňovala život.

Znovu som pokrútila kolesami a pohla sa dopredu. Tentoraz som dávala veľký pozor, aby sa vozík príliš rýchlo nemykal zo strany na stranu. Temnota ma začala obkolesovať omnoho rýchlejšie, než som predpokladala. Snažila som sa uvidieť, kam to vlastne idem. Zrazu som v boku pocítila bolestivý kŕč. Vyrazilo mi to dych a musela som povoliť ruky na kolesách.

Vozík sa znovu rozbehol. Držala som sa jeho bokov, zatvorila som oči a prikázala som si, že musím byť pokojná.

Smerovala som rovno na mólo. Vozík prudko poskočil a vrazil do móla. Najprv ma viezol doprava, a keď som sa naklonila doľava, tak sa príliš prudko obrátil a vyklopil ma, ale tentoraz mi náraz takmer vyrazil dušu. S pocitom hrôzy a prekvapenia som dopadla do vody na chrbát.

O pár sekúnd som už klesala. Zúfalo som mávala rukami a podarilo sa mi dostať späť na hladinu. Znovu a znovu som lapala po dychu, ale vôbec sa mi nedostávalo dosť kyslíka.

‚Počkaj, Rain, prečo tak urputne bojuješ?‘ počula som vnútorný hlas. ‚Len nechaj ruky spustené pri tele a tvoja váha a nevládne končatiny ťa stiahnu tam, kde patríš.‘ Vlastne som už spúšťala ruky, keď som začula druhé špľachnutie, a o chvíľu som pocítila Austinovu pevnú ruku okolo drieku. Nadvihol polovicu môjho tela nad vodu a unášal ma smerom k mólu.

„Len pokoj,“ volal. „Mám ťa.“

Vytiahol ma z vody a položil na mólo. Zaklonila som sa

a v kŕčoch som lapala po dychu. Austin kľačal vedľa mňa a držal mi hlavu opretú o seba.

„Napila si sa vody? Ako ti je?"

Cítila som, že telo sa mi uvoľňuje a dych mám pravidelnejší.

„Nie," povedala som nakoniec.

„Čo, dopekla, si tu robila sama? Práve som dorazil autom a zbadal som, ako si narazila do móla, a tak som sem hneď bežal. Stratila si vládu nad vozíkom? Chcel som ťa vziať, aby si si zaplávala, ale nemyslel som si, že budeš až takáto nedočkavá."

Neodpovedala som. Celá som sa triasla, hoci bolo ešte vždy pomerne teplo.

„Musím ti vyzliecť mokré šaty," povedal.

Vzal ma na ruky a vydal sa hore po chodníku. Oči sa mi zatvorili. Cítila som, koľko sily má v nohách, keď prakticky vybehol po malom svahu smerom k domu. Zdalo sa, že prešlo iba niekoľko sekúnd, a už sme boli pri vchodových dverách. Keď nás pani Bogartová zbadala, zalapala po dychu a vykríkla.

„Čo sa jej stalo?"

„Padla do jazera. Musíme jej vyzliecť mokré šaty a nachystať horúci kúpeľ," prikázal.

Pani Bogartová vyštartovala ako prvá a on za ňou. V izbe ma jemne zložil na posteľ. Pani Bogartová už napúšťala horúcu vodu. Zuby mi drkotali.

„Ja sa o ňu postarám," oznámila pani Bogartová, keď vychádzala z kúpeľne. „Aj vy si radšej vyzlečte to mokré oblečenie. Na prízemí v skrini neďaleko dámskej toalety nájdete veľké uteráky a kúpací plášť. Mokré veci vám hodím do sušičky," dodala.

„Vďaka," povedal. Ruku mi položil na líce. „Si v poriadku?"

Prikývla som.

„Bolí ťa niečo?"

„Nie," podarilo sa mi ozvať šeptom. Okrem srdca, chcela som povedať, lenže na to som nemala dosť sily.

„Keď sa zohreješ, bude ti lepšie," vravel. „Hneď sa vrátim. Prinesiem aj vozík."

„Prečo ste urobili niečo také hlúpe?" spytovala sa ma pani Bogartová, keď zo mňa sťahovala mokré oblečenie. „Najmä po tom, čo ste sa necítili dobre. Vedela som, že vás nemám nechať ísť samu von. Vedela som to. Teraz ma budú obviňovať."

„Nie som dieťa," zahundrala som. „A prestaňte si stále robiť ťažkú hlavu z toho, že vás budú obviňovať."

„Nie, nie ste dieťa. Dieťa by malo viac rozumu."

Takmer som sa zasmiala. Bola som unavená a slabá, tak som sa odovzdala do jej moci. Vzápätí som už ležala ponorená vo vani s horúcou vodou a telo mi začalo ožívať. Zatvorila som oči a mala som pocit, že sa plavím.

„Ako sa jej darí?" počula som Austina spytovať sa pani Bogartovej. Myslela som, že to je iba súčasť nejakého sna, až kým som neotvorila oči a na všetko si nespomenula.

Zavolala som pani Bogartovú, aby mi pomohla z vane a obliecť si nočnú košeľu. Prišla s vozíkom a odviezla ma nazad do mojej spálne, kde už čakal Austin. Mal na sebe froté župan a bol bosý.

„Ako sa ti darí?" spýtal sa ma.

„Lepšie," povedala som.

Pani Bogartová uprela pohľad na neho a sľúbila, že sa postará o jeho oblečenie. Dívali sme sa za ňou, ako odchádza a potom Austin vstal a sadol si ku mne na posteľ.

„Čo si to vlastne chcela urobiť, Rain?"

„Utopiť sa," priznala som sa.

„Preto, lebo som ti zrejme spôsobil problémy u tety?" spýtal sa.

„To sotva," vravela som. „Nie, znepokojilo ma niečo iné. Môj nevlastný brat má znovu malér na vojenčine. Napísala som mu o tom, čo sa mi stalo, a on sa pokúsil sem vrátiť. Lenže ho chytili a bude ho súdiť poľný súd. Je to všetko moja vina."

„Prečo? Veď to bol on, kto sa pokúsil odísť bez povolenia."

„Kvôli mne! Preto, že som mu napísala," zdôraznila som.

Potriasol hlavou.

„Tak s tým nesúhlasím. Všetci zodpovedáme sami za seba. Mohol urobiť všeličo iné. Ak vinu zvalil na teba..."

„Nezvalil. Neviem to priamo od neho," namietala som. „Len pred chvíľou mi to spomenula a oznámila teta. Každý, koho sa dotknem," zamrmlala som si, „a každý, kto sa dotkne mňa..."

„Počuj, Rain. Ja viem, že pre mňa je ľahké ti povedať, čo máš robiť a čo si máš myslieť. Ja nie som ten, kto je na vozíčku, ale napriek tomu, čo sa ti stalo, nie si pod žiadnou kliatbou. Zlé veci sa ľuďom stávajú. Taký je život. Z pobytu v nemocnici na rehabilitačnom oddelení vieš, že niektorí ľudia sú na tom horšie ako ty."

„Alebo lepšie," pripomenula som mu.

„Alebo lepšie," prikývol, „lenže všetci sme obeťami rozmarov vrtošivého osudu a musíme naložiť čo najlepšie s tým, čo dostaneme. To je jediné, za čo nesieme zodpovednosť. Ak to vzdáme, neprinesie nám to nič iné len chvíľkovú ľútosť od ľudí, ktorí na nás veľmi rýchlo zabudnú."

Ostro som sa naňho pozrela.

„Odkiaľ berieš toľkú múdrosť?" spýtala som sa.

Pokrčil plecami.

„Myslíš si, že na dne jazera by si na tom bola lepšie?"

„Spôsobovala by som ľuďom menej trápenia," odpovedala som.

„A menej potešenia," odsekol.

Uprene sa na mňa zahľadel a skúmal mi tvár s takým obdivom, až som cítila, že mi horia líca. Potom sa mi zadíval priamo na pery, mierne pootvorené a prahnúce po bozku, a pobozkal ich s takým šarmom a jemne, až som si myslela, že sa mi to iba zdá. Keď sa odo mňa odtiahol, oči mal zatvorené, akoby ešte vždy vychutnával tú lahodnú chvíľku.

Prv než stihol prehovoriť, začuli sme prichádzať pani Bogartovú, a tak sa vzpriamil.

„Tu to máte," povedala, keď mu podávala suché a úhľadne poskladané oblečenie.

„Ďakujem. Idem sa teda obliecť," povedal a kývol rukou smerom ku kúpeľni.

Pani Bogartová zostala stáť a uprela očividne skúmavý pohľad najprv na mňa a potom naňho.

„Ďakujem, pani Bogartová," ozvala som sa, aby som urobila koniec jej podozrievaniu.

Prikývla.

„Budem nablízku, ak by ste ma potrebovali," povedala a odišla.

O chvíľku Austin vyšiel z kúpeľne. Iba sme sa na seba dívali.

„Unavená?" spýtal sa nakoniec.

„Skôr zmeravená."

Usmial sa.

„Chceš, aby som ti pomohol do postele?"

„Áno," povedala som, hoci obaja sme vedeli, že to môžem urobiť aj bez neho.

Vzal ma za ruku a okolo drieku a pomohol mi zdvihnúť sa. Tvár mal tesne pri mojej a jeho pery sa takmer dotýkali mojich líc. Dych mal horúci a sladký. Premiestnila som sa do postele. Jeho ruky mi putovali dolu po stehnách a pomohli mi zdvihnúť nohy. Ležala som tam a pozerala sa hore naňho.

„Si krásna, Rain," povedal. „Aj keď ťa vediem pri terapii, nemyslím na teba ako na telesne postihnutú či poranenú. To sa mi ešte u žiadnej pacientky nestalo. Už si, preboha, nikdy nemysli, že nie si hodna, aby si sa snažila."

Naklonil sa, chytil ma za ruku a jemne ma pobozkal.

Vystrel sa a odstupoval, ale ja som ho nepustila.

„Nechoď preč," zašepkala som.

Oči sa mu rozšírili a pozrel sa smerom k dverám.

„A čo pani Bogartová?" spýtal sa.

„Čoskoro pôjde spať," ubezpečila som ho.

„Áno, ale až potom, keď ma uvidí odísť," opravil ma.

„Ona nie je moja nadriadená. Ja som jej nadriadená."

„To nie je to, čoho sa bojím. Uvidíme sa neskôr," povedal.

Zmiatol ma, pretože mi ani nezaželal dobrú noc. Počula som, ako sa po chodbe vzďaľuje, zdraví pani Bogartovú a odchádza. Pani Bogartová sa na mňa prišla pozrieť. Poprosila som ju, aby zhasla svetlo a zavrela dvere. Potom som už iba ležala, zmätená zmiešanými pocitmi. Bola som sklamaná, ale zároveň aj rozrušená, mala som obavy, ale súčasne ma opantala túžba.

O niekoľko minút som začula nejaký zvuk pri okne. Obrátila som sa a videla som, že okno sa otvára.

Hneď nato bol Austin späť v mojej izbe.

A vzápätí bol pri mne v posteli.

Som ešte schopná byť ženou?

„*N*erob si starosti,“ povedal a objal ma. „Prišiel som iba preto, aby som ťa držal okolo pliec, kým nezaspíš.“

„Práve preto si robím starosti,“ povedala som a on sa usmial. V hrejivom svite mesiaca, ktorého lúče prenikali cez okno, mu tvár priam žiarila a jeho oči pohlcovali jagavé svetlo ako dva drahé kamene.

Uložila som si hlavu na jeho plece a hruď. Austin ma pobozkal na čelo a hladil mi vlasy.

„S doktorkou Snyderovou sme sa rozprávali o všetkom,“ povedala som. „Pokúšala sa ma presvedčiť, že niekto by ma ešte mohol mať rád, ale ja som takú možnosť odpísala ako čosi, čo terapeut musí povedať v rámci povzbudenia, najmä preto, že aj ona je paraplegička. Chcela tomu veriť rovnako ako ja alebo dokonca ešte viac.“

„Podozrievala som aj teba,“ povedala som, „pokiaľ ide o všetky tie krásne veci, ktoré si mi narozprával.“

„Chceš povedať, že ma už nepodozrievaš?“

„Neviem. Ale aj tak je to od teba strašné bláznovstvo, že si sa sem nazad vkradol.“

„A riskoval svoju kariéru,“ dodal, prikyvujúc.

„Si si istý, že ju chceš riskovať?“ spýtala som sa a zdvihla som hlavu z jeho pleca.

„Na to existuje iba jediná odpoveď,“ povedal a pobozkal ma, tentoraz smelšie. Potom mi jemne uložil hlavu na vankúš a sadol si, aby sa vyzliekol.

Zdalo sa mi, akoby som to všetko sledovala iba vo sne, s odstupom, akoby som bola niekde mimo alebo sa vznášala nad posteľou. Možno som zomrela v jazere a všetko toto bolo iba zbožné prianie v posmrtnom živote. Srdce mi nielen bilo, ale priam búšilo a tĺklo do hrudnej kosti, vháňajúc mi krv do hlavy, až sa mi krútila. Bála som sa, no nie milovania, ale toho, že nebudem schopná milovať, že nedokážem opätovať jeho lásku a náklonnosť.

Existovalo omnoho viac dôvodov, aby sme sa do toho nepúšťali, ako tých, prečo by sme tak mali urobiť. Prečo je to tak, že muži v mojom živote boli vždy z nejakých príčin zakázaní?

Austin, už nahý, chytil okraj mojej nočnej košele a potiahol mi ju hore. Potom počkal, kým nezdvihnem ruky.

„Neboj sa," zašepkal.

Určite chápe moje obavy, pomyslela som si. Kto by im rozumel lepšie?

Pomaly som zdvihla ruky a on mi jemne vyzliekol nočnú košeľu. Potom sa ku mne pritúlil, bozkával ma a objímal. Tak citlivo ma hladil a bozkával, až som mala pocit, že sa milujeme akoby v spomalenom filme. Ručičky hodín sa úporne snažili pohnúť aspoň o kúsok dopredu. Všetko to chvenie a teplo, čo rozdávali Austinove prsty a každučký kúsok jeho tela, ktorý sa ma dotýkal, sa mi vracali ako dávno stratené a zabudnuté spomienky. Teraz putovali späť cez hlboké temné priepasti, aby sa objavili v mojom mozgu, nabitom očakávaniami a prísľubmi.

Som čohosi takého schopná? Som ešte schopná byť znovu ženou? Dokážem precítiť, ako ho rozpaľuje očakávanie a túžba? Zmeníme naše samostatné existovanie na nejaké magicky splynuté bytosti s dychom zrýchleným od vzrušenia? Alebo budem len funieť a vzdychať, nešikovná a trápna, sklamem jeho aj seba, akoby som bola nedodržaným sľubom, a moje bozky sa rozplynú ako dym a moje objatie nebude znamenať nič viac než zbožné prianie?

Nežne vyslovil moje meno. Dlaňami uchopil moje prsia a poláskal ich ústami. Hlavu som spustila na vankúš. Zatvorila som oči, aby som cítila, ako ma čoraz viac unáša teplo sálajúce z mojej rozhorúčenej krvi a planúcej pokožky.

„Si taká krásna," vravel.

Jeho slová účinkovali ako nejaký parfum, ktorý sladko prevoňal tmu. Vzdychala som od rozkoše, o ktorej som si myslela, že ma už nadobro opustila, a presne tak ako nejaká dávna priateľka, čo krúti hlavou nad mojimi pochybnosťami a rozčarovaním, aj moje telo ma karhalo za nedôverčivosť a doberalo si ma vlnami horúčosti, ktoré mi prebiehali po stehnách.

Austin im takmer rovnako rýchlo vyšiel v ústrety. Telom mi trhlo a on znehybnel.

„Chceš, aby som prestal?" spýtal sa.

Mala som mu povedať áno, prestaň, nenúť ma myslieť si, že som znovu naozajstnou ženou, nenapĺňaj ma falošnými nádejami a sľubmi, nepomáhaj mi vstať, aby som znovu padala? Mala som sa od neho odvrátiť?

Lenže čo by mi potom zostalo? Trvalé sklamanie a akceptovanie prehry a tragédie? Ako plavec, ktorý zašiel priďaleko, nemohla som odmietnuť podávanú pomocnú ruku, lenže Austinova opora rozhodne nebola hocijaká. To, ako sme sa na seba prvý raz pozreli, tie príjemné pocity, ktoré sme obaja prežívali, keď sme boli spolu, pohoda a ľahkosť, s akou sme sa venovali tým najdôvernejším myšlienkam a spomienkam, to všetko rozhodne znamenalo, že ide o čosi výnimočné.

„Neprestaň," povedala som a nadvihla som hlavu, aby som ho pobozkala.

Bola som prekvapená a vo vytržení, keď som ho cítila v sebe, a napĺňalo ma to toľkým vzrušením, že som nevládala dýchať. Držala som sa ho tak tuho, akoby som visela vo vzduchu. Keby som sa pustila, navždy by som už iba padala a padala. Slasť, ktorá nasledovala po našom spoločnom vyvrcholení, mi prešla hruďou, srdcom a pokračovala k mozgu. Myslím, že som na okamih omdlela alebo dospela k nejakému bodu za hranicou bežného vedomia. Prebrala som sa prekvapená, že sa ho stále tuho držím, a že je ešte vždy so mnou, objíma ma, zrýchlene dýcha a pery má pritisnuté na moje hrdlo. Vzápätí ma letmo pobozkal na ústa, zdvihol sa a ľahol si vedľa mňa.

Chvíľu ani jeden z nás neprehovoril.

„Ako ti je?" spýtal sa.

„Neviem. Mám pocit, akoby som mohla vstať a odkráčať," povedala som a on sa zasmial.

„Ak by na to bolo treba iba toto, tak by som mohol byť najúspešnejším zo všetkých terapeutov."

Opäť sme obaja mlčali. Potom sa oprel o lakeť a obrátil sa ku mne.

„Keď som ťa videl, Rain, ako si vletela do jazera, srdce sa mi divo rozbúšilo, no nielen preto, že som videl, ako sa niekto topí. Bolo to čosi omnoho silnejšie. Zachvátila ma panika a chcel som do toho jazera tiež. Chcel som sa s tebou utopiť. Veď by som o teba prišiel."

„Naozaj si to chcel urobiť?"

„Naozaj," povedal a oči mal nevinné a úprimné ako malý chlapec. „Od chvíle, keď som začal pre teba pracovať, stále na teba myslím. Niekedy mi myseľ natoľko zablúdi, že ak cvičím s inými pacientmi, musia na mňa zakričať, aby si získali moju pozornosť. Celý deň nerobím nič iné, len sa ospravedlňujem a čakám na chvíľu, keď sa k tebe môžem vrátiť. Ako keby som mal tvoju tvár nezmazateľne namaľovanú na vnútornej strane viečok. Keď zavriem oči, aby si odpočinuli, alebo keď idem spať, hádaj, koho vidím?"

Usmiala som sa a dotkla som sa jeho pier. Pobozkal ma na končeky prstov, potom si vzdychol a sadol si.

„Radšej by som už mal ísť," povedal. „Nemôžem riskovať, že ma tu nájde pani Bogartová, to je isté." Obliekol si košeľu. „Sme ako *Romeo a Júlia*, milenci, ktorým zakazujú lásku. Budem si to musieť znovu prečítať."

„Austin, ale ten príbeh nemá šťastný koniec," pripomenula som mu.

„V našom prípade ho však bude mať," sľúbil.

Obliekal sa tak tichučko, ako sa len dalo. Potom ma pobozkal na dobrú noc a vytratil sa cez okno.

Zmizol tak rýchlo, až som bola presvedčená, že to bol iba sen. Schúlila som sa čo najpohodlnejšie, zaborila sa do mäkučkého vankúša a zatvorila som oči.

Vzápätí som už spala. Pochmúrnosť, starosti a bolesti dňa zmizli ako popol, ktorý pohltil plameň našej vášne.

Po dlhom čase som sa opäť tešila na nasledujúci deň.

Energia a nadšenie, s akým som vítala každý nový deň, ma prekvapili takmer natoľko ako pani Bogartovú. Tá, prirodzene, nebola nejaká hlupaňa. Znaleckým pohľadom si najprv premerala mňa, potom Austina a jej nebadané kývnutie a jas v očiach prezradili, čo zistila. Nepovedala však ani slovko či nejakú kritickú pripomienku. Ale keď som ho po prvýkrát pozvala na večeru, nesúhlasne potriasla hlavou. Čoskoro som zistila, že sa stala špiónkou tety Victorie. Nebolo to teda ani z nespokojnosti, ani z hnevu, ale preto, lebo teta Victoria ju presvedčila, že sa ľahko môžem stať korisťou takzvaných zberateľov milostných dobrodružstiev.

Nasledujúci deň teta Victoria dofrčala ako nejaký strážny pes, ktorý vrčí, zúri a breše ako divý na nepriateľa.

„Čo to má znamenať, že ten terapeut teraz s tebou večeria, hocikedy ťa navštevuje a trávi s tebou omnoho viac času, než na aký bol najatý na tvoju rehabilitáciu?" vysypala ešte skôr, než vôbec pozdravila.

Bola som v kancelárii a písala som odpoveď na list pánovi MacWainovi z Anglicka. Keď sa dozvedel o mojej nehode, napísal mi a vyjadril súcit a ľútosť nad tým, čo sa mi stalo. O Royovi sa mi nedarilo nič zistiť, hoci som sa pokúšala ho vyhľadať. Chystala som sa napísať ďalší list jeho vojenskému právnikovi.

Oprela som sa o operadlo vozíka.

„Takže?" spytovala sa. „Čo sa to tu deje?"

„Neviem, čo je vás do toho, teta Victoria? Nechcem byť bezočivá ani drzá, ale o svojom živote rozhodujem ja, aj keď som uviazla na tomto vozíku."

„To je absurdné," zvolala. „Nikto ti nekáže, aby si o svojom živote nerozhodovala, ale je jasné, že nedbáš na dobrú radu. Tú radu nedávam z vlastného popudu. Hovorila som na tú tému s mnohými odborníkmi a všetci sa zhodli na tom, že v tvojom stave, najmä však takto skoro po nehode, si absolútne bezbranná. Ak sa ťa niekto ako ja nezastane, budeš –"

„Ranená?"

„Viac, než si vôbec vieš predstaviť." Urobila prestávku, ruky si zložila pod malými prsami a strnulo vystrela krk. „Takže," povedala rozhodne a zovrela pery. „Chcem vedieť, ako ďaleko zašla celá tá záležitosť. Máš nejakú romantickú aféru s týmto... s týmto takzvaným terapeutom?"

„Romantickú aféru?"

„Ty vieš presne, čo tým myslím."

Vyjavene sme sa na seba pozerali. Nevedela som, či sa mám smiať, alebo na ňu nakričať. Tvár jej zrazu zmäkla.

„Ver mi," pokračovala. „Muži sú najmä a predovšetkým sexuálni dravci. Prikradnú sa k žene a vrhnú sa na ňu vo chvíli, keď má najmenej síl a je najzraniteľnejšia, čím teraz nemyslím niekoho v tvojej situácii. Aj tie najsilnejšie a najzdravšie ženy dokážu opantať svojím smiechom, sentimentálnymi rečičkami a sľubmi a potom ťa pripravia o sebaúctu. Oni si dokonca ani neuvedomujú, čo robia, a aj keby si to uvedomovali, neznamenalo by to veľký rozdiel."

„O čom to hovoríte?" spýtala som sa a tvár sa mi stiah-

la do zmätenej grimasy. Nezdalo sa mi, že by práve teta
Victoria mala rozdávať rady ohrdnutým ženám. Pozrela sa
na mňa a potom prešla k oknu.

„Viem, že si myslíš, že nemám žiadne skúsenosti v tých-
to záležitostiach, ale nie je to tak. Viem to však veľmi dob-
re udržať za siedmimi zámkami." Obrátila sa ku mne.
„Som schopná podeliť sa s tebou o rady, o ženské rady.
Moja sestra," povedala tak, akoby tie slová priam vypľula,
„nikdy nemala záujem vypočuť si čokoľvek, čo som jej
v takýchto záležitostiach hovorila. Ona vždy bola tá skúse-
nejšia. Vraj ako jej ja môžem niečo radiť? Lenže ak má nie-
kto väčšie skúsenosti, ak spí s viacerými mužmi, to ešte ne-
znamená, že je aj múdrejší. Musíš to mať v poriadku tu
hore," povedala a ukázala si na čelo, vlastne si doňho
priam ďubla prstom tak silno, až ma myklo. „Človek musí
byť aj schopný poučiť sa z tých skúseností."

„Ona však takú schopnosť nemala a ani nikdy nebude
mať. Ale ty ju máš, Rain. Ja viem, že ju máš," povedala,
akoby prosíkala, aby sme boli dobrými priateľkami. „A mô-
žem ti dať zopár rád, ktoré sa ti zídu."

„Počuj," prešla do hnevlivého tónu. „Muži sú dravci,
dobrodružní lovci bohatstva, vždy pripravení zaútočiť.
Aj ja som sa kedysi stala ich obeťou," prekvapivo sa pri-
znala sa a potom odvrátila zrak.

Nastalo také hlboké ticho, že som až počula, ako na
druhej strane domu tečie voda cez vodovod.

„Čo tým myslíte, že ste sa stali obeťou?" spýtala som sa
napokon.

Desivým spôsobom sa zasmiala. „Predstieral, že som
preňho dôležitejšia než ona. Dokonca zašiel až tak ďale-
ko... že ma potreboval mať blízko seba, akoby potreboval
moju priazeň. Bolo mi ho ľúto a starala som sa oňho. Čo
myslíš, kto najviac prispel ku kampani?"

„Hovoríte o Grantovi? Stalo sa niečo medzi vami a Gran-
tom?"

Neprikývla, ale jej oči vraveli áno.

„Vie o tom moja matka?"

Znovu sa zasmiala.

„Tvoja matka nevie dokonca ani to, v akej je izbe. Som si istá, že Grant jej neraz zahol."

„Ako môžete uznávať muža, ktorý podvádza a klame a nemá žiadnu česť ani bezúhonnosť?" spýtala som sa.

„Ako by nemal byť na smrť unudený pri takej plytkej žene, ako je ona?" namietla. „Zlikvidovala by trpezlivosť a bezúhonnosť každého muža."

„Ale s vlastnou sestrou svojej ženy!"

„Už na to nechcem viac myslieť," povedala namiesto odpovede. Vyzerala znepokojene a pohľadom mi uhýbala.

Vravela mi pravdu alebo do slov odela len nejaké predstavy? V mojom živote sa však rozhodne stali aj čudnejšie veci, pomyslela som si.

„Teraz ma počúvaj," vrátila sa opäť ku kategorickému tónu. „Chcem, aby si mala iného terapeuta, zodpovedného a staršieho."

„Na túto tému sme sa už rozprávali, teta Victoria."

„Je to od teba hlúposť, Rain." Urobila prestávku, chvíľu sa dívala do prázdna a potom prikývla. „Porozmýšľaj, pozri sa na seba do zrkadla. Aký dobre vyzerajúci muž by ti chcel byť oddaný kvôli tebe a nie kvôli tvojmu bohatstvu? Nebuď slepá a hlúpa."

V očiach sa mi nakopili studené slzy a zahmlili mi zrak. Pod povrchom mojich snov sa vždy skrývali podobné obavy. Nepotrebovala som, aby mi ich pripomínala.

„To nie je váš problém," povedala som a hlas sa mi zlomil.

„Prirodzene, že je to môj problém. Vďaka mojej matke sme teraz partnerkami. Ak s niekým nadviažeš nejaký vzťah, budem s ním mať do činenia aj ja."

„Aha, takže o to ide. Robíte si znovu starosti pre najdôležitejšiu záležitosť, pre prehlásenie o čistej hodnote majetku, ktorým tu mávate ako nejakou zástavou, pre tie dokumenty, čo mi podstrkávate za chrbtom môjho právnika."

„Ja nič také nerobím. Je mi ľúto, že si to splnomocnenie nepodpísala. Bolo by to všetko veľmi uľahčilo a ty by si si nemusela robiť starosti s nijakým papierovaním. Vieš, že všetko, čo som ti predložila, už tvoj právnik videl a odobril to a veci sa dejú tak, ako som predpovedala. Konám tak, aby som dostála svojej zodpovednosti, v záujme nás oboch. Mala by si mi viac veriť a dôverovať. Veru, minulý týždeň som v náš prospech urobila jednu investíciu..."

„Mne je to fuk," povedala som vzápätí. „Môj právnik nechce, aby som podpísala to splnomocnenie."

Pokrútila hlavou.

„Zakaždým, keď si robím nádeje, že by si sa mohla podobať viac na mňa ako na Megan, ty tými nádejami otrasieš. Varujem ťa, Rain, ak ťa ten muž, ten terapeut, citovo prenasleduje, či už budem mať výsadu splnomocnenia, alebo nie, urobím všetky potrebné kroky."

„Prosím, prestaňte," modlikala som a slzy sa mi rinuli po tvári. „Prestaňte."

Prikývla.

„Dobre." Potom urobila pauzu, zhlboka sa nadýchla, zdvihla a spustila úzke, chudé plecia a pokračovala.

„Je tu ešte ďalší fakt, ktorý treba prijať," povedala.

„Čože?"

„Neposielaj po Jaka."

„Čože? Vravela som ti, aby si ho nevyhodila!" zvriekla som na ňu. „Povedala som ti, že pracuje pre mňa, nie pre teba! Povedala som ti..."

„Nemusela som ho vyhodiť. Je v nemocnici," oznámila škodoradostne.

„V nemocnici? Prečo? Čo sa mu stalo?"

„Má cirhózu. Je to ochorenie pečene z nadmerného pitia alkoholu."

„Ja viem, čo to je. Ako sa má?"

„Je na tom veľmi zle," povedala a obrátila sa na odchod.

„Chcem ho vidieť," zvolala som.

„Nežiadaj, aby som ťa tam zobrala," varovala ma, skôr než som na čosi také vôbec mohla pomyslieť. „Je to strata času," povedala pri dverách. „A ja rozhodne nemám času nazvyš."

Vypochodovala a jej kroky mi búšili do srdca rovnako, ako búšili do dlážky na chodbe.

Len čo som mohla, nechala som Austinovi odkaz na mobile. Zavolal späť a povedal, že hneď ako skončí u pacienta, okamžite príde a vezme ma do nemocnice navštíviť Jaka. Medzitým som zavolala Jakovi do nemocnice, ale povedali mi, že nie je schopný telefonovať.

Bolo toho na mňa priveľa. Pochytil ma usedavý plač a zdalo sa mi, že už nikdy neprestanem plakať. Vzápätí pribehla pani Bogartová a medzi vzlykmi som zo seba dostala, ako veľmi Jake ochorel. Keď počula o príčine choroby, uškľabila sa, prikývla a povedala, že ju to neprekvapuje.

„Často som mu z dychu cítila whisky," povedala. „Ľudia majú v živote dosť problémov aj bez toho, že by si ich sami ešte vyrábali," prehlásila. „A ak tak urobia, zaslúžia si, čo ich za to čaká."

„Som si istá, že nechce byť chorý," odvrkla som. „Prečo ste taká krutá?"

Napajedila sa, tvár sa jej nadula a nafúkla ako balón.

„Nie som krutá, ale videla som, čo vie pitie s ľuďmi urobiť. Môj opitý otec pri autonehode zabil seba a nevinnú ženu," povedala.

Po tých slovách sa obrátila a odišla. Ľutovala som, že som si ešte nenašla čas a nenaučila sa viesť dodávku. To len potvrdzovalo zbytočnosť utápania sa v sebaľútosti.

Mala som využiť každú príležitosť na obnovu svojej ne-
závislosti. Prisahala som si, že odteraz tak budem robiť,
či už s pomocou pani Bogartovej a tety Victorie, alebo
bez nej.

Konečne prišiel Austin a ihneď sme sa pobrali do ne-
mocnice.

„Kam to dievča beriete?" spýtala sa pani Bogartová, keď
nás začula na chodbe.

„Idem navštíviť Jaka," odpovedala som.

Vyčítavo sa pozrela na Austina, on ju však ignoroval
a vyviezol ma von. Bezpečne ma usadil v dodávke a od-
išli sme.

„Som si istá, že teraz už telefonuje s tetou Victoriou,"
povedala som mu. „Najviac na mojom stave nenávidím to,
že každý so mnou zaobchádza ako s dieťaťom. Dokonca aj
domáca asistentka si myslí, že ma môže dirigovať."

„Máš pravdu. To, ako iní nazerajú na postihnutých, ne-
raz ubližuje ich egu a spomaľuje ich rehabilitáciu," pove-
dal Austin. „To je vec, ktorá ma hrozne štve. Je iróniou
osudu, že čím viac privilégií postihnutí ľudia získajú, tým
viac ich iní podceňujú. Moji priatelia neraz žartujú a par-
kovacie miesta pre ‚*handicapovaných*‛ nazývajú miestami
pre capov. Takmer som sa s nimi preto pobil."

Od rozprávania mu očervenela tvár.

„Myslím, že som jedným z tých, čo sa musia zaangažo-
vať za svojich pacientov," povedal.

„No dobre, len aby si sa za nikoho iného neangažoval
tak veľmi ako za mňa," zareagovala som a on sa zasmial.

Pozrel sa na mňa a potriasol hlavou. „To sotva."

Keď sme prišli do nemocnice, odviezol ma do vstupnej
haly a šiel sa k informátorovi spýtať, kde leží Jake. O nie-
koľko minút neskôr sme sa už vo výťahu viezli na tretie
poschodie. Všade vládlo ticho, bol už takmer koniec náv-
števných hodín.

„Nuž, rozmýšľala som, kde asi je jeho rodina," povedala nám službukonajúca sestrička, keď sme sa spýtali na Jakovu izbu. „Striedavo je pri vedomí a v bezvedomí a spytuje sa na svoju dcéru. Teraz je uňho doktor Hamman a som si istá, že sa s vami bude chcieť porozprávať."

Austin sa už chystal povedať jej, že ja nie som Jakova dcéra, ale chytro som ho chytila za ruku, on sa na mňa pozrel a pochopil, že si to neželám.

Pomaly sme šli smerom k Jakovej izbe. Práve keď sme sa blížili ku dverám, vyšiel doktor Hamman so sestričkou.

„Radšej ho prevezte na jednotku intenzívnej starostlivosti," povedal jej. Prikývla, a keď nás zbadala, dotkla sa doktorovho ramena. Obrátil sa.

„Aha," ozval sa. „Ste príbuzní pána Marvina?" spýtal sa.

„Áno," odpovedala som.

Pokýval hlavou a v jeho pohľade sa zjavil smútok.

„Obávam sa, že jeho ochorenie pečene sa dostalo do veľmi vážneho štádia. V dôsledku neho mu začínajú zlyhávať obličky."

„Ako sa to mohlo vyvinúť tak rýchlo?" spýtala som sa zlomeným hlasom.

„Rýchlo? Ó, nie, nestalo sa to rýchlo. Pán Marvin sa už istý čas liečil na cirhózu. Opakovane sme ho varovali, ale z nejakých dôvodov sa jeho príjem alkoholu v poslednom čase výrazne zvýšil, čo viedlo k vážnym komplikáciám. Táto choroba vie byť veľmi nenápadná. Niekedy ju objavíme, inokedy nie. Také prípady sa nazývajú kryptogénna cirhóza. Často sa objavia iba minimálne fyzické zmeny, napríklad červené dlane, červené a neskôr bledé fľaky na hornej časti tela, ktoré voláme pavúkovitými angiómami, alebo fibróza šliach na dlaniach. Niektorí ľudia dostanú žltačku alebo majú problémy s pamäťou. Každý prípad je iný."

„Ľutujem, že je to s ním vážne," povedal. „Musím ho premiestniť na oddelenie intenzívnej starostlivosti. Bez transplantácie obličky bude musieť okamžite prejsť na dialýzu a pri pokračujúcom zhoršovaní stavu..." Hlas mu stíchol.

Čakal, či nemám ešte ďalšie otázky, lenže ja som nebola schopná prehovoriť, len som sa držala Austinovej ruky. Potom som sa na vozíku odviezla do Jakovej izby. Vyzeral, akoby nebol pri vedomí, ale keď som už bola pri jeho posteli, obrátil sa a usmial sa.

„No toto, princeznička? ... Čo ty tu robíš?"

„Ale choďte, Jake. To skôr ja sa vás chcem spýtať, čo tu robíte?" namietla som. „Práve som hovorila s lekárom. Vedeli ste, že ste chorý, ale aj tak ste pokračovali v pití."

„Tí lekári," odbil to grimasou a zatvoril oči. „Budem v poriadku. Čoskoro odtiaľto vypadnem. So mnou si nerob starosti," povedal a otvoril oči. „Povedz, ako si sa sem dostala?"

„Austin ma priviezol v dodávke," odpovedala som.

„Aha. Ale radšej sa aj ty nauč jazdiť," povedal láskavo.

„Naučím. Austin mi s tým čoskoro pomôže," riekla som, pozrúc naňho. Prikývol.

„Určite."

„Fajn," povedal Jake, ako keby to bola posledná vec, o ktorej sa chcel ubezpečiť pred odchodom z tohto sveta. Znovu zatvoril oči a ihneď upadol do hlbokého spánku, ktorý pripomínal kómu. Čakala som, či sa nepreberie, ale spal, aj keď ho už prišli odviezť na oddelenie intenzívnej starostlivosti. S Austinom sme sledovali, ako ho pripravujú na prevoz a potom odvážajú na posteli s kolieskami.

„Ešte vždy nechápeš, prečo som presvedčená, že každý, komu na mne záleží, podstúpi útrapy?" spýtala som sa Austina.

„Prestaň, Rain," odsekol. „Nezačínaj si zasa robiť výčitky. Za toto nenesieš vinu. Počula si doktora. Jake vedel, že by nemal piť, a napriek tomu pokračoval v pití."

„Prosím ťa, vezmi ma už domov, Austin. Vezmi ma domov a nechaj ma tam," poprosila som ho.

Na ceste domov som Austinovi rozprávala o Jakovi a o tom, čo som vedela o jeho vzťahu so starou mamou Hudsonovou. Povedala som mu aj to, že od samého začiatku bol mojím najlepším priateľom. „Viem, Austin, že sa obviňuje za to, čo sa mi stalo. Preto začal piť. Nerozumieš? Preto vravím, že každého, kto sa so mnou zblíži, čakajú útrapy.“

„Teta Victoria má pravdu, aj keď z iných dôvodov. Už sa sem nevracaj, Austin,“ prosíkala som ho. „Lepšie bude, ak na mňa jednoducho zabudneš. Zoženiem si nejakého iného terapeuta.“

Dorazili sme autom k domu a Austin vypol motor.

„Prestaň s tými bláznivými rečami,“ prikázal mi.

Začala som plakať. Chytil ma za ramená a nečakane silne mnou zatriasol. Pozrela som sa naňho.

„Prestaň!“ zvolal znovu. „Nemysli si, Rain, že sa budeš utápať v takejto sebaľútosti. Ja ti to nedovolím. Som si istý, že sa dokážeš vrátiť do riadneho, činorodého života, a ja nikam nepôjdem, takže si to vyhoď z tej svojej hlúpučkej hlavy,“ nástojil so skalopevnou rozhodnosťou v očiach. „Zajtra začneme s tvojím vodičským kurzom, ale teraz už musíš odpočívať.“

Vystúpil a pomohol mi dostať sa z dodávky. Potom ma vyviezol po rampe do domu. Pani Bogartovú nebolo vidno. Buď kvôli niečomu odišla, alebo bola vo svojej izbe. Nevolala som ju. Austin ma vzal do mojej izby a zatvoril za nami dvere. Sedela som tam akoby omráčená a bezmocná. Pobozkal ma na líce a začal mi pomáhať vyzliekať šaty a pripravovať sa do postele. Nechala som všetko naňho. V tej chvíli mi robilo dobre cítiť sa bezbranná.

Keď ma odniesol do postele a uložil, zababušil ma do prikrývky. Pobozkal ma a ja som sa zrazu cítila ako malé dievčatko v tých časoch, keď ma do postele ukladala mama a želala mi sladké sny.

Austin neodišiel. Chvíľu iba sedel a pozeral sa na mňa,

ako ležím. Počula som, ako vstal a šiel do kúpeľne, ale ne-
otvorila som oči. Podchvíľou som zaspávala a precitala, ale
kedykoľvek som otvorila oči, ešte vždy tam sedel. Nako-
niec som vzdychla a pozrela sa na hodiny. Boli takmer dve
hodiny ráno.

„Prečo nejdeš domov, Austin?“

„Ja som v poriadku,“ povedal.

„Takto je to pre teba nepohodlné,“ povedala som. „Ak
naozaj trváš na tom, že tu zostaneš, potom si ľahni ku
mne,“ navrhla som.

Usmial sa.

„Dobre.“

Vstal, vyzliekol sa a zašuchol sa vedľa mňa. Obrátila
som sa k nemu a objali sme sa. Uvelebená v jeho náručí
som sa znovu cítila v bezpečí a spokojná. Jemne ma po-
bozkal na pery a obaja sme nakoniec zaspali.

Strhla som sa až na to, keď sa otvorili dvere mojej spál-
ne a ovanul ma prúd vzduchu. Austin ešte vždy spal.

„No teda, toto je úžasný pohľad!“ zvolala pani Bogar-
tová. Stála tam s rukami vbok. „Úžasný pohľad.“

Austin otvoril oči, pozrel sa na mňa a potom na ňu.
Spustil hlavu nazad do vankúša a vzdychol.

„Zavrite dvere, pani Bogartová, a už nikdy, nikdy ne-
vtrhnite do mojej izby,“ povedala som jej.

„Nemusíte sa obávať, že to ešte niekedy urobím,“ vy-
hrážala sa mi. „Nebudem sa tu len tak prizerať na takúto
hriešnosť a ešte počúvať, ako so mnou hovoríte.“

Keď odchádzala, tresla dverami.

„Pánabeka,“ ozval sa Austin.

„Nič si z toho nerob. Moja stará mama bola známa
tým, že sa u nej služobníctvo obmieňalo. Ja iba dodržia-
vam túto tradíciu,“ povedala som a on sa zasmial.

Pani Bogartová neodišla okamžite, ale dala výpoveď
tete Victorii, ktorá to využila ako ďalší dôvod na jednu
zo svojich zúrivých kázní o nástrahách vzťahov s mužmi.

Venovala som jej však ešte menej pozornosti ako pred-
tým. Keď bedákala, aké ťažké bude nájsť niekoho takého
kvalifikovaného, ako bola pani Bogartová, ubezpečila
som ju, že si s tým nemusí robiť starosti, lebo ja si nie-
koho nájdem sama.

„To je úplne absurdné,“ prehlásila, vypochodovala
z domu a potichu si hundrala, že sa to navyše všetko de-
je v nevhodnom čase. Veď ona má toho teraz príliš veľa
na pleciach a nemá čas poúčať ľahkomyseľné invalidné
dievča.

V priebehu nasledujúcich týždňov Austin pokračoval
v mojej terapii a často zostal so mnou aj na noc. Kedykoľ-
vek sme mali príležitosť, šli sme autom do nemocnice
navštíviť Jaka. Niekedy vnímal, že som prišla, inokedy
nie. Občas zamrmlal čosi, čo iným ľuďom znelo ako ne-
zmysel, pre mňa to však bola súčasť mozaiky všetkých ta-
jomstiev, ktoré ho na konci života zahaľovali.

Austin ma učil šoférovať dodávku a rozšíril mi rehabili-
táciu tak, že zahŕňala aj iné každodenné činnosti, všetko
v záujme toho, aby som bola čoraz nezávislejšia. Keď som
prvý raz šla v aute sama, bola som trochu vydesená, ale
mechanizovaná dodávka to všetko zvládla. Dokonca som
si zašla aj nakúpiť do supermarketu. V ten večer som pa-
ni Bogartovej povedala, nech si vezme voľno, a pripravila
som pre nás s Austinom večeru.

Austin jedlo veľmi vychválil a ja som si myslela, že to
zámerne preháňa, on však prisahal, že všetko je priam la-
hodné. Nechcelo sa mi to veriť, a tak položil vidličku a vy-
čítavo sa na mňa pozrel.

„Bola si dobrá kuchárka pred tou nehodou?“ spýtal sa.

„Často mi hovorievali, že áno,“ pripustila som.

„Pripravovala si jedlo nohami?“

„Nie,“ odpovedala som so smiechom.

„Tak potom ako mohla tá nehoda nejako zmeniť tvoje
kuchárske schopnosti?“ vypočúval ma. „Čo ty na to?“

„Asi nemohla," pripustila som.

„Ak by som ťa chválil za džoging, môžeš o mojej pochvale pochybovať," vravel. „Dovtedy však trvám na tom, aby si úprimnosť mojej pochvaly nespochybňovala."

Zasmiala som sa. Ako príjemne som sa vďaka nemu cítila. Pripil mi ďalším pohárom vína a potom vstal a pobozkal ma.

„Nechajme riad na pani Bogartovú," zašepkal a perami mi láskal ucho. „To je najmenej, čo môže urobiť."

Obrátila som sa k nemu a zasmiala som sa.

„Áno? A čo budeme robiť my?"

Jeho oči mi vraveli, čo chce. Moje jasne a zreteľne prejavili to isté želanie. Odviezol ma od stola, jemne ma zdvihol z vozíka a uložil do postele. Milovali sme sa omnoho vášnivejšie a pritom omnoho vrúcnejšie než kedykoľvek predtým.

Po milovaní som sa cítila vyrovnanejšia a spokojnejšia. Len som dúfala a modlila sa, aby to nebol prelud, ktorý sa rozplynie či uletí ako suchý list a nakoniec z neho zostane iba prach.

Viem byť šťastná. Som znovu schopná prežívať šťastie, vravela som si.

Už sme zaspávali, keď zazvonil telefón. Moje srdce to cítilo ešte skôr, než som začula slová.

Volal doktor Hamman.

„Pán Marvin zomrel," povedal a dodal, že je mu to veľmi ľúto.

Usedavo som sa rozplakala v Austinovom náručí. Potom som sa trochu upokojila, utrela si líca a obrátila sa k nemu.

„Osoba, ktorá mala tento telefonát prevziať, nemá ani potuchy o tom, prečo by to tak malo byť. Je to takmer také hrozné ako to, čo sa stalo Jakovi. Jeho dcéra pri ňom vôbec nebola."

„Ty si tam bola, Rain," pripomenul mi. „A Jake ťa miloval tak, ako by miloval dcéru."

„Ja sa oňho postarám," prisahala som. „Postarám sa, aby mal dôstojný pohreb."

Znovu som sa schúlila v Austinovom náručí. Držal ma v objatí a mne sa mysľou mihali obrazy Jaka, jeho úsmev a smiech, povzbudivé slová, ba dokonca aj smútok na tvári, keď ma viezol na letisko pred odchodom do Londýna.

„Je veľmi dôležité, Austin, aby človek mal niekoho, komu sa pri rozlúčke nahrnú slzy do očí," zašepkala som.

„Mne sa určite nenahrnú," povedal. „Pretože ja sa s tebou nikdy nerozlúčim."

Ach, Bože, nedopusť, aby sa tie slová premenili na suché listy, z ktorých nakoniec zostane iba prach.

V rozbitom zrkadle

S Austinovou pomocou som vybavila Jakov pohreb. Mal
byť pochovaný v rodinnej hrobke na tom istom cintoríne,
kde ležala stará mama Hudsonová. Pani Bogartová odišla
deň pred pohrebom. Postrehla som, že sa začala cítiť tro-
chu previnilo, pretože ma opúšťa. Keď sa po raňajkách
prišla so mnou rozlúčiť, akoby sa jej nedarilo zdvihnúť
zrak z dlážky a pozrieť sa na mňa priamo.

„Je mi ľúto, že ten muž zomrel a že vám to spôsobilo
ešte viac žiaľu," začala.

„Volal sa Jake," opravila som ju. „Nevolal sa ‚ten muž'."
Vzápätí sa pozrela na mňa a krk jej ustrnul.

„No, ja nerada vidím, keď sa niekomu stane niečo zlé,
dokonca aj keby si to sám privodil. Zostala by som s va-
mi o trochu dlhšie, aby som vám pomohla zvládnuť toto
ťažké obdobie," dodala, pričom jej svedomie vyplávalo na
povrch ako nejaká tvrdošijná spomienka, ktorá odmieta
v tichosti odpočívať pod ťažkou vrstvou hnevu a vlastného
ega. „Mám však už nové miesto u niekoho, kto ma potre-
buje viac, a sľúbila som, že tam dnes popoludní prídem."

„Neporušte svoj sľub," zamrmlala som chladne.

„Ste neposlušné dievča a nepočúvate svoju tetu. Je to
veľmi múdra žena a bude z vás úbohé stvorenie, ak nedá-
te na jej rady."

„Myslíte ešte úbohejšie stvorenie, však? Pretože už teraz
som úbohé stvorenie."

Potriasla hlavou a stisla pery, líca sa jej vyduli a oči akoby ustúpili do malých tmavých jamôk.

„Upratala som dom a nechala som vám kopec jedla. Mali by ste byť zatiaľ v poriadku, ak si čoskoro zoženiete niekoho nového."

„Ďakujem," zareagovala som, „ale budem v poriadku aj bez niekoho nového."

„O tom pochybujem," povedala len tak pre seba. Chystala sa obrátiť na odchod, ja som však vozík odkotúľala smerom k nej. Od prekvapenia ňou až trhlo.

„Ste veľmi schopná asistentka, pani Bogartová. Som si istá, že pre vášho nového klienta budete znamenať veľkú pomoc. Ale postihnutí ľudia ako ja majú aj iné potreby než jedlo, pitie a strechu nad hlavou."

„Dúfam, že si toto poznanie vezmete so sebou na nové miesto a nebudete súdiť ľudí tak prísne iba preto, že vy viete chodiť."

Pokrútila hlavou a v tvári mala nielen ohromenie, ale takmer oceňujúci výraz.

„Odkiaľ beriete všetku tú zaťatosť a tvrdohlavosť?" spýtala sa. „Dokonca aj pri vašom postihnutí."

Usmiala som sa.

„Moja nevlastná matka sa na nikoho nepozerala zvrchu, nech už by to s ním vyzeralo akokoľvek biedne."

Pomykala plecami ako nejaký veľký vták, čo si čechrá perie, a chopila sa svojich tašiek. Potom odmašírovala z domu. Zvuk zatvárajúcich sa dverí znel chodbou a jeho ozvena zatíchla v niektorom z kútov. Zhlboka som sa nadýchla, zatvorila som oči a opakovala si, že naozaj bude všetko v poriadku a ja budem schopná to zvládnuť.

Zatelefonoval Austin a spýtal sa, ako sa mám. Vedel, že pani Bogartová odchádza. Ubezpečila som ho, že sa mám fajn, a on prisľúbil, že sa hneď po práci zastaví. Väčšinu dňa som strávila preorganizovávaním domu, aby v ňom bol ku všetkému lepší prístup, a urobila som si zoznam zásob. Bolo mimoriadne krásne popoludnie, a tak som na vozíčku zašla na zadnú terasu. Popíjala som malinovku a sledovala vtáčiky poletujúce zo stromu na strom. Horúčkovito sa chystali na nové ročné obdobie. Mama hovorievala, že vtáky sú majstri klebiet, lebo celé dni sedia na telefónnych drôtoch a počúvajú všetky rozhovory. Usmiala som sa pri spomienke, ako sme sa z okna bytu zvykli obe spolu dívať na ulicu.

S prekvapením som si uvedomila, že nikdy predtým som si len tak neposedela a nevychutnávala ladnosť pohybov a krásu tých poletujúcich stvorení. Bolo ich tam omnoho viac ako v meste. Ako som ich pozorovala, myslela som na to, že ich pohyb je neoddeliteľnou súčasťou toho, kým a čím sú. Vták, ktorý stratil schopnosť lietať, už nebol vták. Bol čosi menej, pomyslela som si, čosi omnoho menej.

Som aj ja niekto iný? Som ktosi omnoho menej hodnotný? Vari pani Bogartová a teta Victoria mali pravdu, keď si mysleli, že nebudem vedieť konať sama za seba len preto, že moja schopnosť pohybu je obmedzená? V tejto chvíli som to odmietala pripustiť. Vďaka Austinovi som znovu nadobudla sebadôveru. Bola som schopná písať, rozmýšľať, variť, upratovať a postarať sa o svoje základné potreby. Vedela som jazdiť na aute a zájsť takmer všade. Predovšetkým som však bola schopná milovať a byť milovaná.

Nie, mýlili sa. V skutočnosti som sa po odchode pani Bogartovej opäť cítila dobre. Mala som pocit, že môj život je znovu v mojich rukách, a to mi vrátilo dôstojnosť a identitu. Chvalabohu, že ste všetci preč, pomyslela som si vzdorovito. Budem opäť ako tie vtáčatá, voľná, ladná a spokojná.

Počula som, že niekto pristál pri dome a vošiel do domu. Myslela som, že je to Austin, a tak som sa ponáhľala dnu, aby som ho privítala. Bola to však teta Victoria. Vyzerala utrápená, vlasy mala trochu rozstrapatené, kostým pokrčený. Volala ma a nakúkala do izieb. Keď ma zazrela, ako zo zadnej časti domu poháňam kolesá vozíka, zastala a na tvári sa jej zjavilo prekvapenie.

„Čo to robíš?" spýtala sa. „Prečo si tam sama?"

„Len som sa šla nadýchať čerstvého vzduchu."

Prijala moju odpoveď, akoby to bolo niečo priťažké na strávenie, a potom sa zamračila.

„Takže teraz si už spokojná? Pani Bogartová je preč. Čí to bol vlastne nápad?" spýtala sa a oči sa jej zúžili. „Bol to jeho nápad, však? Ten terapeut chcel, aby si tu bola sama, no nie? Tak to vymyslel!"

„Nie, teta Victoria, ona sama sa rozhodla, že odíde," povedala som pokojne. „A ty to vieš."

„Bola prinútená, aby odišla. Tak to viem ja. Dobre, dobre," zahundrala si pod nos. Poobzerala sa dookola a oči jej divo pobehovali. „Tým už ďalej nejdem strácať čas." Pravú ruku si pritlačila na srdce, akoby ju bolelo, a zhlboka sa nadýchla, pričom sa jej tenké a úzke plecia zdvihli dovysoka a vzápätí prudko klesli.

„Čo ti je? Necítiš sa dobre?" spýtala som sa.

Naklonila sa ku mne, akoby ma chcela opľuť, ale potom sa iba chladne usmiala. Pery sa jej natiahli a zbledli, oči roztvorili doširoka.

„Dnes príde domov. Lekári tvrdia, že jej stav je dosť dobrý, a Grant ju privíta s otvorenou náručou. S otvorenou náručou, dokonca aj po tom všetkom, čo sa stalo!" zvolala a rozhodila rukami, akoby tým naznačovala dom. „Lekári vravia, že jej depresie natoľko ustúpili, že sa môže vrátiť do normálneho života. Vieš si predstaviť taký nezmysel? Veď ona nikdy nežila normálny život. To všetko naplánovala ona, bol to jej prefíkaný plán. Ako by ju mohol chcieť nazad? Veď vieš, čo hovorím o mužoch, však? Vidíš, že mám pravdu?"

„Idú na dovolenku," pokračovala a jej takmer šialený

smiech zarinčal ako rozbité sklo. „On tomu hovorí malá za-slúžená rekreácia vo dvojici. Lenže čím si ju zaslúžila ona?"

„Stratila syna, teta Victoria. Strašne trpela. Nech si už myslíš o nej čokoľvek, je to tvoja vlastná sestra. Ako môžeš byť k nej taká krutá?"

„Čože? To hovoríš ty? Ty sa ma pýtaš na niečo také? Ty, ktorej ublížila zo všetkých najviac, sa ma pýtaš, ako môžem byť taká krutá?" spýtala sa, ukazujúc na mňa.

„Teta Victoria, ja už viac nechcem byť nahnevaná či podráždená, ani nechcem nikoho nenávidieť. Ak si si myslela, že sa s tebou spriahnem proti mojej matke, tak si sa mýlila. Chcem iba žiť, ako najlepšie viem. Nenávisť, túžba po pomste a podobné veci človeka zožierajú, až je nakoniec akoby vykradnutý a pripadá cudzo sám sebe aj komukoľvek, kto ho má rád alebo by ho mohol mať rád."

„No toto, takéto múdrosti od tínedžerky na vozíčku," zahundrala si, myknúc hlavou, akoby odhadzovala nejaké hnilé ovocie.

„Nie som tínedžerka na vozíčku," nedala som sa. „Som mladá postihnutá žena, ktorej sa darí celkom fajn, a ďa-kujem."

„Správne, správne, to je ono, mladá Megan. Len si za-hrab hlavu do piesku, nasaď si ružové okuliare, zavri uši a oči, aby si nevnímala nič skľučujúce, bláznivo sa chichoc pri stole a všade chodievaj s klapkami na očiach. Teraz si sa pre mňa zmenila na moju sestru na vozíčku," povedala pohŕdavo. „Keď sa na teba pozriem, vidím jej tvár."

Potriasla som hlavou.

„Mysli si, čo chceš. Mám už dosť konfliktov s tebou či kýmkoľvek iným," vravela som.

Vzdychla si, odvrátila tvár a potom sa na mňa pozrela s povedomejším výrazom v očiach: s výrazom podnika-teľky.

„Zrejme ty si zaplatila za Jakov pohreb."

„Áno. Zavolala som do tvojej kancelárie a nechala som

ti tam všetky informácie. Pohreb bude v kostole zajtra o desiatej."

„Zajtra ráno mám veľmi dôležité stretnutie s členmi akciovej spoločnosti, takže tam nebudem."

„Musíš tam byť," povedala som rázne.

„Čože? Mám byť na pohrebe šoféra mojej matky namiesto dôležitého obchodného stretnutia?" Zasmiala sa.

„To sotva," ubezpečila ma a vykročila na odchod.

Nezniesla som myšlienku, že Jaka ponižuje. To nedovolím.

„On nie je len šofér tvojej matky. Tak počkaj!" zakričala som na ňu naliehavo.

„O čo ide?" spýtala sa s netrpezlivosťou v hlase. „Mám vybaviť nejaké dôležité telefonáty a už som dnes premrhala priveľa času."

„Jake... nebol iba šofér tvojej matky. Jake bol tvoj otec," povedala som.

Chvíľu ani nehlesla. Potom urobila zopár krokov nazad ku mne a vzápätí sa rozosmiala.

„Čo si sa zbláznila? Sú tieto zmätené a absurdné výplody dôsledkom tvojho postihnutia? Jake, rodinný šofér, a môj otec?"

„Sám mi to povedal. On a stará mama Hudsonová boli milenci a ona otehotnela s tebou. To preto sa človek, o ktorom si si myslela, že je tvoj otec, správal k Megan inak ako k tebe. Vedel o tom."

Namiesto nezúčastneného úsmevu sa jej na tvári objavil ten najzatvrdilejší hnev a nenávisť. Jej rozzúrený výraz pramenil z nejakej zlovoľnosti v nej, ktorá zrejme siahala až do čias Kaina. Keď pristúpila bližšie, akoby na ňu padol závoj temnoty. Akoby zrazu rástla do výšky a plecia sa jej dvíhali čoraz vyššie, až kým sa nado mnou výhražne netýčila ako nejaká smrtka, pripravená zaútočiť.

„Ako si dovoľuješ prekrúcať niečo, čo som ti dôverne povedala? Ako si dovoľuješ vymýšľať nejaký nechutný a absurdný príbeh o hriechu? Pokúšaš sa tým zakryť svoje vlastné hriechy? O to ide? Myslíš si, že vďaka tomu ťa už nikto z ničoho nebude obviňovať?"

„Nie, prirodzene, že nie. Vravím ti len to, čo mi povedal Jake, a čo tebe mali povedať pred mnohými a mnohými rokmi. Bol na teba pyšný, teta Victoria. Často zvykol rozprávať o tebe, o tvojich schopnostiach a úspechoch a –"

„Prestaň!" zvrieskla. Z jej očí na mňa sršali blesky, keď si dlaňami plieskala po ušiach tak silne, že ju to určite muselo páliť. „Nechcem už niečo také počúvať ani sekundu! Ak sa opovážiš čokoľvek také niekomu čo i len naznačiť, buď si istá, že v tom budeš tak lietať, že byť na vozíku ti oproti tomu, čo ťa čaká, bude pripadať priam úžasné."

„Neviem, či tomu veríš," povedala som pokojne. „Ale na pohreb by si mala ísť."

Chvíľu ňou ešte lomcovala zúrivosť. Potom spustila ruky z uší a prikývla.

„Všetka tá vzbura, tie nezmysly, to je jeho dielo, dielo toho chamtivého dobrodruha," povedala. „Ja sa o to postarám." Obrátila sa a pobrala sa ku vchodovým dverám.

„Austin s tým nemá vôbec nič do činenia," kričala som. „Nie aby si urobila niečo, čo by mu uškodilo. Varujem ťa."

Jej istotu to však nespochybnilo.

„Teta Victoria, varujem ťa! Teta Victoria!" kričala som.

Medzitým už rozhodnými krokmi mašírovala po chodbe a von z domu, zabuchla za sebou vchodové dvere a nechala ma v kresle celú roztrasenú.

Na Jakovom pohrebe nebolo veľa ľudí. Okrem kamarátov, ktorých mal v miestnom hostinci, a zopár starých priateľov, ktorí ho poznali ešte predtým, než sa dal naverbovať k námorníctvu, sme tam boli iba Austin, ja a Mick Nelsen, cvičiteľ koní, ktorý mi kedysi pomáhal s Rain. Na cintoríne mi Mick povedal, ako často mu Jake o mne hovorieval a ako veľmi ma mal rád a obdivoval ma.

„Zvykol som si ho doberať a vravieval som mu: Si si istý, že to nie je tvoja dcéra, Jake? Hovoril, že nie, ale ty si bola jediná, čo mu bola takmer dcérou. Zbožňoval spôsob, ako si jazdila na tom koni a ako si ťa obľúbil."

Spýtala som sa ho, kde vlastne je teraz Rain, a on ma ubezpečil, že je v dobrých rukách. Nahlas som uvažovala, že sa na ňu niekedy možno zájdem pozrieť. Mick prisľúbil, že mi vopred zatelefonuje a dohodne stretnutie, ako budem chcieť. Stál vedľa nás, keď sme počúvali farára a potom hľadeli, ako spúšťajú Jakovu truhlu. Po pohrebe ma Austin vzal k hrobu starej mamy Hudsonovej, kde som strávila dobrú chvíľu. Austin čakal pri dodávke, aby som mohla byť trochu osamote. S chvatom sa vrátil, keď zbadal, že sa mi od usedavého vzlykotu chvejú plecia.

„Je čas ísť, Rain," povedal a podával mi vreckovku.

Poutierala som si oči, prikývla a oprela som sa dozadu. Nechala som naňho, aby ma odviezol cez cintorín k dodávke. Čoskoro ma už tlačil hore po rampe do domu. Keďže pani Bogartová odišla a na jej miesto ešte nik nenastúpil, dlhá chodba a veľké izby sa zdali ešte viac prázdne a pochmúrne. Austin navrhol, aby sme sa niekam zašli navečerať.

„Čosi také sme ešte spolu nepodnikli," vravel. „Vieš čo? Choď sa prezliecť, ja si dám sako a viazanku a pôjdeme do jedného veľmi fajn podniku. Majú tam terasu s výhľadom na vodu. Ako sa ti to pozdáva?"

„Fajn," pritakala som s úsmevom.

„Potrebuješ pri chystaní nejakú pomoc?" spýtal sa.

„Nie," odpovedala som rozhodne a navyše aj so zjavnou sebadôverou. „Dnes večer to chcem všetko zvládnuť sama."

„Aj ja som si to myslel. Vrátim sa asi o dve hodiny, dobre?"

„Áno," povedala som. Pobozkal ma a odišiel.

Odhodlane som sa obrátila do izby, aby som zistila, aká som silná a ako vysoko môžem vystúpiť z plameňov smútku, ktoré okolo mňa horeli. Vybrala som si jedny zo svojich najkrajších šiat. Uvedomila som si, že od tej nehody som si nekúpila žiadne oblečenie. Stratila som akýkoľvek záujem o to, ako vyzerám, či idem s dobou, alebo nie. To sa zmení, pomyslela som si. Stará mama mi zanechala kopec peňazí a ja som neutratila ani cent na niečo, čo nebolo zdravotnou nevyhnutnosťou. Aj keď som bola na vozíčku, ľudia mi videli nohy. Bolo dôležité mať pekné topánky a aj vlasy by som mala mať pekne upravené.

Pred zrkadlom som si dala sľub, že zmením svoj vzhľad. Tento neduživý, chabý a poľutovaniahodný výzor zmením na priaznivejší, prekypujúci životom. Znovu by som mohla byť pekná. Austin tie veci nevravel iba preto, aby som sa cítila lepšie. Videla som mu to na očiach, na spôsobe, ako sa na mňa pozeral, keď si myslel, že sa naňho nedívam. Cenil si ma. Stratila som schopnosť chodiť, nie však schopnosť byť atraktívna.

Nemohla som poprieť, že som sa tak trochu bála okúpať bez niekoho nablízku. Väčšinu vecí som už aspoň z času na čas zvládala sama, ale pani Bogartová vždy bývala nablízku, keď som sa kúpala. Napustila som vodu do vane, rozložila si oblečenie a potom som sa vyzliekla a presunula z vozíka do vane. Vzápätí ma však pochytil hrozný strach, či sa z nej budem schopná dostať, takže kúpeľ mi vôbec neposkytol potešenie. O pár minút som sa už zberala von, len aby som sa ubezpečila, že sa mi to podarí. Čo ak budem ešte vždy vo vani, keď príde Austin? To by bolo trápne.

V panike a v náhlivej snahe dostať sa z vane som sa pošmykla a tak silno som si udrela rameno o keramickú dlaždicu, až mi vyrazilo dych. Pustila som sa do plaču, ale potom som sa pozbierala a sústredenejšie som sa usilovala. O chvíľu som už sedela na okraji vane a utierala som sa. Potom som sa presunula do vozíčka a odviezla do spálne. Bolela ma ruka a obliekanie mi trvalo prinajmenšom tri razy tak dlho, ale, chvalabohu, podarilo sa mi to. Keď som sa však na seba pozrela v zrkadle, videla som, aké mám pokrútené a dokrčené šaty. Snažila som sa ich ponaťahovať a povystierať a potom som sa pustila do obúvania. Keď prišli na rad vlasy, bola som už unavená. Zrazu ma upútal zvuk z kúpeľne. Celá šokovaná som zbadala, že som nezavrela kohútik, a voda už zaplnila vaňu a napokon začala vytekať.

„Preboha, nie!" vykríkla som a dala som sa do pohybu. Snažila som sa obrátiť v mláčke, ktorá sa už vytvorila na dlážke. Keď som sa načahovala, že celkom zatvorím kohútik, v náhlivosti som sa pošmykla. Ani som sa nenazdala, spadla som na dlážku a vo vode som si na boku zmáčala šaty.

Skríkla som a pravou rukou som začala búšiť do boku vane, až kým ma nerozbolela. Potom som znovu nabrala dych a vytiahla sa späť do vozíka, ktorého kolesá zanechávali mokré stopy až do spálne. Dobrú chvíľu som len tak sedela pred zrkadlom a hľadela na svoje dokrkvané šaty a rozstrapatené vlasy. Unavená, ubolená a znechutená sama sebou som zaklonila hlavu, spustila ruky popri vozíku a pocítila som nával porážky a nevoľnosti. Nevohnal mi do očí slzy, ale vyvolal nechutnú zúrivosť. Vrhla som sa na svoju kozmetiku a začala som nepríčetne rozhadzovať rúže a očné tiene. Rozmetala som všetko, čo bolo na toaletnom stolíku, a potom ma chytil ešte zúrivejší záchvat šialenstva a besnenia. Schytila som kefu na vlasy a tresla som ju do zrkadla, ktoré od úderu odhora dolu puklo. Potom som si hlavu nechala klesnúť na hruď a sedela som tam ako pokrútené vrece zemiakov.

Vôbec som nepočula zvonenie. Austin, ktorý najprv vytrvalo vyzváňal, nakoniec obišiel dom, nakukol do okna, a keď ma zbadal, zaťukal. Nezobudila som sa hneď, a tak otvoril okno a vliezol dnu.

„Rain, Rain," volal a pomykal ma za plece. „Čo sa to tu stalo? Čo sa deje?" spytoval sa a podozrievavo sa obzeral po spálni. Aj ja som bola trochu vyplašená a na okamih som zabudla, čo som to vlastne vyvádzala. Voňavý telový púder z dózy bol rozmetaný po dlážke aj po rehabilitačných prístrojoch. Fľaša kolínskej bola rozbitá a jej obsah rozliaty neďaleko steny. Všetko, čo predtým ležalo na toaletnom stolíku, bolo porozhadzované a zrkadlo rozbité.

„Tak mi to najprv všetko dobre šlo," začala som s chvejúcimi sa perami. „Dostala som sa do vane aj z nej, poobliekala som sa a učesala a... v kúpeľni som nechala tiecť vodu."

„Čože?" Obrátil sa a uvidel mláčku. „Aha." Šiel do kúpeľne a zavolal: „Veď kohútik je zatvorený."

„Viem. Zatvorila som ho, ale spadla som z vozíka a doriadila som si šaty a všetko ostatné!"

Nevedela som zadržať slzy a celé telo sa mi chvelo. Austin sa pokúšal ma upokojiť, smial sa a predstieral, že to nič nie je.

„Pánabeka, teraz viem, že ťa radšej nemám nahnevať," povedal. „Ak si všetko toto urobila pre zmáčané šaty, ktovie, čo by si urobila mne?"

Usmiala som sa cez potoky sĺz a on mi pár z nich zbozkával z líc.

„Za pár minút to poupratujeme," povedal a začal zberať porozhadzované veci. „Dáš si iné šaty, prečešeš si vlasy a vyrazíme," povedal pokojne.

„Lenže ja nemôžem ísť medzi ľudí, Austin. Budem vyzerať hrozne a ty sa budeš cítiť trápne."

„O tom pochybujem," povedal. „Len sa do toho pusti. Vyber si niečo iné na seba, kým ja toto pozberám a utriem dlážku v kúpeľni."

Šiel po handru a vedro. Povzdychla som si a pozrela sa na seba do puknutého zrkadla. To som teraz skutočne ja. Tento odraz v zrkadle som naozaj ja. Aj vo mne je takáto dlhá a hlboká puklina. Môžem sa snažiť, ako chcem, a ignorovať ju, aj tak skutočnosť nezmením. Tak je to so mnou.

Skôr preto, aby som nesklamala Austina, ktorý tak usilovne a výkonne pracoval, aby dal izbu do poriadku, som si našla nejaké iné oblečenie. Učesala som si vlasy, ale so svojím výzorom som nebola spokojná. Aj tak som však Austina nechala vystrúhať mi poklonu.

„Nepotrebuješ žiaden mejkap. Tvoje oči sú od prírody také krásne, že viečkam nad nimi nechýba žiadne prikrášľovanie," tvrdil. „Všetko je fajn. Vyzeráš úžasne. Tak poďme. Ja už umieram od hladu," povedal, keď som si obliekla ľahký kabátik. Náhlivo ma vyviezol z domu do dodávky, možno aj preto, aby som si to nerozmyslela. O pár minút sme už boli na ceste k reštaurácii a Austin sa správal a debatoval, akoby sa nič nezvyčajné nestalo. Prekypoval veselosťou a šťastím, až som takmer uverila, že sa tak skutočne aj cíti.

Vybral naozaj krásnu reštauráciu. Na strope boli hrubé tmavohnedé trámy, dekorácie a zariadenie v koloniálnom štýle osemnásteho storočia, masívne brusnicovočervené stoly a stoličky a na každom stole mosadzný svietnik. Objednal stôl pri okne s výhľadom na jazero. Svetlá domov okolo jazera sa v tme odrážali, jagali a ligotali na jeho hladine. Pri sviečkach sme si pochutnali na delikátnom homárovi a víne a ako dezert bol flambovaný, priam hriešne lahodný pomarančový krém. Netrvalo dlho a nálada sa mi celkom zmenila, a tak sme sa smiali, držali za ruky, občas si dali bozk a jednoducho sa radovali jeden z druhého.

Lenže keď traja hudobníci v sále začali hrať, stíchla som a zosmutnela. Aké by to bolo krásne, keby som tak mohla vstať a zatancovať si s Austinom. Zbadal smútok v mojich očiach a náhle sa rozhodol, že je načase zaplatiť a vziať ma domov.

„Mala si únavný deň," konštatoval.

Nenamietala som. Snažil sa udržiavať mi náladu tým, že po celej ceste neprestajne niečo rozprával a opisoval rozličné zábavné dni, čo nás čakajú, či miesta, ktoré spolu navštívime.

„Mali by sme uvažovať o skutočnej dovolenke," navrhol. „O mesiac budem mať dva týždne dovolenky. Mohli by sme vziať dodávku a niekam si vyraziť. Čo povieš na taký nápad?"

„To by šlo," pritakala som. Súhlasila by som s čímkoľvek, dokonca aj s cestou na Mesiac. Pozrel sa na mňa a vyčítal mi to z očí, ale naďalej všeličo vykladal v zúfalej nádeji, že obnoví moju sebadôveru a nádej.

Keď sme už boli nazad v dome, pomohol mi pripraviť posteľ.

„Dobre sa dnes vyspi, Rain," povedal.

„Čo, ty odchádzaš?"

„Zostanem, ak chceš."

„Samozrejme, že chcem, aby si zostal. Austin, nikdy ti nepoviem, aby si odišiel," prisľúbila som. Usmial sa, odhrnul mi z tváre zopár pramienkov vlasov a pobozkal ma.

„Zatvor oči. Vrátim sa," vravel už na odchode.

Bola som taká unavená, že som ani nepočula, kedy sa vrátil a šuchol sa do postele vedľa mňa. Ráno nás zobudil telefón. Na okamih som ľutovala, že som donútila tetu Victoriu, aby ho tam dala nainštalovať. „Haló," ozvala som sa a odkašľala si.

„Je tam Austin?" spýtal sa mužský hlas.

„Čože? Aha. Áno," prikývla som.

Nastala chvíľa ticha a potom veľmi prísny hlas požiadal: „Dajte ho, prosím, k telefónu."

Obrátila som sa v posteli k Austinovi. Pretrel si oči a posadil sa.

„Čo je?"

„To je pre teba," vravela som.

„Pre mňa?" Urobil grimasu, potom vstal a šiel k telefónu. „Haló!"

Sledovala som, ako počúva, a vzápätí mu celá tvár zrumenela. Pohľadom blúdil zo mňa na dlážku. Obrátil sa, aby som mu nevidela do tváre.

„Dobre. Rozumiem," povedal. „Hneď tam prídem."

Zavesil a chvíľu len mlčky stál.

„Čo sa deje?"

„To bol môj strýko," povedal. „Musím už ísť."

Náhlivo sa začal obliekať.

„O čo ide, Austin?"

„Nechcem ťa znepokojiť," vravel, keď si zapínal košeľu.

„Čo sa deje?" naliehala som.

„Právnik tvojej tety zavolal môjmu strýkovi a pohrozil, že na mňa podá žalobu na štátny súd. To by znamenalo, že strýko by musel ísť na súdne pojednávanie a musel by som sa dostaviť aj ja." Chvíľu váhal a potom dodal: „Ak tú hrozbu vykoná, strýko by mohol prísť o licenciu a aj o celý podnik."

„Ach, Austin, to je mi ľúto."

„Nie je to tvoja chyba," ubezpečoval ma. „Mal som strýkovi o nás povedať. Je samozrejmé, že chce vedieť, čo sa deje. Nechcem urobiť nič, čo by mu ublížilo. Bol mi viac otcom než môj skutočný otec."

„Cítim sa hrozne."

„Preto som ti to, Rain, nechcel povedať. Nie aby si sa teraz obviňovala," vystríhal ma. „Urovnáme to."

„A pokiaľ ide o mňa, nerob si starosti," vravela som mu. „Budem v poriadku. Sľubujem, že sa nebudem správať tak hlúpo ako včera večer. Len to vybav so strýkom a daj na seba pozor."

„Plánuješ zohnať niekoho, kto ti bude pomáhať, však?"

„Áno."

„Skúsim niekoho zohnať a..."

„Austin, vravela som ti, aby si si teraz nerobil so mnou starosti. Radil si mi, aby som bola nezávislá, tak mi v tom nebráň."

Prikývol.

„Máš číslo môjho mobilu, ak by si ma potrebovala," povedal, obúvajúc si topánky. „Len čo budem môcť, zavolám ti."

Letmo ma pobozkal a chvatne vyšiel. Ozvena jeho krokov po chodbe bola takmer taká silná ako tlkot môjho srdca.

Vstala som, obliekla sa a ihneď som zavolala tetu Victoriu. Bola som taká nahnevaná, že sa mi slúchadlo chvelo v ruke. Jej sekretárka mi povedala, že je v Richmonde na schôdzke. Spýtala sa, či nechcem nechať nejaký odkaz pre prípad, keby zavolala.

„Povedzte jej, že akékoľvek dohody medzi nami, akékoľvek kompromisy sú zrušené a neplatné, a že by sa už nemala unúvať nosením nejakých dokumentov do tohto domu. Odkazujem jej, aby mi v tej veci už ani nevolala," diktovala som sekretárke. V duchu som priam videla, ako horúčkovito si to zapisuje.

„Áno, dobre," zamrmlala.

„Povedzte jej, že ak sa chce so mnou rozprávať, nech najprv zavolá môjmu právnikovi," povedala som sladkým hlasom, z ktorého však priam kvapkal žieravý sarkazmus. A zavesila som.

„Ak chce vojnu," povedala som telefónu, „tak ju bude mať."

Austin zavolal až popoludní. Z tónu jeho hlasu som okamžite vytušila, že veci sa majú ešte horšie, ako sme si mysleli.

„Tvoja teta sa vyhráža, že nielen podá žalobu na štátny súd, ale spustí aj obviňujúcu kampaň v médiách a môjho strýka zruinuje, ak ťa nenechám na pokoji. Vysvetlil som mu, Rain, že ťa skutočne milujem, ale na chvíľku, kým sa to všetko neupokojí, to vlastne nebude hrať rolu. Rozmýšľal som, že ak by som odišiel z jeho podniku, mal by pokoj, ale keby som to urobil, pochybujem, že by som ešte niekedy pracoval ako terapeut."

„Prestaň tárať hlúposti, Austin. Vieš, ako strašne by som sa potom cítila."

„Viem," povedal a jeho hlboký hlas, z ktorého bolo cítiť porážku, mi vohnal slzy do očí. „Je mi ľúto, že teraz, keď je to také problematické, si tam sama. A toto sa muselo stať hneď po odchode pani Bogartovej."

„Nepripúšťaš možnosť, že je to iba nejaká zhoda okolností?" spýtala som sa.

„Tá tvoja teta je strašne krutá osoba."

„Ľutuje to."

„Sľúbil som strýkovi, že nebudem za tebou chodiť, ale po zotmení prídem. Je to však nechutné, že sa k tebe budem musieť zakrádať."

„Možno by si sem, Austin, nemal vôbec chodiť, dokonca ani po zotmení. Aspoň kým sa veci neupokoja."

„Ani by som oka nezažmúril, keby som vedel, že si v tom dome v noci úplne sama. Bude to v poriadku. Však si nemyslíš, že hrozí, že by dom a jeho okolie dala sledovať?"

„Ale ona je schopná presne niečo také urobiť," musela som mu oponovať.

Zostal ticho.

„Dnes večer sa o mňa neboj," ubezpečila som ho. „Len mi ešte zavolaj," poprosila som ho.

„Uvidím."

„Austin, ak sa stanem príčinou nešťastia ďalšieho človeka..."

„V poriadku," povedal. Videla som, že je vyľakaný, nielen pre nás, ale pre svojho strýka. „Večer ti zavolám a niečo vymyslíme," povedal. „Možno ťa odtiaľto vyslobodíme," dodal už hlasom, ktorý sa spamätal z pochmúrnosti a z porážky.

„Áno, možno práve to by sme mali urobiť," povedala som.

„Milujem ťa, Rain. Naozaj ťa milujem. Nevravel by som to, ak by som to nemyslel z hĺbky duše."

„Aj ja ťa milujem. A môžem to povedať preto, Austin, lebo ti verím."

„O niekoľko hodín ti zavolám. Dávaj si na seba pozor."

„Aj ty." Položil a ja som ešte chvíľu držala slúchadlo na uchu.

Svet bol náhle bezútešný. Akoby na potvrdenie tohto môjho pocitu sa privalili mraky a obloha vyzerala temná a zlovestná. Po celý čas som sa niečím zamestnávala, upratovala som a chystala večeru. Práve keď som si sadla jesť, začalo pršať. Vlastne hneď liať, takže prívaly dažďa búšili do strechy a do okien. Keď svetlá zablikali, takmer sa mi zasekol dych. Desila ma myšlienka, že by mohla zlyhať elektrina, a ja by som musela tápať v tme.

Temnotu preťal blesk, ktorý sa mihol priam pred oknami jedálne, a nasledoval taký tresk hromu, až sa celá budova otriasla. Burácanie utíchalo, akoby to bolo ryčanie vzďaľujúceho sa leva, ale vzápätí nasledovalo ďalšie zablysnutie a hromobitie. Tentoraz svetlá zablikali a zhasli. S búšiacim srdcom som čakala a dúfala, že sa znovu rozsvietia, ale márne.

Akoby sa vo všetkých izbách aj na chodbe zatiahol nejaký záves. Okrem príležitostných zábleskov všade vládla tma, ktorá každý kus nábytku premenila na jeho vlastnú siluetu, a navôkol tak vládli samé tiene. Odviezla som sa do kuchyne pohľadať sviečky a nešikovne šmátrajúc po poličkách som nakoniec predsa nejaké našla. Roztopila som trochu vosku a nakvapkala na dno misky, ako som to vídala robiť mamu, a položila som doňho sviečku, aby stála rovno a pevne. Potom som ju zapálila a misku som postavila na jedálenský stôl, ale na jedlo som už takmer vôbec nemala chuť.

Keďže sviečka svietila iba slabo, rozhodla som sa nechať riad až na ďalší deň. Všetko jedlo, čo by sa mohlo pokaziť, som uložila do chladničky v nádeji, že čoskoro bude elektrina. Prešla takmer hodina, ale nič sa nedialo. Rozhodla som sa zavolať do elektrární, že sa aspoň spýtam, či o tom výpadku vedia, ale s hrôzou som zistila, že aj telefón je hluchý.

Uvedomila som si, že som úplne odrezaná od sveta, a chytila ma triaška. Pokúšala som sa upokojiť, nakoniec som sa však rozhodla, že najlepšie bude, ak sa vrátim do spálne a tam počkám. Čosi také môže trvať celé hodiny, pomyslela som si, a ja s tým nemôžem nič urobiť. Búrka nepoľavovala. Skôr naopak, vietor šľahal prúdy dažďa o dom a tie narážali do stien a do okien tak silno, až sa chveli okenné tabule a trieskali obločnice. Nespomínala som si, že by som tu už bola zažila takú silnú búrku. Moje šťastie, že sa vyskytla až dnes večer.

Zrazu som začula čosi ako menší výbuch a uvedomila som si, že vietor zrejme nejako vyrazil zadné dvere. Možno som ich dosť silno nezatvorila, keď prišla teta. Počula som, ako dvere tresli o stenu, a tak rýchlo, ako som len vládala, som sa na vozíčku pobrala po chodbe. Dvere sú vystavené takému silnému náporu, pomyslela som si, že ich vietor môže raz-dva vytrhnúť z pántov, a tak som sa načiahla za kľučkou. Vyzeralo to, akoby vietor na mňa priam čakal. Príval dažďa mi šľahol do tváre a zmáčal mi vlasy a šaty. Chytila som kľučku. V okamihu som musela bojovať s vetrom a zároveň sa udržať vo vozíku. Bol to beznádejný boj. Nemala som dosť síl a do nitky som premokla. Nakoniec som sa vzdala a pustila kľučku. Dvere odleteli, vzápätí sa vrátili späť a celou silou tresli do boku vozíka. Zvrieskla som. Náraz mi takmer rozmliaždil rameno a ruku. Bleskurýchlo som na vozíku uhla.

Pár sekúnd som len lapala po vzduchu. Trasúc sa viac od strachu než od zimy, začala som si vyzliekať mokré oblečenie. Musela som ešte zájsť po uterák, aby som sa osušila. Potom som si už vyčerpaná ľahla do postele a len tak som ležala a čakala. Cítila som sa mizerne. Napriek únave som nevedela zaspať. Každý úder hromu zarachotil cez otvorené zadné dvere a jeho ozvena sa šírila po chodbe a po celom dome. Zuby mi drkotali. Oči som zatvorila tak tuho, ako som len vládala.

Prečo som Austina presviedčala, aby neprišiel? Mala som byť sebeckejšia.

Konečne sa zdalo, že hromobitie utícha a vzďaľuje sa. Prestala som sa triasť a pokúsila som sa upokojiť. Ani dážď už nebol až taký prudký. Možno konečne prestane pršať a búrka sa presunie inde. Čakala som a dúfala, že sa tak stane. Zrazu som začula, ako sa otvorili a zatvorili vchodové dvere.

Austin, pomyslela som si. To on prichádza. Fajn. Nevedela som sa dočkať, kedy otvorím náruč a objímem ho. Urobíme, čo navrhol. Utečieme spolu.

Začula som zrýchlené kroky. Sadla som si v tme a pozerala smerom k otvoreným dverám. Objavil sa lúč svetla z baterky a o niekoľko okamihov neskôr už vo dverách stála teta Victoria. Od sklamania mi takmer vypovedalo srdce.

„Čo sa to tu deje?" zvrieskla. „Prší rovno do domu. Prečo si nechala zadné dvere otvorené?"

Svetlo z baterky namierila na mňa a ja som si zakryla tvár.

„Prečo si nahá? Čakáš naňho? Alebo je tu?"

„Nik tu nie je," skríkla som. „Prestaň na mňa svietiť."

Baterku sklopila k dlážke.

„Vyzeráš hrozne," usúdila. „Máš šťastie, že som prišla dosť zavčasu."

„Po tom, aké problémy si spôsobila Austinovi a jeho strýkovi, ťa tu nechcem ani vidieť. Povedala som to tvojej sekretárke. A teraz odtiaľto vypadni," ziapala som na ňu.

„Urobila som to, čo by urobila každá starostlivá a milujúca teta," odpovedala chladne. „Dokonca aj jeho strýko s tým súhlasí. Dohodli sme sa," dodala. „Ak sa bude pridŕžať toho, na čo bol najatý, bude to v poriadku."

„Si strašná. Chcem, aby si odišla z tohto domu. Aj tak je vlastne v prevažnej miere môj. Tak to chcela aj stará mama a teraz viac ako kedykoľvek predtým chápem prečo. Vypadni. Počula si ma? Povedala som, aby si vypadla!"

Baterku chytila oboma rukami a jej lúče nasmerovala na svoju tvár, aby som videla, ako jej žiaria oči a na tvári má masku úsmevu, ale za ňou je plameň zloby.

„Nebuď hlúpa," povedala takým pokojným hlasom, až som z neho dostala triašku. „Ty to sama nezvládneš a ja mám veľký záujem na všetkom, čo sa udeje. Som tu na to, aby som ti pomohla, nech už to trvá koľkokoľvek," dodala a z pier jej takmer doslovne padali úlisné kvapky jedu.

„Nech už to trvá koľkokoľvek?" povedala som, lapajúc po dychu. „O čom to rozprávaš? Čo sa chystáš urobiť?"

„To, čo som mala urobiť hneď na začiatku," vravela. „Nasťahujem sa sem, aby si tu nebola sama."

„Čože? Radšej budem sama."

„Samozrejme, že tu sama nebudeš, zlato," pokračovala. „A koniec koncov, keďže moja úbohá sestra je taká zoslabnutá a chudák môj švagor má plné ruky práce, kto iný by mohol urobiť to, čo treba?"

„Nie," oznámila som jej, pokrútiac hlavou. „Nedovolím, aby si tu zostala so mnou. Nedovolím."

„Poďakovať mi môžeš niekedy inokedy," prehlásila, akoby moje slová šli mimo nej. „Teraz iba urobme to, čo treba urobiť. Buďme rodina."

„V konečnom dôsledku je to minimum, Rain, čo môžem urobiť pre svoju drahú sestru, no nie?"

„To najmenej, čo môžem urobiť, je postarať sa o jej dcéru," povedala, zhasla baterku a opäť ma prenechala úplnej tme.

Objavená láska

Zakázať jej, aby sa ku mne nasťahovala, bola jedna vec, ale vymáhať tento zákaz bolo už čosi iné. Ak som si myslela, že môj život pred nasťahovaním tety Victorie do domu bol ťažký, teraz sa mi zdalo, že to bol hotový piknik oproti tomu, ako sa všetko zmení po jej príchode.

Najprv som bola presvedčená, že to s tým bývaním so mnou nemôže myslieť naozaj vážne. Považovala som to za ďalšiu z jej planých výčitiek, jednoducho čosi, čo ma má prinútiť s ňou spolupracovať, pokiaľ ide o poslednú vôľu starej mamy Hudsonovej a o naše spoločné obchodné záujmy, najmä po tom, čo som vyhlásila, že nie som ochotná robiť kompromisy.

Mala som si však uvedomiť, že to svetlo podobajúce sa šialenstvu, ktoré som videla v jej očiach v ten večer za búrky, nebolo iba akýmsi zablysknutím chvíľkového hnevu. Kdesi v jej vnútri kvasilo temné zlo ako nejaká hnisajúca rana, odkedy sa dozvedela o prepustení mojej matky z psychiatrickej kliniky a odkedy sa Grant nielenže k nej nevrátil, ale usiloval sa svoje manželstvo zmeniť na úspešné aj napriek tragickému úmrtiu Brodyho a tajnej minulosti mojej matky.

Prirodzene, že som vôbec netušila, čo teta Victoria potajomky spriada, koľko času a energie vkladá do podkopávania manželstva svojej sestry. Predstavovala som si, že je ako Jago v *Othellovi* a šepká Grantovi do ucha búrlivé myšlienky, pripomínajúc mu moju existenciu a temnú noc Brodyho zbytočnej smrti. Presne tak ako mne rozprávala o mojej matke samé negatívne veci, určite Grantovi vykresľovala Megan ako rozmaznané dievča, ktorého prešľapy stále niekto zakrýval, vďaka čomu nepociťovala žiadne výčitky.

„Megan nikdy neodložila nabok svoj bezpečnostný štít," utrúsila teta Victoria zlomyseľnú poznámku a možno tú istú adresovala teraz aj Grantovi.

Grant zrejme moju matku veľmi miluje, pomyslela som si, keď jej odpustil minulosť, neobviňoval ju za smrť ich syna a chcel, aby sa zotavila a naďalej boli manželia. Vzhľadom na toto odhodlanie museli zákerné poznámky a šeptom vyslovené jedovaté reči tety Victorie zostať neúčinné a zavrhnuté. Grant možno nakoniec zistil, čo je zač, a bez okolkov ju odmietol. Ak ho teraz ešte občas spomenula, vždy to bolo s trpkosťou. Nezabudla pri tom pripomenúť, že všetci muži sú hlúpi a sebeckí, a jeho vnímala ako dobrovoľnú obeť drobných klamstiev mojej matky. Súdiac podľa radikálnej zmeny v tom, ako ho vykresľovala ‚od muža jej snov, ktorého si údajne zasluhuje a ktorý si zasluhuje ju, po vysloveného hlupáka, ktorého vodia za nos', Grant ju určite ostro a razantne odmietol.

Zavrhnutá, odmietnutá a odohnaná, sústredila teraz svoju nenávistnú pozornosť na mňa, považujúc ma za príčinu toho všetkého. Victoria vo svojej zvrátenej logike dospela až k záveru, že keďže som sa vrátila a Brody zahynul, moja matka bola vďaka Grantovmu súcitu schopná získať si späť jeho lásku, ktorú by inak mohla ukoristiť práve ona.

„Ja svoju sestru dobre poznám," povedala trpko. „Vedela, že keď bude predstierať, že je slabá, chorá a plná výčitiek, Grant nebude vidieť jej podstatné slabé stránky. Je rada, že si tu, je šťastná, že si telesne postihnutá, a ešte šťastnejšia, že si spôsobila všetky tieto problémy. To jej dáva väčšie šance na horekovanie, bedákanie a plač. Ktovie, koľko ráz jej Grant bozkami utieral krokodílie slzy a chlácholil ju, aby nebola smutná a tešila sa, že svitne ďalší deň."

Takéto reči viedla teta Victoria sústavne a dokola po niekoľko prvých dní po nasťahovaní do domu. Ja som zo svojho vozíka s absolútnym úžasom sledovala, ako dvaja najatí muži prinášajú jej veci, medzi ktorými boli nielen kufre šatstva a osobné veci, ale aj škatule s fasciklami, ktoré ukladali do niekdajšej kancelárie starého otca Hudsona. Celkom ju obsadila a dala si tam nainštalovať a napojiť kancelársku techniku, fax, kopírku a svoj počítač. Na poschodí sa nasťahovala do svojej niekdajšej izby.

Chcela som zatelefonovať svojmu právnikovi a posťažovať sa, bála som sa však toho, že ju to rozzúri a potom by sa mohla vyvŕšiť na chudákovi Austinovi a jeho strýkovi.

V ten istý deň, keď sa nasťahovala, si najala novú slúžku, ktorá však nemala v dome bývať aj cez noc. Volala sa pani Churchwellová, mala riadne nad päťdesiat rokov a bola vdova, čo po manželovej smrti ledva vedela vyžiť z poistného, a preto sa nechávala najímať na čiastočný úväzok. Zamračene zazerala, mala nakrátko ostrihané hnedé prešedivené vlasy, tvrdé ako drôty a zhluknuté do tenkých pramienkov. Jej okrúhle sivé očká boli vždy akoby vodnaté a ryhy povykrajované do jej chudej bledej tváre pripomínali skôr jazvy než vrásky, pretože boli hlboké a roztrúsené po brade a lícach. Možno si pamätali šrámy a slzy, ktoré sa ušli jej tenučkej, chorľavo pôsobiacej a takmer priesvitnej pokožke. Bola rovnako vysoká ako teta Victoria, a keď v slabo osvetlenej chodbe stáli vedľa seba, vďaka ich takmer nerozoznateľným postavám pani Churchwellová vyzerala ako jej tieň.

Od začiatku bolo jasné, že pani Churchwellová sa desí mojej tety, chce sa jej zavďačiť a udržať si prácu a zrejme aj štedrú plácu, najmä vzhľadom na to, ako teta Victoria zvyčajne platila. Teta Victoria mala však aj postranné úmysly na také štedré odmeňovanie. Požadovala od pani Churchwellovej absolútnu lojálnosť a poslušnosť, najmä pokiaľ išlo o čokoľvek týkajúce sa mňa. Na rozdiel od pani Bogartovej, ktorá bola ochotná všetko vytárať, pani Churchwellová bola zámerne nasadená ako nejaké živé odpočúvacie zariadenie, ktoré má oznamovať akýkoľvek môj kontakt s vonkajším svetom, najmä však s Austinom. Kedykoľvek tu teta Victoria nebola, pani Churchwellová už striehla, kam pôjdem, len čo som chcela vyjsť z domu. Keď som sa obzrela, vždy som videla jej tvár v obloku.

Po búrke opravili telefóny, ale môj z nejakej príčiny naďalej nefungoval. Povedali mi, že telefónne vedenie treba celkom prerobiť, čo musí počkať, až kým telefónna spoločnosť bude v okolí robiť aj ostatné opravy. Keď v dome zazvonil telefón, zvyčajne k nemu ako prvá dorazila pani Churchwellová a tvrdila, že ktosi ponúka nejaký tovar. Nechcelo sa mi veriť, že by sa Austin nepokúšal mi zavolať, ale nechcela som mu telefonovať a riskovať, že mu tým spôsobím ešte viac problémov. Až takmer týždeň po tetinom prisťahovaní som sa dozvedela, že telefónne číslo dala zmeniť a utajiť. Ani pani Churchwellová, ani moja teta sa neunúvali ma o tom informovať.

Na rozdiel od pani Bogartovej pani Churchwellová nemala žiadne skúsenosti s niekým, ako som bola ja. Bola skutočne iba slúžkou a kuchárkou. Keď som zistila, aký je ich vzťah s tetou, veľmi som si aj tak neželala, aby bola pri mne pričasto. Ten pocit bol zrejme vzájomný. Pohľad na mňa sa jej nepozdával, a to nielen preto, že som telesne postihnutá. Už deň či dva po jej príchode mi bolo jasné, že má predsudky a nevidí sa jej, že môj otec je černoch. Ak so mnou niekedy hovorila, vždy sa pozerala mimo mňa, akoby tým samu seba presviedčala, že sa v skutočnosti nerozpráva so mnou a vôbec pre mňa nepracuje.

Bola len priemerná kuchárka. Ihneď som to oznámila tete, ale vlastne na tom ani nezáležalo. Začala som si teda variť sama, čo sa pani Churchwellovej nepáčilo.

„Na varenie najali mňa," povedala mi, keď som prvý raz prišla do kuchyne a začala som si niečo chystať.

Po chvíľke ticha som sa na ňu pozrela a ozvala som sa: „Na to vás nenajali. A nebolo to ani na upratovanie a udržiavanie chodu domácnosti."

„Vôbec neviem, čo tým myslíte," bránila sa, ale ešte prv než som mohla pokračovať, odišla z kuchyne. Ktovie prečo, ale napriek tomu, že som bola na vozíčku a väčšinu času vlastne bezbranná, zdalo sa, že má predo mnou prílišný rešpekt a nie je schopná so mnou komunikovať zoči-voči. Aby som ju v tom ešte viac povzbudila, od nevlastnej sestry Beni som si v duchu vypožičala jej nazlostený pohľad.

Vysvitlo, že Austin volal v ten prvý týždeň, keď ešte telefónne číslo nebolo zmenené. Teta mi neskôr povedala, že telefón zdvihla ona, a preto sa neozval. Vedela, že ticho na druhom konci znamená, že volá Austin, a neskôr ma o tom prišla informovať.

„Zdá sa, že ten mladý muž nepočúva svojho strýka," povedala. „Aj napriek varovaniam sa pokúša ohlásiť. Keď však začul môj hlas, neozval sa, ale ja som vedela, že je to tvoj lovec bohatstva."

„Prestaň ho tak volať. A vôbec, nemáš právo brániť mu, aby mi volal alebo aby sa so mnou stretával," ubezpečovala som ju.

„Ak ho ešte niekedy uvidím v okolí tohto domu alebo ak s ním uvidím teba, obnovím žalobu proti jeho strýkovi, dám mu zrušiť licenciu a zrejme ti je jasné, že som schopná čosi také urobiť," vyhrážala sa.

„Prečo to robíš?" okríkla som ju.

„Konám iba to, čo je pre teba najlepšie. V súčasnosti nie si v stave robiť rozhodnutia takéhoto druhu. Hľadám

pre teba nového terapeuta a čoskoro ho už budem mať,"
sľubovala so svojím typickým chabým, akoby umelým
úsmevom na tvári.

„Nechcem iného terapeuta. S nikým iným nebudem
spolupracovať."

„Urob, ako chceš. Ale tým uškodíš iba sama sebe," vravela a výhražne na mňa kývala svojím dlhým kostnatým
ukazovákom. „Pamätaj, že len čo sa dozviem, že sa vyskytol v okruhu troch metrov od teba, okamžite volám svojim právnikom." Po tejto vyhrážke odišla a mňa tam nechala sedieť riadne nahnevanú.

Pri prvej možnej príležitosti som sa pokúšala vziať dodávku a odísť preč, ale zistila som, že kľúče od nej zmizli, a ani vzácna pani Churchwellová o nich, prirodzene,
nič nevedela. Keď som sa na to spýtala tety, oznámila mi,
že lekári jej povedali, že ešte nie som spôsobilá na šoférovanie.

„Ale veď som už šoférovala!" zvrieskla som. „Už veľa ráz
som bola autom na nákupe a všelikde inde."

„To bola chyba. To ten lovec bohatstva ťa na to naviedol zo sebeckých dôvodov," vysvetľovala.

„Chcem svoje kľúče. Je to moje auto!" kričala som na
ňu. Ona tam však stála, akoby som ani nezvýšila hlas.
„Zavolám pánovi Sangerovi a poviem mu o všetkom, čo
ste mi urobili a čo mi robíte. Zažalujeme vás," povedala
som. Teraz som s vyhrážaním bola na rade ja, lenže ona
bola vždy o krok ďalej.

Telefón v mojej izbe bol stále hluchý. Keď som sa odviezla do kuchyne, že zavolám odtiaľ, s hrôzou som zistila, že ani tam nefunguje.

„Prečo sú všetky telefóny hluché?" spýtala som sa pani
Churchwellovej. Kedykoľvek som jej položila nejakú otázku, vždy sa tvárila, akoby ma nepočula. Musela som ju
vždy zopakovať, a to hlasnejšie a naliehavejšie, a až potom
bola šanca, že bude moju existenciu registrovať.

„Všetky nie sú hluché," zahlásila odmerane. „Ten, čo je hore, funguje."

„Čože? Iba ten hore?"

„A, prirodzene, aj v kancelárii vašej tety," dodala, a tak som sa rýchlo obrátila a odviezla k tetinej kancelárii, keďže som vedela, že je preč. Mohla som si ušetriť námahu, keby som si bola uvedomila, že dvere budú zamknuté. Odviezla som sa nazad a požiadala som pani Churchwellovú, aby ich odomkla. Znovu ma ignorovala, až kým som jej takmer neprešla nohu.

„Nemôžem ich otvoriť," odpovedala. „Nemám od nich kľúč, a aj keby som ho mala, neotvorila by som ich bez povolenia vašej tety."

„Bez povolenia tety! Bez jej povolenia nesmiete ani dýchať," vyhŕkla som na ňu.

Zagánila na mňa a potom sa pobrala hore upratať tetinu spálňu a kúpeľňu.

Po večeri a po odchode pani Churchwellovej som chodievala na arkádovú terasu pred domom pozrieť sa, či náhodou nezazriem Austina, ako ma prichádza vyslobodiť. Teta sa však spravidla vrátila skôr, než som ho mohla uvidieť. Bola som si istá, že keď zistil, že pred domom parkuje jej auto, jednoducho sa obrátil a odišiel.

„Prečo si vonku na chladnom večernom vzduchu?" spytovala sa. „Určite vieš, že to pre teba v tvojom oslabenom stave nemôže byť prospešné."

„Nie som v nijakom oslabenom stave. Zaobchádzaš so mnou ako s nejakým väzňom a ja to už nedovolím. Chcem fungujúci telefón a kľúče od svojho auta."

„Presne ako tvoja matka, bez štipky vďačnosti. Všetok svoj čas a energiu obetujem v tvoj prospech a jediné, čo od teba počujem, sú vyhrážky a sťažnosti."

„Ja tvoju pomoc nechcem. Koľko ráz ti to mám povedať?"

„Megan, Megan, Megan," húdla si, krútiac hlavou.

„Nie som Megan. Prestaň ma volať Megan."

„Príliš sa rozohňuješ. Upokoj sa. Inak znovu skončíš v nemocnici," varovala ma, v tejto chvíli to však znelo ako lákavá vyhliadka. Vlastne som práve uvažovala o tom, že sa začnem sťažovať na silné bolesti, len aby som sa dostala z domu.

Po večeri som sa vrátila do svojej izby. Teta Victoria volala, že príde neskôr, lebo má nejakú schôdzu. Požiadala pani Churchwellovú, aby zostala trochu dlhšie. Vedela som, že jej za to platí aspoň o polovicu viac, lebo nejavila známky odporu. Sedela v obývačke ako strážnik, listovala v časopisoch a sledovala príjazdovú cestu, pripravená vyštartovať k telefónu na poschodí, ak by sa zjavil Austin.

Podráždená, znepokojená a rozzúrená som sa odviezla späť do svojej izby. Sedela som tam, potichu si hundrala a pokúšala sa vymyslieť, čo mám spraviť, keď som zrazu začula jemné zaťukanie na okno. Obrátila som sa a v okne za sklom som zazrela jeho tvár. Srdce mi od radosti poskočilo. Náhlivo som zašla zamknúť dvere izby a Austin vytiahol hore okno a vliezol do izby.

Začala som plakať, ale on podišiel ku mne, kľakol si a objal ma.

„Rain, neplač. Čo sa stalo?"

„Ach, Austin, moja teta sa nasťahovala do domu. Najala tú najhroznejšiu slúžku, ktorá ma po celé dni špehuje. Dala mi aj odpojiť telefón."

„Viem. Pokúšal som sa ti zavolať, ale povedali mi, že to telefónne číslo je už zrušené a nové nie je zverejnené. Chcel som sem prísť už pred niekoľkými dňami, ale právnik tvojej tety zavolal môjmu strýkovi a povedal mu, že som sa pokúšal s tebou spojiť. Musel som mu klamať. Bolo mi z toho naanič a potom som si jednoducho uvedomil, že je to celé hlúpe a že sa pokúsim prísť ťa pozrieť. Vedel som, že sa nemáš dobre."

„Nemám dobre? Vyslovene ma tu väznia. Zobrala mi

aj kľúče od dodávky a tvrdí, že lekári jej povedali, že eš-
te nemôžem šoférovať. Vravela, že ak poruším ktorékoľ-
vek pravidlo, prikáže svojim právnikom, aby obnovili
žalobu proti tvojmu strýkovi a zničili ho. Je schopná to
urobiť. Chcem odtiaľto odísť, Austin. Chcem odtiaľto
odísť, navždy."

Po lícach mi prúdom stekali slzy.

„Ja viem," vravel. „Ja viem." Utrel mi slzy a pobozkal
ma na líca. „Presne to urobíme. Naplánujem to."

„Mám peniaze, Austin. Veľa peňazí. Potrebujem sa iba
dostať k svojmu právnikovi. Požiadam ho, aby vydal prí-
kaz dať nám k dispozícii dosť peňazí, a pôjdeme niekam
inam a ju tu necháme v jej vlastnom pekle. A potom dom
predám rovno nad jej hlavou. Prisahám, že tak urobím,"
dušovala som sa. „Myslím to vážne, každé slovíčko. Ach,
Austin, ja to tu už nevydržím ani minútu."

„Musím to všetko premyslieť, Rain," povedal chlácho-
livým hlasom, aby ma upokojil.

Potriasla som hlavou.

„Austin, ja tu už dlhšie nemôžem zostať."

„Ja viem, ja viem. Problém je v tom, že naďalej bude
môcť útočiť na môjho strýka. Musím si rozmyslieť, ako sa
z toho dostaneme."

„Nie, tvojho strýka nechá na pokoji. Požiadam svojho
právnika, aby sa s ňou dohodol a dal jej, čo chce, nech ma
nechá odísť. Uvidíš. Len ma tam zajtra vezmi, dobre?"

Prikývol, ale nezdalo sa, že je o tom presvedčený. „Poď-
me na to postupne," povedal. „Musím naplánovať, kam
pôjdeme a čo potom podnikneme."

„Budeme mať dosť peňazí, Austin. S tým si nerob sta-
rosti."

„Peniaze, Rain, nie sú náš jediný problém. Potrebuješ
omnoho viac. Musím zabezpečiť, aby o teba bolo dobre
postarané," uvažoval.

„Mám teba. Čo by ešte mohlo byť lepšie?"

Usmial sa.

„Ja som iba terapeut, Rain. Môžem ti pomôcť s tvojimi základnými potrebami a viesť ťa, aby si zosilnela, musíme však dbať aj na tvoje zdravotné potreby. Musím to všetko premyslieť," zopakoval. „Len sa upokoj, Rain. Nechajme si to všetko trochu uležať v hlave."

Prikývla som. „Teraz, keď si tu, som už pokojná."

Usmial sa a pobozkal ma. Chytila som ho okolo krku, on mi podsunul ruku pod kolená, zdvihol ma z vozíka a jemne uložil na posteľ.

„Naozaj si mi chýbal," povedala som.

„Aj ty si mi chýbala."

Kľakol si vedľa postele a pobozkal mi ruku. Jeho úsmev na mňa pôsobil ako lúče slnka, celú ma zohrieval, obnovoval vo mne nádej a silu ako dúha po búrke.

„Čo si robil?" spýtala som sa ho.

„Pracoval som s ostatnými klientmi. Lenže ako vždy som pred sebou stále videl iba tvoju tvár." Zasmial sa. „Dokonca som jednu klientku oslovil tvojím menom a ona sa nahnevala. Upokojil som ju jedine tým, že som jej povedal, ako veľmi ťa mám rád."

„Porozprávaj mi o tom," modlikala som.

Rozprával a pri tom nás oboch pokojne a graciózne vyzliekal. Pre mňa sa akoby rozprávka rozprávok stávala skutočnosťou.

„A akoby som už viac ani nepotreboval jesť, spať alebo sa starať o živobytie, jednoducho stačí iba myslieť na teba. Mám také živé sny, že cítim tvoje pery na mojich. Po celý deň a dennodenne vidím tvoju tvár v tvári niekoho iného. Obraciam sa, lebo sa mi zdá, že si práve prešla okolo mňa. Srdce sa mi ide rozskočiť. Všetko vo mne je naplnené túžbou po tebe a osamelosťou."

„Nie som schopný čítať, sledovať televíziu, ísť do kina či robiť čokoľvek iné. Moju myseľ nevie od teba nič odpútať. Bojujem s neustálym pokušením prísť za tebou. Jedine preto, že viem, koľko obetoval strýko zo svojho života a peňazí pre chod svojej firmy, nerozhodol som sa kašľať na tvoju tetu a jej právnikov."

„Lenže zrazu všetka tá láska vládnuca nad mojím srdcom zavelila a ja som musel poslúchnuť jej príkaz. Prišiel som sem, zaparkoval som auto ďaleko odtiaľto a bežal som tmou a lesom k domu a tvojmu oknu."

„A teraz," povedal, keď si líhal vedľa mňa, „som tu a znovu sa cítim ako celý človek."

Pobozkali sme sa. Pritúlila som sa k nemu.

„Všetko bude v poriadku," zašepkal. „Poradíme si."

Niet pochýb, že to vyústi do známeho *a potom žili šťastne, až kým nepomreli,* pomyslela som si.

Pocit pohody vyústil do vášne. Neovládla som sa a ušiel mi výkrik. Tá bosorka slúžka zrejme striehla na chodbe. Prišla ku dverám a mala tú drzosť, že ich skúsila otvoriť.

„Ste v poriadku?" spýtala sa. Nepýtala sa preto, že by mala o mňa obavy. Chcela iba vedieť, čo robím, aby mohla žalovať tete.

„Nechajte ma na pokoji," zakričala som.

Chvíľu sme čakali a potom sme ju počuli odísť.

„Moja teta zrejme zašla do nejakého zajateckého tábora pre zločincov, aby vyhrabala takúto osobu," poznamenala som.

Austin sa zasmial, znovu ma pobozkal a opäť sme sa milovali. Potom sme iba ležali, on s hlavou na mojej hrudi, a zaspali sme. Nevnímali sme plynutie času ani zvuky za dverami mojej izby.

Spätne som si uvedomila, čo sa stalo potom. Teta Victoria sa zanedlho vrátila a pani Churchwellová jej zreferovala, čo vysliedila, a že som si zamkla dvere a ju odohnala.

Plná podozrenia, keďže sama bola skúsená v podvádzaní, našla kľúč k mojej izbe a na špičkách sa priblížila. Potom s uchom na dverách chvíľu načúvala a pomaličky potichu zasunula kľúč a odomkla dvere. Zbadala vedľa mňa Austina v svite mesiaca, ktorý prenikal cez okno. Srdce jej určite zaplesalo nad takým objavom.

Celé to vyzeralo ako nejaká explózia. Zažala svetlo, ukazovákom na nás zamierila ako pištoľou a zvrieskla: „Znásilnenie! Toto je vyložené znásilnenie! To dievča je bezmocné telesne postihnuté stvorenie a vy ste ju znásilnili!"

Austin bol taký vyplašený a zmätený, že sa nezmohol ani na slovo. Nik nečakal to, čo vzápätí urobila. Myslela som si, že bude chvíľu ešte vrieskať, povyhráža sa a potom zatresne dvere. Ona však bola ako kat, ktorý miluje svoju prácu, ako niekto, koho teší sypať druhému soľ do rany.

„Poďte sem, pani Churchwellová," prikázala teta Victoria, „a buďte svedkom tejto smilnosti."

Zrazu sa vedľa nej objavila pani Churchwellová. Austin iba neveriacky zdvihol hlavu. Už-už som chcela skríknuť na Victoriu, lenže ona nás oboch prekvapila, priskočila k posteli a schmatla prikrývku. Strhla ju tak rýchlo, až ma šokovala. Obaja sme tam ležali nahí a odhalení, Austin si len rukami zakryl lono. Oči sa jej rozšírili a na tvári mala úsmev.

„Len to teraz skús zapierať," precedila cez zuby. „Skús poprieť, čo si tu s ňou robil. Ste toho svedkom, pani Churchwellová. Dobre sa pozrite na tento nechutný výjav."

Pani Churchwellová prikývla.

„Videli ste to?"

„Áno," prisvedčila.

„Vypadnite!" zmohla som sa konečne na protest. „Obidve vypadnite z mojej izby!"

Teta sa nehýbala, držala prikrývku a kochala sa svojím malým víťazstvom. Potom sa obrátila k pani Churchwellovej a obidve pomaly odchádzali. Pri dverách teta spustila prikrývku na zem a zatvorila dvere.

„Preboha," prehovoril Austin, keď si zberal oblečenie.

Šiel po prikrývku a prikryl ma. „Tak teraz som to na celej čiare prešvihol."

„Vidíš, aká vie byť hrozná?" zabedákala som.

„Áno. A ktovie, čo bude nasledovať. Radšej pôjdem." Pobral sa k dverám, ale rozmyslel si to a zamieril k oknu.

„Nechcem sa s ňou znovu stretnúť," povedal.

„Austin, nemôžeš ma tu nechať."

Zastal a chvíľu uvažoval.

„V tejto chvíli nemôžem urobiť nič, Rain. Budem sa musieť po teba vrátiť."

„Nezabudni," vravela som.

„Nezabudnem, lenže čo poviem strýkovi, keď zatelefonujú jej právnici?" Očividne ustarostený, pokrútil hlavou, vyliezol cez okno a zatvoril ho za sebou.

Bol preč. Nikdy som sa necítila taká osamelá, dokonca ani v nemocnici po nehode, keď mi oznámili moju hroznú situáciu. Nevedela som už zaspať. Len som tam ležala, triasla sa a podobne ako Austin čakala na ďalší úder.

A ten úder prišiel, ale vôbec nie tak, ako by sme ho s Austinom boli očakávali. Teta Victoria sa do mojej izby nevrátila. Pani Churchwellová odišla a teta vyšla na poschodie. Ja som napokon na niekoľko hodín zaspala. Zobudila som sa na známy zvuk tetiných razantných krokov. Pokúšala som sa vstať, presunúť sa do vozíka a do kúpeľne, aby som sa umyla a pripravila na zrejme hrozný deň.

Sedela som na posteli, zakrytá prikrývkou až po plecia, keď otvorila a vošla do mojej izby. Pátravo sa rozhliadla, nastražila uši a potom prikývla.

„Predpokladám, že už odišiel," povedala sladkým, takmer milým hlasom.

Ešte vždy mala na sebe vyblednuté ružové froté šaty. Bez mejkapu, s tvárou zbrázdenou stopami po spánku a s rozstrapatenými vlasmi vyzerala ako jedna z tých chudobných bezdomovkýň, ktoré sa zvykli vo Washingtone ponevierať po stromoradiach a na smetiskách neďaleko štvrte, kde som kedysi bývala.

V pravej ruke držala bledožltý obal.

„Áno," odpovedala som. „Odišiel hneď po tom, čo si sem vtrhla. Si ty ale drzá, keď si schopná rušiť moje súkromie."

„Rušiť tvoje súkromie?" Zasmiala sa a potom sprísnela. „Ty nemáš právo na súkromie. Rozhodne nie, ak sa mieniš správať ako nejaká pobehlica v dome môjho otca a matky, kde sa vždy tolerovala iba dôstojnosť a slušné správanie. Som si istá, že keby včera večer pri mne stála moja matka, okamžite by svoje rozhodnutie zmenila. A všetko sa stalo napriek toľkým mojim varovaniam a radám!"

„Presne ako Megan, len spôsobuješ hanbu nášmu domu. Koľko ráz musel môj otec niekomu zaplatiť, aby odišiel, alebo si kúpiť niečiu priazeň, aby zachránil naše dobré meno? Viac ráz, než viem porátať. To ti rozhodne môžem potvrdiť," rýchlo si sama odpovedala na svoju otázku.

„Takže keď ťa teraz tak nehanebne zviedol, mám na to spoľahlivú svedkyňu, pani Churchwellovú."

„On ma nezviedol. Milujem Austina a on miluje mňa," naliehala som.

Pomykala hlavou.

„Prirodzene, že ho miluješ. Ktoré dievča v tvojom položení, telesne postihnuté, doživotne odsúdené na vozík, by nesiahlo po prvom dobre vyzerajúcom mužovi, aby svoj falošný úsmev obrátil k nemu a opantal ho planými sľubmi? V dnešných časoch by sa dokonca aj dievčatá, ktoré nie sú na vozíčku, dali zbaliť tými jeho svalmi a mrknutiami, o niekom ako ty ani nehovoriac."

„Prestaň! Nevieš, o čom hovoríš. Ty si nikdy nič nechápala," skríkla som.

Teta Victoria natiahla tenké pery do odporného staro-
dievockého úškrnu.

„Nuž, dieťa zlaté, málo žien má na to, aby pochopili
úskočnosť mužov, ich prefíkanosť a zákernosť. Na rozdiel
od mnohých z nich mňa nejaké falošné lichôtky neobala-
mutia. Dalo by sa povedať, že mám v sebe čosi ako de-
tektor lži. Vždy zazvoní tu,“ povedala a ľavú ruku si polo-
žila na srdce, „a vyšle svoje varovanie priamo sem.“ Teraz
si ukázala na čelo.

„Čo ti ten lovec bohatstva nahovoril?“ pokračovala
a pristúpila bližšie. „Povedal ti, že si rovnako krásna ako
predtým, dokonca možno ešte krajšia? Povedal ti, že vďa-
ka tebe je deň príjemnejší, že sa mu rozospievalo srdce a že
si mu priniesla toľko radosti, že by si ani nevedel predsta-
viť život bez teba? Povedal ti, že ťa v duchu všade vidí, ne-
ustále počuje tvoj hlas a že si na večné veky v jeho mysli?
Sľúbil ti aj to, že ťa bude večne chrániť a milovať?“

„Áno, áno, áno, áno, všetko to sľúbil,“ zvrieskla som na
ňu. „A myslí to vážne, budeme sa milovať a žiť spolu.“

Pokývala hlavou.

„Uvidíme,“ povedala. „Možno ťa raz prestanem ochra-
ňovať a spriahneš sa s niekým podobným, ako je on.“

„Ja sa s nikým podobným ako on nespriahnem. Zosta-
nem s ním,“ dušovala som sa.

„Fajn. Ale ešte predtým by si ma radšej mala vypočuť
a urobiť to, čo ti poviem.“

Otvorila fascikel, vybrala nejaké dokumenty a rozložila
ich predo mnou na posteli.

„Vieš, ja som len tak nemárnila čas, kým Megan vo svoj
prospech spracúvala Granta. Tvoja matka sa zodpovednosti
za teba už dávno vzdala. Teraz rozhodne nemôžeme očaká-
vať, že niečo pre teba urobí. Keďže si postihnutá, nariadila
som svojim právnikom, nech požiadajú súd, aby ma meno-
val za tvoju poručníčku. Áno, môžeš od svojho právnika po-
žadovať, aby odporoval, nemyslím však, že to urobíš.“

„Sú tu aj tieto dokumenty," vravela, keď vyťahovala ďalšie, „a sú určené štátnemu úradu v súvislosti s agentúrou tvojho lovca bohatstva."

„Prestaň ho tak volať," pripomenula som jej.

Pokrčila plecami.

„Volaj si ho, ako chceš," pokračovala. „Toto je žaloba, ktorú zamýšľam podať na terapeutickú agentúru. Už len tým, že si bude musieť obstarať obhajobu, doženiem ho do bankrotu. Vieš, ako sú právnici schopní človeka zodrať aj z kože," povedala škodoradostne.

„A tu sú aj texty do novín, ktoré som dala vyhotoviť."

Oči ma pálili od sĺz.

„Takže," pokračovala, „nič z toho nepostúpim ďalej, ak podpíšeš toto."

Vytiahla ďalší dokument.

„To je splnomocnenie, ktoré máš podpísať. Len čo budem opäť úplne spravovať celý náš majetok a podnik, všetci na tom budeme lepšie, vrátane teba."

„Toto je vydieranie. Poviem to môjmu právnikovi."

„Nemusíš mu to povedať. Urobím všetko ostatné, o čom som ti hovorila, a ty ten dokument nemusíš podpísať, ak nechceš. Urob, ako myslíš," povedala, pozbierala z postele papiere a uložila ich do fascikla.

„Počúvaj," povedala som pokojným a uvážlivým tónom, „požiadam pána Sangera, aby vyhľadal teba a tvojich právnikov. Môžeš si premyslieť akékoľvek kompromisné riešenie a ja odídem."

„S tým chlapcom?"

„Čo ťa je do toho?"

„Ak si myslíš, že nebude pokračovať vo vyrábaní problémov, tak si ešte viac v oblakoch ako tvoja matka. Len čo sa s tebou ožení, najme si právnika, zažaluje ma a všetko sa začne odznova," povedala.

„Nie, to neurobí. Sľubujem."

„Sľuby. Vieš, čo znamenajú sľuby, ktoré dávajú ženy

ako ty? Sú ako cukrová vata. Sny a výplody mysle, za ktorými nasledujú dramatické prehlásenia, okorenené početnými prísahami. To poznám. Megan mi prinajmenšom tisíckrát všeličo nasľubovala a ani jeden z tých sľubov sa nesplnil."

„Ja nie som Megan!" skríkla som.

Chvíľu sa vyjavene na mňa dívala.

„Ale áno, si," tvrdila. Rozhliadla sa po izbe a po posteli, akoby Austin ešte vždy ležal vedľa mňa. Potom sa pozrela na moje holé plecia, uprela pohľad do mojich očí a zopakovala: „Áno, si."

Položila na posteľ plnú moc a vedľa nej pero.

„Podpíš to a ja všetky tieto ostatné dokumenty odložím do zásuvky. Vrátim sa o desať minút," dodala a odišla.

Sedela som tam a mala som pocit, že mi všetka krv z tela stiekla do nôh. Tak sa mi zakrútila hlava, že som si musela na chvíľu ľahnúť a zhlboka dýchať.

Prirodzene, že sa mýlila, pokiaľ ide o Austina, pomyslela som si, bola však príliš paranoidná a nedôverčivá na to, aby uverila akýmkoľvek mojim zárukám. Oprela som sa o pravú ruku, nadvihla sa a pozrela na papier, ktorý tam nechala. Toto sa nikdy neskončí, kým nebude tak, ako to chce ona, pomyslela som si. Bola som už unavená z našich večných súbojov. Ako by som mohla dopustiť, aby zničila Austinovu reputáciu a podnik jeho strýka?

Vzala som do ruky pero. Mala som pocit, že podpisujem zmluvu s diablom.

Napriek tomu som napísala svoje meno na vopred označené miesto.

Možno sa všetko už teraz skončí, pomyslela som si.

Mala som však uvažovať inak.

Teraz sa všetko vlastne iba začalo.

Boj o slobodu

~~~

*T*eta Victoria sa vrátila do mojej spálne a uložila si podpísaný papier do svojho žltého obalu.

„Fajn,“ povedala. „Rozhodla si sa správne. Teraz bude všetko pre nás obe lepšie, ale najmä pre teba.“

„Chcem okamžite funkčný telefón,“ oznámila som jej. „A kľúče od svojej dodávky.“

„Ešte niečo?“ spýtala sa. Úsmev sa jej teraz tak ostro zatínal do vyblednutej tváre a pohľad mala taký chladný, že vyzerala ako vosková figurína.

„Áno. Nechcem, aby Austina alebo jeho strýka niekto otravoval alebo sa im vyhrážal, a chcem, aby mi tá tvoja špiónka zmizla z očí.“

„V skutočnosti,“ povedala na moje prekvapenie, „som už zvažovala, že pani Churchwellovú prepustím. Mala si pravdu. Nie je bohvieaká kuchárka a nie som spokojná ani s jej upratovaním a udržiavaním domácnosti. Fláka to. Mama by ju bola prepustila hneď na druhý deň. Za to, čo jej platím, môžem mať aj dve slúžky.“

„Dobre,“ pritakala som. Rozhodne mi nebude ľúto za pani Churchwellovou.

„No vidíš, ako dobre vieme ty a ja spolu vychádzať, keď spolupracuješ,“ povedala teta Victoria a poberala sa preč. „Prikážem jej, aby ti pripravila raňajky, a potom nech odíde,“ dodala.

„Nechcem, aby čokoľvek pre mňa pripravovala. Viem sa o seba postarať.“

„Fajn. Tak to bude jednoduchšie. Dám jej výplatu za dva týždne a pošlem ju preč. Nejaký čas tu budeme iba my dve," skonštatovala.

Nie, nebudeme, lebo ja odtiaľto dnes odídem.

„Než pôjdeš do kancelárie, kľúče od dodávky nechaj na kuchynskom stole," oslovila som ju, keď už odchádzala.

Zastala, na tvár sa jej vrátil úsmev voskovej figuríny a potom odišla. Ja som sa pobrala do kúpeľne. Nebola som si istá, kam pôjdem a čo urobím, ale už len samy úvahy o odchode mi pripadali vzrušujúce. Samozrejme, čo najskôr zavolám Austinovi a dám mu vedieť, kde som. Potom zájdem autom do kancelárie pána Sangera a požiadam ho, aby urobil všetko, čo je potrebné v súvislosti s financiami pre mňa a pre Austina. Bude zrejme znepokojený tým, že som podpísala splnomocnenie, ale mne už aj tak vôbec nezáležalo na dome alebo na podniku. Len nech sa kochá svojím víťazstvom a žije vo svojej temnej osamelosti, ak sa jej to páči.

Možno sa mi podarí Austina presvedčiť, aby sa so mnou presťahoval do Anglicka. Tam by si mohol vybaviť licenciu na prácu terapeuta. Mohli by sme si zohnať nejaký menší byt a zariadiť si spoločný život ďaleko od týchto problémov a útrap. Často by sme vídali môjho otca a jeho rodinu, chodili by sme do divadla a trávili spolu príjemné popoludnia v parkoch.

Ležala som vo vani a snívala, ako ideme s Austinom po brehu Temže do peknej kaviarne a podnikáme všetko to, čo som mohla robievať ešte pred nehodou.

Všetky verejné inštitúcie, zariadenia a priestory už vlastne boli bezbariérové. Ľudia ako ja mohli chodiť do múzea, cestovať na vidiek, skrátka robiť, čo sa im zachcelo. Predstavovala som si nás v nedeľu popoludní pri čaji, môjho otca, jeho rodinu, Austina a mňa, ako sa zhovárame, počúvame hudbu a jednoducho sa radujeme jeden z druhého. Ešte vždy mám šancu užívať si život, pomyslela som si.

Moja teta si myslela, že vyhrala. Všetko toto považovala za víťazstvo. Vôbec nechápala, že ma v skutočnosti vyslobodila z otroctva. Vlastne by som ja mala poďakovať jej. Môj záver bol, že som v podstate iba podpísala postúpenie práv na potápajúcu sa loď, skľučujúco temnú a predurčenú na nešťastný osud, ktorá sa plaví po mori sĺz.

Len si choď, teta Victoria, a oslavuj svoje klamlivé víťazstvo. Opatruj vzácne právne dokumenty, vystatuj sa pred známymi a stráv zvyšok svojho života túžbou po mužovi, ktorého nikdy nezískaš. V jedno ráno sa zobudíš v tomto dome či kdekoľvek práve budeš a zistíš, že si vôbec nič nedosiahla. Spoločnosť ti bude robiť iba tvoj tieň a budeš počuť iba vlastný hlas. Budeš viac väzňom, než som sa ním cítila ja. Možno nebudeš na vozíčku, budeš však postihnutá. Tým som si istá, pomyslela som si.

Moje snenie zrazu prerušili nejaké zvuky, búchanie a nárazy, ktoré sa ozývali zvonka. Dokonca som počula čosi ako pílenie. Pomyslela som si, že sú to asi záhradníci, ktorí chodievali každý týždeň upraviť okolie domu, a tak som tomu nevenovala pozornosť.

Keď som vyšla z vane a poutierala sa, obliekla som sa a vybrala som dva kufre zozadu zo skrine. Taká som bola rozrušená, že odchádzam, že som si ani nespomenula na raňajky. Namiesto toho som väčšinu rána vyberala, čo si vezmem so sebou, a balila. Keď som to už všetko urobila, spokojne som si sadla a usúdila, že som hladná.

Vyviezla som sa z izby a uvedomila som si, že po celý ten čas som už v dome nepočula žiadne zvuky. Teta Victoria zrejme naozaj prepustila pani Churchwellovú a tá bez rozlúčenia odišla. To je fajn. Vôbec som netúžila po tom, aby som sa s ňou stretla, hoci aj posledný raz.

Prvé, čo ma nahnevalo, bolo, keď som zistila, že teta Victoria nenechala v kuchyni kľúče od dodávky, ako som ju žiadala. Pozrela som sa všade, dokonca aj na dlážku. Poprezerala som police, stoličky, skrátka všetko, ale kľúče som nikde nevidela.

Došľaka aj s ňou! Schválne ich tam nenechala... alebo v natešenom chvate zabudla. Chcela som jej zavolať do kancelárie, ale spomenula som si, že telefón v kuchyni nefunguje. V hrudi mi zrazu začali narastať pocity nepokoja, hnevu a pálčivej bolesti a vyústili do návalu zúrivej zlosti.

Obrátila som vozík a náhlivo som sa odviezla po chodbe k tetinej kancelárii. Prirodzene, bola zamknutá. Zalomcovala som dverami, tresla do nich päsťou a zakričala som tetino meno. Potom som si oprela chrbát o operadlo vozíka a snažila som sa pokojne uvažovať. Jednoducho sa iba na vozíku zveziem po rampe, potom po príjazdovej ceste až dolu na cestu. Zastavím nejaké auto a požiadam šoféra, či by mi nepomohol dostať sa k najbližšiemu telefónu.

S obnovenou rozhodnosťou som na vozíku zamierila ku vchodovým dverám. Bol krásny deň a na oblohe bolo vidno iba zopár mráčikov. Tvár mi ovial teplý vánok a akoby mi dodal energiu. Zhlboka som sa nadýchla a vyviezla sa na terasu pred domom, krytú arkádami. Nebude to ťažké, vravela som si. Prvý šofér, ktorý ma zbadá, mi určite zastaví. Bude to poriadny gól vidieť stopovať dievča na vozíčku. Sama pre seba som sa pousmiala a vyrazila som k rampe.

A vtedy som zažila taký šok, že mi skoro vyrazilo dych. Nechcela som veriť vlastným očiam.

Rampa bola preč. Takže preto som vo vani počula búchanie a pílenie. Prečo to urobila? Rátala s tým, že odídem? Prečo nepočkala, kým naozaj neodídem?

Bez rampy vyzerali schody hrozivo. Ako sa s vozíkom dostanem dolu? Pocit krivdy sa vzápätí zmenil na obrovský hnev. Nedám sa poraziť. Veľmi opatrne som sa spustila z vozíka na terasu. Rozhodla som sa, že vozík budem čo najopatrnejšie tlačiť dolu po schodoch a ja sa budem plaziť, zošuchovať a všemožne sa snažiť dostať sa dolu. Potom vyleziem do vozíka. Zdalo sa, že je to dobrý plán, a tak som opatrne potlačila vozík.

Zhupol sa z prvého schodu a potom z druhého. Držala som ho tak mocne, ako sa len dalo, zostala som však veľmi nešikovne naklonená. Bolo náročné kúsok po kúsku sa zošuchovať a zároveň držať vozík. Nakoniec som sa rozhodla, že ho jednoducho spustím po schodoch a čo najrýchlejšie zídem k nemu.

Keď som uvoľnila prsty, vozík, hnaný vpred svojou váhou, zhučal dolu po zvyšných schodoch, lenže nezastal tak blízko, ako som dúfala. Hybná sila skokov ho hnala dopredu a on sa kotúľal a kotúľal, až sa nakoniec ocitol pri príjazdovej ceste.

„Stoj!" skríkla som na vozík, akoby to bola nejaká živá bytosť a mohla by ma počuť a poslúchnuť.

Vozík spomalil, ale nezastal. Pokračoval ďalej, až kým neprišiel k úseku, kde sa príjazdová cesta zvažovala. Tam znovu nabral rýchlosť a valil sa čoraz rýchlejšie, až mi zmizol z dohľadu. Bola som zhrozená a neverila som vlastným očiam. Teraz už nešlo iba o to, aby som sa voľajako dopravila dolu po schodoch, musela som sa dovliecť aj dobrý kus po príjazdovej ceste.

Pozrela som sa späť na dom. Dokonca dostať sa nazad dnu a do mojej izby by znamenalo vynaložiť ohromnú námahu.

Čo som to len urobila?

Dočerta s ňou, pomyslela som si. Dočerta s ňou, že ma dostala do tejto otrasnej situácie.

„Pomôžte mi niekto!" vykríkla som.

Môj výkrik odvial vánok. Kto by ma vôbec mohol počuť? Možno čoskoro prídu záhradníci, ale čo budem robiť dovtedy? Rozmýšľala som a potom som sa rozhodla, že nemám veľmi na výber, a tak som sa vydala za vozí-

kom. Možno mi to potrvá celé hodiny, ale dostanem sa
k nemu.

Obrátila som sa a posunula som si nevládne nohy sme-
rom dolu. Potom som sa zhlboka nadýchla a silne po-
tlačila rukami, až kým som sa nezošuchla na ďalší schod.
Keď som dopadla, takmer mi to vyrazilo dych. Prehltla
som, zatvorila oči a zabsolvovala ďalší a ďalší schod, až
kým som nebola celkom dolu. Zadok som mala odratý
a bolel ma. Znovu som nabrala dych a začala som sa šú-
chať smerom k príjazdovej ceste.

Od štrku a zeme ma čoskoro začali boľavo páliť dlane.
Podchvíľou som musela zastať a pošúchať si ich o stehná.
Poludňajšie slnko mi pražilo na tvár a teplý vánok, ktorý
mi pripadal taký príjemný, keď som otvorila dvere, na
mňa teraz pôsobil ako mučivý horúci dych nejakého ob-
rovského tvora vznášajúceho sa nado mnou. Cítila som,
ako mi pramienky potu stekajú po spánkoch.

Po ďalšej chvíľke oddychu som pokračovala v lezení.
Môj výber šiat na toto cvičenie nebol najideálnejší, po-
myslela som si. Sukňa mi nechránila kožu na nohách, naj-
mä nie na lýtkach. Na ľavej nohe som bolesť vôbec ne-
cítila, ale videla som odreniny a červené fľaky. V pravej
nohe som vnímala akési pichanie.

Keď prešla asi hodina, možno aj trochu viac, dorazila
som k vrcholu príjazdovej cesty. Z vyvýšeniny som sa po-
zrela dolu a neďaleko cesty som uvidela ležať na boku vo-
zík. Dostať sa k nemu mi bude zrejme trvať ďalšiu hodi-
nu, usúdila som. Dlane mi začali krvácať. Naozaj to veľmi
bolelo, keď som o ne oprela celú váhu hornej časti tela
a posúvala sa po zemi a po štrku.

Ako to teraz zvládnem? Obzrela som sa k domu. Bolo
by hrozitánske pokúšať sa vrátiť. A musela by som zdolať
aj schody. Dala som sa do plaču. Celý svet sa proti mne
sprisahal, pomyslela som si. Už takmer do krajnosti vy-
čerpaná som sa nakoniec zdvihla na rukách a v okamihu

obrovského hnevu a zúfalstva som si chytila kolená, schúlila sa do klbka a zámerne sa predklonila, aby som sa rozkotúľala.

A kotúľala som sa teda riadne. Nohy mi lietali ako nejaké závažia a udierali ma do pliec. Bokom hlavy som narazila na akýsi kamienok a pocítila som, ako mi po nej tečie teplý pramienok krvi. Naďalej som sa však valila dolu. Zdalo sa, akoby sa modrá obloha a mraky rútili so mnou. Dva razy som mala pocit, že sa nevládzem nadýchnuť. Nakoniec som zastala, ležala som na bruchu a pozerala sa na vozík, ktorý bol len niekoľko metrov odo mňa.

Zložila som si hlavu do dlaní a odpočívala. Cítila som, ako ma páli dorezaná a odretá pokožka na bokoch, na rukách, na hlave a na pravom uchu. Bolo mi jasné, že vyzerám hrozne. Šaty som mala samý fľak a blúzku na lakti roztrhnutú. Videla som, že lakeť mám oškretý a že mi tečie krv, dokázala som však prísť až sem. Nebolo času na oddychovanie a bedákanie. Snažila som sa posadiť, aby som si mohla zložiť ruky za seba a odsúvať sa k vozíku. Už som bola takmer pri ňom, keď som začula auto. Obrátila som hlavu a zbadala som, že sa rúti rovno na mňa. Vykríkla som od strachu, že ma šofér po príjazde zo zákruty nezbadal. Auto zastalo len niekoľko centimetrov odo mňa. Jeho nárazník bol tak blízko, že keby som sa zaklonila, udrela by som sa doň.

Počula som, ako sa otvorili dvere, a s nádejou som sa obzrela. Ale keď som zazrela topánky a tenké nohy, sklonila som hlavu, akoby to bola vlajka porážky. Nado mnou stála teta Victoria s rukami vbok.

„Čo to vyvádzaš?" spytovala sa. „Čo je to za bláznivý kúsok? Asi si sa celkom zbláznila. Pozri sa na seba, ako si sa doriadila!"

Cez slzy som na ňu kričala: „Všetko je tvoja vina! Prečo si dala odstrániť rampu? Kde sú kľúče od mojej dodávky? Prečo si ich nenechala v kuchyni na stole, ako si sľúbila?"

„Treba ťa dopraviť späť do domu a obriadiť," povedala.

„Ako si si toto mohla urobiť? Vypadla si z vozíka? Prečo si nepočkala, kým sa nevrátim domov? Čo bolo také dôležité, že si sa dala na jazdenie?"

Šla po vozík a postavila ho vedľa mňa. Potom sa zohla, aby ma mohla uchopiť popod pazuchy.

„Nechaj ma!" skríkla som. „Ty si všetkému na vine."

„Prestaň sa správať ako blázon a spolupracuj. Viem, že dokážeš trochu hýbať pravou nohou, takže mi pomôž, aby som ja mohla pomôcť tebe," prikázala mi.

Nemala som inú možnosť, len urobiť, čo chcela. Napodiv mala dosť sily na to, aby ma zdvihla dostatočne vysoko a uložila do vozíka. Dosadla som doň, ale ruky som mala také unavené a slabé, že mi bezvládne ovisli vedľa bokov.

„Len si odpočiň," povedala a s námahou ma tlačila hore príjazdovou cestou.

„Prečo si dala odstrániť rampu?" spýtala som sa slabým hlasom.

„Dom predávame, nespomínaš si? Ako by som sem mohla priviesť záujemcov o kúpu, keby tu bola tá rampa? Odradila by ich. Ľuďom musí byť dom najprv sympatický, ak sa majú rozhodnúť pre jeho kúpu."

„Nemohla si aspoň počkať, kým odídem? Ako by som sa dostala von?"

„Kto by si bol myslel, že budeš chcieť odísť bez niečej pomoci? Nemusela si odchádzať sama, dievča bláznivé. Vždy si bola taká impulzívna."

„O čom to hovoríš? Veď ma sotva poznáš," vravela som jej, krútiac hlavou. „Nemala si tú rampu odstrániť," trvala som na svojom.

Bola som prekvapená, aká je silná, aj keď je taká chudá. Nejako sa jej podarilo obrátiť vozík a vyvliecť ho aj so mnou hore, schod po schode, až kým sme neboli nazad pod stĺporadím.

„A sme tu," povedala a zhlboka sa nadýchla. „Takmer si ma tým svojím vyvádzaním unavila. Teraz bude treba dostať ťa dnu a dať do poriadku. A na tie porezané a odreté miesta treba nájsť nejaké antiseptikum."

Obrátila vozík a zaviezla ma späť do domu. Spustila som bradu na hruď. Môj hrdinský a rozhodný pokus o útek zlyhal a chýbala už iba chvíľka na to, aby som sa dostala do vozíka a odviezla sa na cestu. Vôbec som netušila, aká dôležitá a vzácna mala byť tá posledná chvíľka. Čoskoro som sa to však mala dozvedieť.

Teta ma dopravila do mojej izby a ihneď mi začala vyzliekať šaty.

„Čo myslíš, ako by to vyzeralo, keby ťa dnes prišli navštíviť, a takto by si vyzerala? Čo by si o mne pomysleli? Som schopná viesť multimiliónový podnik, ale nepostarám sa o postihnuté dievča. Bolo by to hrozne nepríjemné. Grant by si kládol otázku, či som naozaj taká schopná, ako sa zdám, a mal by právo o tom zapochybovať."

„Tvoja matka by, samozrejme, ušla, keby ťa takto uvidela. Tak by sa rozrušila, že by si musela ísť odpočinúť, a on by šiel k nej a musel ju upokojovať. Čosi také nemôžeme pripustiť," uzavrela.

Bola som príliš unavená a ubolená na to, aby som zastavila jej táranie. Slová som registrovala, ale zarazilo ma a trochu vyľakalo, aký mala šialený výraz v očiach.

Kričala som od bolesti, keď mi umývala rany, lebo od mydla akoby sa mi do nich zahrýzali maličké, ale ostré zuby.

„To všetko, všetku tú bolesť si zavinila ty. Bolesť je dobrá vtedy, keď človeka niečo naučí. Dúfam, že tentoraz si z nej vezmeš ponaučenie," mudrovala. Ako ma umývala, zreničky sa jej ešte viac rozširovali a zužovali ako nejaké teleskopické šošovky, ktoré sa otvárajú a zatvárajú.

„Čo tým tentoraz myslíš?"

Vyzerala ako omámená a pery sa jej nebadane chveli.

„Musím ti na to dať antiseptikum, drahá sestrička."

„Ja nie som tvoja sestra!" vykríkla som.

Zamrkala, potom sa strnulo vystrela.

„To je len taký zvrat," povedala úsečne. „Nemusíš sa pre to hneď rozčuľovať. Aj tak by pre nás bolo teraz lepšie, keby si ma považovala skôr za svoju sestru a nie za nejakú vzdialenú tetu."

Zatvorila som oči a zastonala som. Musím sa odtiaľto dostať, pomyslela som si. Jej myseľ je ako nejaké hodiny, ktoré prestanú tikať a rozbehnú sa o nejakej inej hodine v iný deň.

Keď mi rany zasypávala antiseptikom, robila to priam škodoradostne a tešilo ju, že pri tom kričím. Viem, že mi ten prášok mal pomôcť, ale v jej rukách mi pripadal ako nejaké čínske mučidlo, vynájdené pred dvetisíc rokmi. Napokon skončila.

„Radšej by si si mala na chvíľu ľahnúť," radila mi.

Sedela som tam a ťažko dýchala, snažila som sa spamätať, bola som však unavená a bolesť sa hlásila z toľkých rozmanitých miest môjho tela, že som takmer upadala do mdlôb. Bola som príliš unavená na to, aby som jej vzdorovala, hoci len krikom. Takmer som sa nebránila, keď ma dvíhala a s vhupnutím preložila do postele.

„Prepokladám, že si dokonca ani nejedla," povedala, stojac nado mnou a dychčiac, pričom úzke plecia sa jej dvíhali a klesali. Zrak jej blúdil a rýchlo mrkala. Keď sa na mňa pozrela, ako keby sa dívala cezo mňa.

„Nechápem, ako môžeš tak dobre vyzerať, keď ješ tak nezdravo. Nikdy si nemala ani akné, a keď sa ti príležitostne aj objavila nejaká nechutná malá vyrážka, tvárila si sa, akoby ti na tvári priam vybuchla sopka," vravela.

„O čom to hovoríš, teta Victoria?" spýtala som sa takmer šeptom.

„Ty si to, prirodzene, nepamätáš. Čokoľvek nepekné ihneď vypudíš z mysle. Choď si ľahnúť. Musím ešte pracovať," povedala a vykročila na odchod.

„Počkaj," požiadala som ju tichým hlasom. Ona sa však neobrátila a vzápätí bola preč.

Odpočiniem si, pomyslela som si. Odpočiniem si, znovu naberiem silu a odídem odtiaľto. Victoria je šialená a chvíľami upadá do svojich nepríjemných spomienok. Zatvorila som oči a zakrátko som už spala.

Zo všetkých tých útrap som už bola taká unavená, že som spala celé hodiny. Keď som sa zobudila, práve sa začalo zmrákať a bola ešte väčšia tma. Bez svetla v izbe vyzeralo všetko bezútešne. Zavzdychala som a na lakťoch som sa vytiahla hore, ale bolesť v ramenách a bokoch bola taká silná, že som sa zvalila nazad do postele.

„Teta Victoria," volala som. „Teta Victoria!"

Čakala som. Okrem zvuku vetra, ktorý zosilnel a obtieral sa o okná a steny domu, som nepočula nič. Je tu vôbec? V hlave mi začalo hučať. Uvedomila som si, že som celý deň nič nejedla a dokonca nevypila ani hlt vody. Mala som pocit, že pery sa mi zmenili na dva prúžky šmirgľového papiera.

„Teta Victoria!"

Ako je možné, že ma nepočuje? Vari nekričím dosť nahlas?

„Si tu?"

Chodba bola tmavá. Možno tu nie je, uvažovala som. Pozrela som sa na vozík. Nechala ho priďaleko od postele. Zasa by som sa musela plaziť, ak by som sa k nemu mala dostať, pomyslela som si. Lenže už sama myšlienka na toľkú námahu ma unavila. To by som rovno mohla zdolať Mount Everest. Ležala som a rozmýšľala, čo môžem urobiť. Bolela ma hlava a mala som pocit, akoby mi ju okolo spánkov obopínala nejaká elektrická stuha ako korunka statickej energie.

„Teta Victoria, prosím ťa, odpovedz, ak si tu," prosíkala som, ale nič som nepočula.

Možno je vo svojej kancelárii, telefonuje, a preto ma nepočuje. Pozorne som počúvala a dúfala, že sa ozve nejaký zvuk, potvrdzujúci, že v dome nie som sama. Ale ticho pretrvávalo a zdalo sa, že je ešte hlbšie.

Volala som ju znovu a znovu, zdvihla som sa na lakťoch a kričala som. Všade však vládlo len ticho.

Bola som už zúfalá, a tak som sa načiahla a schytila som budík. Celou silou som ho cez dvere vyhodila na chodbu, kde buchol do steny a odrazil sa. Narobil pri tom poriadny hluk.

Počúvala som.

Napokon som začula kroky, boli však také pomalé a slabé, že zneli skôr ako šuchotanie nejakej starej osoby. Vôbec mi nepripadali ako kroky tety Victorie. Zdalo sa mi, že prešla večnosť, ale nakoniec k dverám predsa dorazila. Bola vo svojom škaredom ružovom župane a na nohách mala kožené papuče, ktoré vyzerali ako pánske. Pôsobila napätejšie a unavenejšie ako ja. Cez vlasy akoby sa jej prehnal uragán, viečka mala ovisnuté a oči temné ako fľaky atramentu. Nebola ako zvyčajne strnulo vzpriamená a spustené plecia ju robili staršou a chudšou. Pohybovala sa, akoby ju svaly a kĺby boleli viac ako mňa, a chvíľu som uvažovala, či ju vlastne tá námaha, ktorú vynaložila, aby ma priviezla po cestičke a po schodoch späť do domu, predsa len nevyčerpala.

„O čo ide? Čo sa tu deje? Spala som," hundrala.

„Chcem zísť z postele," vravela som. „Potrebujem vozík a chcem si niečo zajesť a vypiť. Som úplne vyprahnutá."

Ona tam však stála a zízala na mňa, akoby nepočula ani slovo.

„Teta Victoria, počula si ma?"

„Hádaj, čo prišlo dnes popoludní poštou," povedala namiesto odpovede.

Usmiala sa, siahla do bočného vrecka priveľkého župana a vytiahla čosi, čo vyzeralo ako pohľadnica. Držala ju pred sebou, akoby čakala, že budem vedieť, o čo ide.

„Od koho je?" spýtala som sa. Je od Roya alebo z Anglicka?

„Je od nich. Od koho iného? Kto iný by mal tú trúfalosť, tú drzosť poslať mi takú pohľadnicu? Prečítam ti ju."

„Teta Victoria..."

„Drahá Vikki," začala, potom pohľadnicu spustila nižšie a pozrela sa na mňa. „Občas to rada robí, volá ma Vikki, akoby sme boli milujúce sa sestry a ona ma volala zdrobnelinou. Vie, že neznášam zdrobneliny, vždy som ich nenávidela. V škole som nikomu nedovolila, aby ma volal Vikki. Nepočúvala som na to meno, ale ona len tak pre zábavu nahovárala decká, aby ma tak volali." Znovu začala čítať:

Drahá Vikki,
nedalo mi a jednoducho Ti musím poslať túto pohľadnicu, aby si videla, ako je tu krásne. Máme sa veľmi dobre. Pripadá mi to, akoby sme s Grantom trávili medové týždne. Znovu sa spoznávame a opätovne objavujeme vzájomnú lásku.
Dúfam, že sa máš dobre.

S láskou Megan

Potom vložila pohľadnicu späť do vrecka.

„S láskou Megan," komentovala. „Znovu sa spoznávajú a opätovne objavujú vzájomnú lásku. Vidíš? Ona vždy nakoniec dosiahne, čo chce."

Zasmiala sa.

„Nepracuj veľa. Pri prvých príznakoch niečoho nepríjemného zoslabni pred zrakom svojho muža, zamrkaj očami, trucuj a dosiahneš, čo od neho chceš. Také je ponaučenie, podľa ktorého sa treba riadiť, kým muži vládnu svetom."

„Takže prečo ja pracujem tak usilovne, však? Len sa ma na to opýtaj. Opýtaj sa," prikazovala mi.

„Som hladná a smädná," zopakovala som. „Prosím ťa, prisuň mi vozík k posteli."

Slaboducho sa uškrnula, pokrútila hlavou a šla po vozík. Keď ho pritlačila k posteli, odšuchtala sa preč z izby a odchádzala po chodbe.

„Musím zosilnieť, musím odtiaľto vypadnúť," opakovala som. Mantra mi dodala silu, aby som si obliekla župan a presunula sa do vozíka. Vzápätí som sa vyviezla z izby.

Skutočne ma prekvapilo, aká tma bola aj vo zvyšku domu. Nedala si tú námahu, aby zažala svetlá na chodbe. Pozrela som sa smerom k pracovni, dvere boli otvorené. Zdalo sa mi, že tam svieti len malá lampička a nič iné. Šla som do kuchyne, zažala svetlá a začala som si pripravovať niečo na jedenie.

Kým som si chystala jedlo, stále som čakala, že sa Victoria objaví, ale prišla, až keď som dojedla a odložila riad do umývačky. Jedlo a čaj mi dodali silu a energiu. Rezné rany a odreniny sa hlásili iba tupou bolesťou. Práve som sa poberala do svojej izby, keď som začula z chodby neznáme klopkanie podpätkov. Ich zvuk naznačoval, že to je niekto plný elánu. Kto to sem prišiel? Želala som si, aby to bola moja matka.

Najprv som ju nespoznala. Moja prvá reakcia bola, že je to možno niekto z kancelárie tety Victorie, hádam jej sekretárka. Chvíľu mi trvalo, kým som si odmyslela všetky možné zmeny a uvedomila si, kto to je.

Mala som pocit, akoby sa mi všetka krv odplavila do nôh. Za ušami som pocítila akési mravčenie a zrazu akoby ma opúšťali sily. Vyjavene som hľadela na ženu, ktorá mi teraz pripadala ako neznáma, priam nejaký zdeformovaný a prehnaný výplod niečej fantázie.

Na vlasoch mala preliv a vďaka jeho čudnej farbe vyzerali ako slama. Na tvári mala toľko mejkapu, že sa jej na čele priam odlupoval. Na tenkých perách mala jasnočervený rúž natretý tak, aby vyzerali hrubšie a širšie, pôsobili však ako pery klauna. Očné tiene ešte ako-tak ušli, ale falošné mihalnice jej jednoducho nepristali a vyzerali očividne umelo.

Obuté mala topánky na vysokých podpätkoch, ktoré ju vyniesli priam do stratosféry. Na ušiach sa jej hompáľali visiace zlaté náušnice s diamantom v strede a ladili so zlatým náhrdelníkom. Malé prsia jej zväčšovala nejaká super vystužená podprsenka, lebo sa jej medzi nimi zjavil žliabok, ktorý bolo jasne vidieť v špicatom výstrihu vypasovaných tmavomodrých bavlnených šiat, čo boli také tesné, že sa pod nimi zreteľne črtali kostnaté boky. Sukňa šiat bola najkratšia, akú som kedy na nej videla.

„No povedz," zašvitorila vo dverách, zdvihla ruky nad hlavu a pomaly sa otáčala, „ako vyzerám?"

Nevládala som prehovoriť. Vyzerala tak čudne, až ma vystrašila. Pokúšala som sa prehltnúť, ale veľká hrča v hrdle nepopustila.

Pri pohľade na mňa jej tvár zalialo sklamanie z mojej reakcie a oči plné vzrušenia sa zrazu zmenili na chladné a nahnevané.

„Čo je? Čo sa ti nevidí? Vari nie som až taká pekná? Dokonca ani takto? Na to myslíš?"

„Nie," zmohla som sa nakoniec. „Nie, len som prekvapená."

Oči mala chvíľu prižmúrené, ale potom ich otvorila naplno a zasmiala sa.

„Jasné, že si to myslíš. Lenže práve v tom je tá zábava, v prekvapení. Takže mi zaželaj veľa šťastia," povedala.

„Načo?"

„Načo? Na moje rande. Na rande vždy potrebuješ kúsok šťastia. Vieš, nemožno každú reakciu iba naplánovať či zosnovať."

„Ty ideš na rande?" Chcela som ešte dodať „takto", ale neurobila som to.

„Jasné. Veď som ti to pred chvíľou už povedala. Lenže ty skrátka nepočúvaš, ak sa to netýka teba. Takže dnes mám svoj večer," dodala. „A ty musíš zostať doma. Ty dnes predávaš petržlen, ako sa hovorí, ale budem na teba myslieť, keď si budem pochutnávať na nejakej lahôdke, počúvať hudbu a viezť sa v kabriolete, a aj to ostatné potom. Áno, aj ja si užijem to ostatné potom."

„Všeličo sa môže udiať," povedala so smiechom a mávla rukou. „Zajtra ťa o všetkých novinkách poinformujem, ak budeš dobrá."

Obrátila sa a odišla.

„Počkaj, teta Victoria," volala som za ňou a krútila som kolesami vozíčka, ako rýchlo som len vládala, aby som ju dostihla v chodbe. Kráčala smerom ku vchodovým dverám. „Kde sú kľúče od dodávky?" kričala som. „Teta Victoria!"

Pri dverách sa obrátila.

„Čože? Čože?" zahabkala a tvár jej očervenela.

Priviezla som sa bližšie k nej.

„Potrebujem kľúče," povedala som tak pokojne, ako som len vládala. „Sľúbila si mi to, ak podpíšem tie papiere. Prosím ťa," zopakovala som. „Taká bola naša dohoda."

„Neviem, kde sú. Pohľadám ich zajtra. Nespomínaj mi nijaké papiere a podpisovanie. Teraz sa nechcem zaoberať úradnými záležitosťami, ty bláznivé dievča. Nemáš žiadny zmysel pre načasovanie vecí? Hlavu mám plnú márností. Neviem teraz seriózne uvažovať. Ty by si to mala najviac chápať."

„Len skús sekať dobrotu, kým sa nevrátim."

„Teta Victoria!"

Vyšla však von a zatvorila za sebou dvere. Ja som tam zostala sedieť a neveriacky som sa za ňou dívala.

Je to blázon, pomyslela som si. Nejde na žiadne rande. Pohltila ju nejaká divá predstavivosť. Nemôžem tu zostať ani o chvíľu dlhšie, ale teraz sa už nepokúsim znovu dostať dolu na cestu, to je isté. Odviezla som sa nazad ku schodisku a uvažovala som. Pani Churchwellová vravela, že telefón na poschodí funguje. Otázkou bolo, či mám odvahu a silu pokúsiť sa vyštverať hore schodmi? Čo ak sa pošmyknem a spadnem... Aspoň sa dostanem do nemocnice a vypadnem odtiaľto, pomyslela som si. Lenže potom mi zišlo na um, že ona je schopná jednoducho ma zdvihnúť a s dolámanými kosťami uložiť späť do postele.

Mám iba čakať a dúfať, že sa Austin vráti, ako sľúbil? Alebo ich so strýkom už právnici tety Victorie do takej miery vydesili, že sa neukáže, najmä po tom, čo sa stalo včera? Všetky tieto úvahy sa mi preháňali hlavou.

Srdce mi búšilo od nerozhodnosti. Ako by som sa mohla iba vrátiť do väzenia svojej izby a nečinne čakať? Nebudem sa zbytočne ponáhľať. Aj keby mi to malo trvať celú noc, vydám sa pomaly a mimoriadne opatrne hore po schodoch k telefónu.

Dostanem sa tam, aj keby to mala byť tá posledná vec, ktorú ešte urobím. Zvyčajne je to iba taký slovný zvrat, pomyslela som si, v mojom prípade by sa však mohlo stať, že by platil nielen obrazne.

Doslovne centimeter po centimetri som sa dostala z vozíka k prvým schodom. Sadla som si a zhlboka sa nadýchala. Srdce mi búšilo tak divo, až som sa obávala, že by som mohla na polceste omdlieť. Upokoj sa, Rain, vravela som si. Upokoj sa alebo sa vôbec nepokúšaj to urobiť.

Vyjsť po schodoch v skutočnosti nebolo ani také náročné, dokonca aj napriek nefungujúcim nohám. Ramená a plecia som mala vďaka Austinovej rehabilitácii dostatočne silné. Sadla som si na schod chrbtom, dala som ruky za seba na ďalší schod a vytiahla sa naň. Po dvoch schodoch som si odpočinula, držiac sa za stĺpiky zábradlia. Aby mi myseľ nespanikárila, rátala som schody a potom som si dokonca začala trochu pospevovať. „Je tu dvadsať schodov, a keď zvládnem ďalšie dva, zostane ich len osemnásť."

Trvalo mi to takmer hodinu, ale nakoniec som sa už načahovala za schodom vedúcim na plošinku a vytiahla som sa naň. Bola som hore. Namiesto strachu a znepokojenia mi srdce poskočilo od radosti.

Pozrela som sa dolu na vozík pod schodmi. Pripadalo mi to, akoby som sa dívala z útesu. Plná nádeje som sa posúvala po chodbe na poschodí. Ak som si dobre pamätala, telefón je zrejme vo všetkých izbách, ale fungujúci prístroj najskôr nájdem v niekdajšej spálni tety Victorie, kde bývala aj teraz.

Keď som bola už o kúsok ďalej, zbadala som, že dvere do spálne starej mamy sú dokorán otvorené. Keďže boli bližšie, rozhodla som sa, že telefón budem hľadať tam. Veď prečo by ho nechala odpojiť? Pripadalo mi vhodné, aby som svoje zúfalé volanie o pomoc vyslala zo spálne starej mamy. Duchom bude pri mne, presne tak ako vždy, keď som ju najviac potrebovala, pomyslela som si.

Vošla som do izby a natiahla som sa, aby som mohla zažať svetlá.

Prvé, čo ma zarazilo, bola prenikavá vôňa parfumu starej mamy. Vôňa vydrží dlho, nie však až takto dlho a tak výrazne. Akoby ju niekto práve použil. Možno sa navoňavkovala teta Victoria, uvažovala som, ale nespomínala som si, že by bolo tú vôňu cítiť, keď sa so mnou dolu zhovárala, a nezostala ani v chodbe. Určite by som si to všimla.

Telefón starej mamy Hudsonovej bol jedným z tých mohutných starožitných skvostov, celý z mosadze s obrovským slúchadlom a mikrofónom. Stál na nočnom stolíku vpravo od postele. Rozhodla som sa, že využijem bočnú dosku rámu postele, aby som sa premiestnila na posteľ. Odtiaľ by som mohla telefonovanie ľahko zvládnuť.

Podarilo sa mi to už dvoma premyslenými pohybmi. Usmiala som sa pri myšlienke, aký by bol Austin na mňa hrdý, keby ma videl. Posledný úkon bol, že som sa vyhupla až na peľasť, aby som dopadla rovno na vankúš.

Nedopadla som však na vankúš. Líce mi namiesto toho pristálo pri prameňoch vlasov. Bolo to také nečakané, že na okamih som akoby zamrela. Potom som sa opatrne obrátila a v tej istej sekunde som zvrieskla tak prenikavo, až sa mi rozhrkotali všetky kosti v tele.

Parochňa farby vlasov starej mamy Hudsonovej bola nastoknutá na hlavu figuríny, ktorá ležala v posteli. Ten pohľad mi úplne vyrazil dych, akoby mi nejaký vysávač vytiahol z pľúc všetok vzduch.

Hlava sa mi zatočila a potom vzápätí nastala všade tma.

Väzenkyňou šialenstva

Zrejme som nebola dlho v bezvedomí, ale kým som sa po schodoch dopravila hore do izby starej mamy, teta Victoria prešla cez svoj vykonštruovaný tunel ilúzie. Podľa mňa bola na tom vymyslenom rande. Keď som otvorila oči, stála nado mnou.

Usmiala sa.

„Neprekvapuje ma, že si tu. Keď som dolu videla vozík, okamžite som vedela, čo si urobila."

„Samozrejme, že chceš byť vedľa nej. Prirodzene, že chceš byť tu. Aká som hlúpa, že som si to hneď neuvedomila," povedala.

Nadvihla som sa a znovu som zbadala parochňu a hlavu figuríny.

„Čo je to?" spýtala som sa.

„Pššt," zahriakla ma. „Veď spí. Určite si aj ty unavená. Muselo ťa to stáť veľa námahy, aby si sa dostala sem hore. Sme na teba pyšní, že si sa konečne rozhodla s nami znášať trochu bolesti a utrpenia."

„Chcem odísť," zakvílila som. „Prosím ťa, pomôž mi odísť. Môžeš mať všetko, celkom všetko. Podpíšem čokoľvek, len ma dnes večer vezmi preč z tohto domu."

„To je úplná hlúposť," vyčítala mi, „najmä teraz, keď už tak dobre spolu vychádzame."

„Nevychádzame spolu dobre! Prestaň to už opakovať!"

„Nekrič, Megan. Zobudíš ju," dodala šeptom.

„Ja nie som Megan. Som Rain a ty si trápna. Vyzeráš absolútne trápne s tým mejkapom a s takými vlasmi. A nehrozí, že niekoho zobudíme. Stará mama sa už pominula, niet jej! Pomôž mi vstať a dostať sa z tohto domu, lebo inak všetko oznámim svojmu právnikovi. Rozumieš?" vyhrážala som sa jej.

Strnulo na mňa hľadela a pomaly pokrútila hlavou.

„No a ja som si myslela, že to s tebou začína byť lepšie a už sa prestaneš správať ako rozmaznané decko. To je teda hrozné sklamanie."

Vydala sa na odchod.

„Neopováž sa opustiť túto izbu," zvrieskla som.

Obrátila sa späť.

„Možno keď si v noci odpočinieš, budeš mať lepšiu náladu," vravela. „Aha," dodala s úsmevom. „S Grantom som strávila úžasný večer."

„Nebola si s Grantom. Nikdy nebudeš s Grantom!" kričala som, kým ona pomaly zatvárala dvere a zhasla svetlo. „Teta Victoria!"

Jej podpätky odťukali preč.

Obrátila som sa a zašmátrala po telefóne, ale keď som zdvihla slúchadlo, počula som iba ticho, nijaký signál. Prečo ho dala odpojiť? Vari si myslela, že stará mama by ho mohla používať?

Šialenstvo.

Topím sa v jej šialenstve, pomyslela som si.

Zhodila som telefón z nočného stolíka, a keď dopadol na dlážku, ešte poskočil.

Mám dosť síl, aby som sa vybrala dolu po schodoch? A čo by som urobila, keby som zišla dolu?

Zabedákala som a ponorila som hlavu do vankúša. Čo som to urobila? Ocitla som sa bez vozíka a ešte hlbšie som uviazla v tejto diere ako niekto v zvieracej kazajke, kto sa krúti a zvíja, a potom je na ňom kazajka tesnejšia, až sa nevládze ani hnúť.

Zvyšok noci som prespala. Len čo som sa zobudila, už ma nutkalo na vracanie. Vlny nevoľnosti mi bránili zdvihnúť hlavu z vankúša. Zhlboka som sa nadychovala a pokúšala som sa zachovať pokoj. Čo sa to so mnou deje? Je to dôsledok včerajšej priveľkej námahy? Ešte vždy som po celom tele cítila tupú bolesť.

Keď som sa trochu pootočila doľava, v bradavkách som pocítila akési brnenie. Z čoho to je? Chrbticou mi prebehol hrozný strach, akoby v nejakom teplomere bleskurýchlo vybehla hore ortuť. Pokrútila som hlavou, podvedome som tú možnosť chcela poprieť, lenže mysľou mi prebehlo čosi iné. Veľa som o tom nerozmýšľala, veď som po tieto dni mala toľko iných telesných problémov, ale už niekoľko týždňov mi meškala menštruácia.

Poznanie ma zasiahlo ako úder do žalúdka a už som sa viac nevedela zdržať. Vyklonila som sa za okraj postele a vracala som. Volala som pri tom na tetu Victoriu. Volala som vlastne na kohokoľvek. Zdalo sa mi, že naskutku umieram. V každej prestávke medzi vracaním som znovu a znovu kričala. Nakoniec prišla k mojim dverám.

Medzi tým, ako vyzerala včera, a ako vyzerala dnes ráno, nastala radikálna zmena. Ako keby sa bola zobudila z nejakého sna, prestala byť námesačná alebo sa spamätala z nejakej kómy, bola to znovu tá známa teta Victoria, aspoň na pohľad. Mala na sebe jeden zo svojich kostýmov, vlasy riadne učesané a žiadny mejkap ani rúž. Stála vo dverách a uprene sa na mňa pozerala pohľadom plným zhnusenia, ktoré vychádzalo z jej kostnatej tváre ako nejaká vzduchová bublina stúpajúca k vodnej hladine.

To jej šialenstvo mysle sa, dúfam, nepredralo aj do súčasnosti, pomyslela som si.

„Čo to robíš?" spýtala sa.

„Čo robím? Je mi zle," povedala som. „Ako ma tu môžeš takto nechať?"

„Si nechutná," skonštatovala a odkráčala cez izbu do

kúpeľne. Z poličky vzala uterák, vrátila sa a hodila ho na povracané miesto.

„Musíš zavolať sanitku a odviezť ma do nemocnice," vravela som jej.

Hľadela na mňa a pokrútila hlavou.

„Všetko musíš mať dramatické, však? Všetko musí vyzerať ako predstavenie na cenu Divadelnej akadémie. Vždy musíš byť stredobodom pozornosti. Dokonca aj dnes, dokonca aj dnes mi musíš niečo také urobiť."

„Čože? Dnes? O čom to hovoríš?"

Že by nebola zasa sama sebou? Ako som to vôbec mohla posúdiť iba na pohľad? O čom to teraz hovorí?

„Vieš, že je to pre mňa veľký deň. Možno sa mi podarilo dohodnúť najväčší obchod nášho podniku. Otec by bol na mňa pyšný. Bojíš sa, že ťa pripravím o tvoju slávu, však?"

„Teta Victoria, prestaň a pozri sa na mňa. Ja som Rain. Som chorá. Myslím... myslím, že som tehotná," pripustila som. Predpokladala som, že začne tárať o Austinovi, teda o lovcovi bohatstva, a ako ma zámerne urobil tehotnou, aby sa dostal k mojim peniazom.

Zdvihla hlavu a stisla pery. Oči jej potemneli a potom zosvetleli, akoby za nimi niekto zhasol nejaké malé žiarovky a potom ich zažal.

„Skutočne?" spýtala sa sucho, bez akýchkoľvek emócií alebo súcitu v hlase. „Rozmýšľam, prečo ma to neprekvapuje. Prečo ma neprekvapuje, že svoje vlastné osobné potešenie si znovu uprednostnila pred zodpovednosťou či akoukoľvek starosťou o svoju rodinu a o jej povesť? Prečo nie som šokovaná, Megan?"

„Ty ma nepočúvaš. Prosím ťa, počúvaj ma," prosíkala som. „Ja som tvoja neter, nie tvoja sestra. V mojom prípade je to veľmi vážne, že som tehotná. Potrebujem zdravotnú starostlivosť. Musíš zavolať sanitku a okamžite informovať mojich lekárov."

Načiahla som sa za jej rukou a ona ju odtiahla tak prudko, akoby sa dotkla jedovatého brečtana.

„Prestaň! Si azda prvé dievča, ktoré sa dostalo do maléru? Čo myslíš, čo sa stane? Môžeme svetu dať na známosť, čo si to vyviedla? Chceš, aby som zavolala sanitku, lebo si myslíš, že si tehotná? To je absurdné. Dokonca aj keď si naozaj tehotná, zvládneme to tak, ako zvládame všetky tvoje chyby, Megan, jednoducho samy, diskrétne, bez toho, že by sa ostatný svet dozvedel, aká si hrozná.“

„A zatiaľ,“ dodala, „ti trochu utrpenia urobí dobre. Možno ti pomôže uvedomiť si, aká si bola sebecká, a prečo by si nabudúce mala najprv pomyslieť na nás ostatných, než sa rozhodneš zahodiť opatrnosť a oddať sa svojim výplodom a radovánkam.“

Obrátila sa a pochodovala ku dverám.

„Počkaj!“ zakričala som.

„O čo ide? Ja už musím ísť,“ povedala, keď sa obrátila. „Mám dnes veľmi, veľmi dôležité stretnutie. Možno z neho získame milióny. Vieš si to predstaviť?“ spytovala sa a oči sa jej rozšírili vzrušením. „Uvedomuješ si, že ja, žena, som otcov podnik pozdvihla do výšok, ktoré by si on sám ani nevedel predstaviť?“

„Teraz si ma možno budeš viac ceniť. Možno si ma obaja budú viac ceniť.“

Pozrela sa na dlážku.

„Nie aby si to tu ešte ovracala, jasné?“

Takmer celkom privrela dvere.

„Počkaj! Nenechávaj ma tu!“ kričala som, keď zmizla z dohľadu. „Ja nie som Megan!“ Počula som ju schádzať po schodoch. „Vráť sa a pozri sa na mňa! Počúvaj ma! Teta Victoria!“

O chvíľu neskôr sa otvorili a zatvorili vchodové dvere a ona odišla. Zostala som sama. Kŕče pokračovali, nevoľnosť sa vrátila a ja som znovu a znovu vracala, až kým som nebola taká unavená, že som ani nevládala zdvihnúť hlavu z vankúša.

Odpočiň si, prikazovala som si. Buď pokojná, odpočiň si a o chvíľu sa pokús dostať k telefónu v jej izbe.

Striedavo som upadala do spánku a preberala som sa. Cítila som, že s mojím mechúrom nie je všetko v poriadku. Bola som mokrá a kŕče sa neustále zosilňovali. Vlny nevoľnosti sa zmenili na čosi iné, niečo oveľa silnejšie. Telo sa mi čoraz viac rozpaľovalo a v ústach mi náhle tak vyschlo, že som nevládala prehĺtať. Spuchnutý jazyk som mala drsný ako šmirgeľ. Aj kričať ma bolelo.

Bolesť na čele medzi spánkami tak zosilnela, až mi do očí vyhŕkli slzy. Akoby mi niekto neustále stláčal čelo oceľovými prstami. Jediné, čo mi zostávalo, bolo vzdychanie a plač. Nemala som ani potuchy o čase. V izbe neboli žiadne fungujúce hodiny. Viem, že som zrejme driemala a prebúdzala sa po celé dlhé hodiny. Mala som pocit, že som čoraz viac rozhorúčená a že sa odo mňa môže posteľ zapáliť. Strašne som túžila aspoň po hlte vody.

Slnečný svit sa posunul od východnej strany domu ďalej, a tak som usúdila, že je neskoré popoludnie. Ako som zaspávala a prebúdzala sa, zdalo sa mi, že počujem kroky a vrznutie otvárajúcich sa dverí. Keď som znovu otvorila oči, dvere boli naozaj viac pootvorené.

Pokúšala som sa volať. Myslela som si, že kričím, ale zrejme som sa ozvala len o trochu hlasnejšie ako šeptom. Nakoniec, asi po hodine, vošla do izby. Už nemala na sebe kostým, ale čosi také prečudesné, až som si pomyslela, že sa mi to určite iba sníva.

Teta Victoria sa okolo mňa priam vznášala. Mala na sebe iba tenké negližé.

Bola taká chudá, že sa jej pod kožou črtali rebrá. Krútila sa a dvíhala ruky, na okamih ich nechávala ustrnúť vo vzduchu, potom ich zasa spustila a krútila sa vo zvláštnom tanci. Úsmev na jej tvári bol celkom iný. Vyzeral ako naradostený úsmev malého dievčatka.

Urobila prestávku a spokojne sa pozrela na mňa.

„Ach, Megan. Som taká rozrušená, že som sa nevedela dočkať, kedy ti to poviem. Ocko ma miluje," povedala. „Ocko ma miluje viac než teba."

Opäť sa trochu zavrtela a podišla bližšie ku mne. Oči akoby mi ustrnuli, nebola som schopná obrátiť zrak doprava ani doľava a jej tvár ma priam hypnotizovala. Keď prehovorila, znelo to ako hlas malého dievčatka.

„Ocko ma vyniesol hore do postele. Práve som dopila pohár horúceho mlieka a on mi povedal, že už môžem ísť spať, ale mne sa nechcelo. Chcela som ešte byť hore, on mi však povedal, že musím, lebo inak sa mama bude hnevať. Dnes sa o nás má starať on, lebo mama odišla na prípravnú schôdzu dobročinného bálu. No a ocko to musí splniť, lebo inak by spal v psej búde."

„‚Chceš, aby som dnes v noci spal v psej búde?' spytoval sa ma."

„Prirodzene, že som celá zdesená pokrútila hlavou už pri myšlienke, že by kvôli mne mal problémy. On sa zasmial a pozrel sa na mňa tým najmilším pohľadom, aký som uňho kedy videla, dokonca milším, ako keď sa díva na teba. Áno, omnoho milším," dodala šťastne a presvedčivo kývala hlavou.

Nevládala som prehovoriť. Jej tvár bola teraz už tak blízko, až ma vystrašila, a obávala som sa ju prerušiť. Zazrela som jej pod očami maličké pehy a bledé materské znamienko, ktoré bolo inak skryté pod okrajom nosnej dierky.

„‚No poď,'" povedal a načiahol sa za mnou. Má riadne veľkú ruku, však? Keď ma chytil, moja ruka sa v jeho priam stratila. Vôbec som si nevidela prsty.

„‚Nevidím si prsty, ocko,' povedala som. On sa zasmial a navrhol: ‚Pozrime sa, či sú ešte vždy tam.'"

„Otvoril dlaň, dlhým hrubým ukazovákom ľavej ruky sa dotkol mojej dlane a oznámil: ‚Sú tam.'"

„Ja som sa zasmiala a ocko sa uškrnul. Potom si ma ne-
čakane pritiahol k sebe a zdvihol, akoby som bola pierko.“

„,Takže ideme,' vravel. ,Hore do postieľky. A nie aby si
šla blízko k Megan. Má osýpky a určite by si ich od nej
chytila,' varoval ma.“

„Vyniesol ma až hore do mojej izby a uložil do postele.
Potom mi pohladil tvár, plecia a rozosmial ma, keď ma
pošteklil na hrudi.“

„Ocko ku mne nikdy predtým taký nebol. Viem, že
k tebe taký býval, nie však ku mne.“

„Potom pokračoval: ,Stavím sa, že už Megan doháňaš,
však? Máš dvanásť. Keď majú dievčatá dvanásť, tak už vy-
spievajú. Nože sa pozrime,' povedal, zdvihol mi košieľku
a pozrel sa pod ňu. ,Ale áno, je to tu,' konštatoval. ,Takže
teraz už mám dve veľké dievčatá.'“

„Dobre mi to padlo. Potom ma pobozkal na líce. Tvár
mal takú červenú a rozhorúčenú, že keď sa ma dotkla,
mala som pocit, že mi spáli pokožku.“

„,Takže ma má rád,“ uzavrela a opäť sa zavrtela. „Aj oc-
ko ma má rád.“

Zastala a pozrela sa na mňa. Nemala som predstavu, čo
ešte urobí. Vzápätí pomaly zdvihla ruku smerom ku mne
a dotkla sa mi tváre.

„Pomerne chladná,“ konštatovala, „ale nie až taká
chladná, hoci tvoja pokožka dnes vyzerá lepšie. No, vy-
zeráš takmer od polovice živá, hoci si dosť schudla, nie?
Všetci tvoji frajeri budú znepokojení, však?“

Poutierala si prsty o posteľ, akoby sa dotkla niečoho
slizkého.

„Je mi veľmi zle,“ zašepkala som, „veľmi zle.“

„Ja viem. Cítiš sa hrozne. Je ti z toho hrozne, ale vy-
strábiš sa,“ vravela s prižmúrenými očami. „A potom
znovu budeš ty tá pekná a otec sa na mňa už nebude toľ-
ko pozerať.“

Kľakla si vedľa mojej postele. Úsmev mala zrazu bezduchý, z očí akoby jej zmizol jas, zamrkali, zbledli a vyzerali ako neprítomné.

„Pozorujem ho, keď je s tebou. Počula som, keď vravel, že si taká peknulinká, že sa každý do teba zamiluje. Vidím radosť v jeho očiach, hrdosť umelca, ktorý vytvoril čosi také krásne, že celý svet mu bude blahoželať."

Urobila prestávku a potom sa na mňa nahnevane pozrela.

„Mohla by si zostať chorá o trochu dlhšie, no nie? Nebudeš musieť ísť do školy, otravovať sa s testmi alebo s domácou úlohou. Naďalej ťa budú obskakovať, presne tak, ako sa ti to páči. No nie?"

Pokrútila som hlavou.

„Už viem, čo spravím. Pomôžem ti, aby si zostala chorá," usúdila.

„Vodu," prosíkala som šeptom. „Som strašne smädná. Prosím ťa, daj mi trochu vody."

Oči sa jej rozžiarili.

„Vodu? Ty sa chceš napiť vody? To je dobre. Donesiem ti teda vodu."

Vstala a šla do kúpeľne. Čakala som, že začujem tiecť vodu z kohútika. Už sám zvuk tečúcej vody by ma potešil, pomyslela som si, lenže nič také som nepočula. Namiesto toho sa ozvalo zdvihnutie sedadla záchodovej misy a žblnknutie.

„Tu máš," núkala mi pohár. „Len to vypi."

Pokrútila som hlavou.

„Prosím ťa," sotva som vyriekla cez vyschnuté pery. Aj otvoriť ústa mi spôsobovalo bolesť.

„Vravela si, že si smädná, či nie?" drsným hlasom na mňa takmer vyštekla. „Odpi aspoň trochu z tejto vody," usmiala sa. „Možno ti pomôže, aby si bola trochu dlhšie chorá," dôvodila. „Vypi ju!" prikázala mi nakoniec.

Pokrútila som hlavou, ale ona sa naklonila a priložila mi pohár k ústam. Nechala som ich zatvorené, kým ona mi na ne liala vodu zo záchodovej misy, ktorá mi stekala po brade a cez krk na posteľ. Stlačila mi sánku, ústa sa mi pootvorili a dostalo sa mi do nich trochu vody. Vzápätí som ju vykašliavala a vypľúvala. Chvíľu ma sledovala, potom vstala a pohár odniesla do kúpeľne.

Začalo ma napínať na vracanie tak intenzívne, až ma rozbolel žalúdok.

„Fajn. Dám každému vedieť, že si veľmi chorá," povedala natešene. „Tentoraz budem pri večeri sedieť pri stole iba ja s ockom. Tebe prinesieme čaj a hrianku. Sama ti ho prinesiem, dobre?"

Na chvíľu stíchla, naklonila hlavu a zamračila sa.

„Neviem, prečo som k tebe taká milá. Ty ku mne nikdy nie si takáto milá. V škole sa mi vyhýbaš a tváriš sa, akoby sme ani neboli príbuzné."

Potom sa znovu usmiala.

„Lenže ja sa nehnevám, vôbec sa nehnevám. Ocko má rád aj mňa."

Pomaly kráčala smerom ku dverám, neprítomne sa obzrela, zamávala a potom zabuchla za sebou dvere.

Oči sa mi takmer v tom istom okamihu zavreli a upadla som do hlbokého spánku, možno aby som unikla zlému snu, ktorý som prežívala.

Sú časy, keď každý z nás túži utiekať sa k niekdajším sladkým snom. Môj úbohý ťažko skúšaný mozog bol ochotný urobiť aj nemožné, len aby ma odpútal od uboleného a zmordovaného tela. Šťastné spomienky priam prekvitali ako pestrofarebné kvety v temnej záhrade, zatláčali do úzadia závoj hrôzy aj smútku a vyhľadávali úsmevy a smiech.

Znovu som bola malé nevinné dievčatko, ktoré ešte nepoznalo, čo je to predsudok a nenávisť, násilie a chudoba. Nechápala som, kto som, kde som, aké búrky a kompli-

kácie zúria okolo mňa, striehnu na mňa tesne za hranica-
mi môjho vzácneho sveta lízankových snov a prísľubov
cukrovej vaty. To všetko čoskoro príde; ale zatiaľ som si
ešte vždy mohla užívať pocit bezpečia.

Bol to krásny čas.

Jedna spomienka sa mi vybavila veľmi jasne. Cítila som
vôňu dobrôt, ktoré varila mama, a počula som, ako si
v kuchyni pospevuje. S Beni sme boli v detskej izbe a hra-
li sme sa s bábikami, ktoré mama priniesla z trhu nájde-
ných vecí. Počuli sme, ako Roy vošiel do domu a ako zvy-
čajne silno zatresol dvere.

„Koľko ráz ti mám vravieť, Roy Arnold, aby si netries-
kal tými dverami?" karhala ho mama.

„Prepáč, mama, neuvedomil som si to," bránil sa.

„No ale mal by si. Raz odlomíš pánty a kde potom bu-
deme bývať?"

„V byte bez dverí," uistil ju Roy.

„Čože?"

Zadržali sme dych a čakali, že mama ešte viac zvýši hlas,
ale ona sa zrazu rozosmiala na plné kolo. Počuli sme, že aj
Roy sa smeje, a videli sme, ako ho mama objíma a hladí
po vlasoch. Keď zbadal, že sa na nich dívame, v pomyko-
ve sa chytro odtiahol.

„Ále, mama," zaprotestoval a uháňal do svojej izby.

„Na čo sa pozeráte, zlatko?" spýtala sa ma mama.

„Na nič, mama. Je Roy v poriadku?"

„Ale áno. Len sa musí naučiť byť viac džentlmenom.
Bojím sa však, že tu sa to nenaučí," vravela akoby pre
seba.

„Prečo nie, mama?"

„Toto nie je pravé miesto pre dámy a džentlmenov,"
odvetila. Potom sa na mňa usmiala. „Ale nerob si s tým
starosti, Rain. Ty sa raz dostaneš na nejaké fajn miesto,
naozaj krásne, to je isté."

„Kam, mama?" spýtala som sa s očami otvorenými dokorán od zvedavosti. Aké tajomstvá to vie mama o mojej budúcnosti?

„Teraz to ešte presne neviem," vravela, „ale som si istá, že to bude krásne miesto, kde sa ľudia parádne obliekajú a bývajú vo velikánskych domoch, majú také krásne veci, ako je klavír, záhrada a drahé auto."

„Aj Beni tam pôjde, však, mama?" spýtala som sa a pozrela som sa nazad na sestru čupiacu na dlážke vedľa domčeka pre bábiky. Asi nepočúvala.

„Dúfam, že áno," vravela mama. „Dúfam, že tam všetci pôjdete."

„A čo ty, mama?"

„Aj ja tam budem," sľubovala. „Len nechajte dvere otvorené."

„Čo to znamená, mama, že máme nechať dvere otvorené?"

Zasmiala sa.

„Len si trochu robím žarty, dieťa zlaté. Poď sem," povedala a rozpriahla ruky, aby som jej vbehla do náručia. Privinula si ma, pobozkala na čelo a pohladila mi vlasy.

„Ty, Rain, prinášaš úľavu po horúcom, páliacom slnku. Ty si nádej."

Zložila ma na zem a vrátila sa k príprave večere. Keď som sa pozrela smerom k Royovej izbe, videla som, ako na mňa vykúka a na tvári má milý úsmev.

Prečo by som mala byť taká výnimočná? uvažovala som. Doma som sa cítila ako nejaká hviezda. Vďaka mame a Royovi som verila, že priam žiarim, hoci iba prejdem okolo alebo voľačo poviem. Vďaka nim som mala pocit, že som vyvolená a chránená.

Nečudo, že aj to najmenšie poranenie, tá najnepatrnejšia odrenina či najmalichernejšia bolesť mi pripadali šokujúce. Postupne, s každým míňajúcim sa dňom, som sa toho sna musela vzdať. Ktosi otvoril dvere a ja som uvidela svet okolo nás taký, aký je, a uvedomila som si, že dokonca ani mama a Roy neboli schopní uchrániť ma od bolesti. Ale pokúšali sa o to, z celej duše sa o to pokúšali.

Ako som ležala a spomínala, na tvári som mala pokojný, šťastný úsmev, hoci pokožka ma od horúčky tak pálila, že som v posteli doslova sálala. Bolenie hlavy utíchlo. Dýchalo sa mi o niečo lepšie a chvíľu som si potom zdriemla v spoločnosti príjemných spomienok, ktoré som okolo seba ovinula akoby nejakú kuklu, v ktorej som sa mohla bezpečne a pohodlne uvelebiť a čakať, že na mňa ešte zasvieti slnko.

Onedlho som začula tetu Victoriu ísť hore po schodoch. Načúvala som a modlila sa, aby už bola opäť pri zmysloch a uvedomovala si, že ak čoskoro neurobí niečo v môj prospech, možno umriem a bude to jej vina. Teraz mala na sebe blúzku a jednu zo svojich sukieň po členky. V rukách držala podnos.

„Tu je to," prehovorila, „čaj a hrianka. Teraz smieš iba toto."

Podnos položila na nočný stolík pri posteli a poodstúpila.

„My budeme mať fantastickú medovú pečenú šunku a tie malé zemiačiky, ktoré máš tak rada. Stavím sa, že ich vôňu cítiš až sem hore. Však sa ti zbiehajú slinky?"

„Obvinia ťa," zašepkala som.

„Prepáč? Pokúšaš sa niečo povedať, Megan?"

Zavrela som oči a pokúšala sa hovoriť. Podišla ku mne bližšie.

„Čo si to vravela? Ľutuješ, ako si sa ku mne správala v škole? Na ospravedlňovanie je už príliš neskoro. Čo bolo, to bolo, ale nie je to pochované. Vždy to bude tu," povedala a ukázala si na čelo.

„Obvinia ťa," povedala som hlasnejšie. Počula aspoň jedno slovo.

„Obvinia?" Zasmiala sa. „Mňa? Z čoho ma môžu obviniť? Nikdy som nemala žiadne problémy, nikdy ma neposlali k riaditeľovi, nikdy som nedostala päťku, nikdy som nevzdorovala mame ani otcovi, nikdy som neprišla domov neskôr, než som mala, a nikdy som nezabudla zavolať, keď som vedela, že budem meškať. Kto by ma z niečoho obviňoval?"

„Vypi čaj a zjedz hrianku. Ak budeš dobrá, prinesiem ti jeden z tých tvojich bláznivých filmových alebo ženských časopisov. Totiž jeden z tých, ktoré som nezahodila do smetí."

Pokrútila som hlavou.

„Prestaň," zamrmlala som. „Zavolaj lekára."

„Je čas na medovú šunku," zašveholila a otočila sa na odchod. Obe sme začuli zvuk zvonenia pri dverách a ona v polceste zastala. Zvonček opäť zazvonil. Obrátila sa nazad a vyjavene sa na mňa pozerala.

„Kto ťa to ide navštíviť? Keď som ja chorá, nikdy ma nikto nepríde navštíviť. Zavolala si niekomu zo svojich priateľov či priateliek, však? Idú všetci sem?"

Zvonček opäť zazvonil. To je Austin, vravela som si. Vďaka Bohu, je to Austin. Prišiel si po mňa, presne, ako sľúbil.

„Nuž, nikto nepôjde otvoriť," rozhodla. „Nech už je to ktokoľvek, jednoducho odíde, keď budeme predstierať, že nikto nie je doma. Dolu je tma a ja nebudem robiť žiaden hluk."

„Nie," zabedákala som.

Odišla a potichu za sebou zatvorila dvere. Opäť som počula zvonček. Čakala som, ale viac už nezaznel. Srdce mi zvieralo od sklamania. Akoby mi niekto natiahol prikrývku aj ponad hlavu. Zatvorila som oči, a keď som ich znovu otvorila, v izbe bola taká tma, až som si myslela, že som skutočne pod prikrývkou. Zatiahnutá obloha nedovolila mesiacu a hviezdam, aby ich svit prenikol k oknám. Prirodzene, že som vôbec nemala predstavu o čase, takže som nemohla vedieť, koľko je hodín.

Horúčka nepoľavila, naopak, odčerpávala zo mňa energiu. Myšlienky mi blúdili a predo mnou sa mihali tváre rozmanitých ľudí. Videla som Randalla Glenna v Anglicku, ako sa na mňa usmieva zo svojej postele. Počula som smiech a videla som Catherine a Leslie, moje francúzske kamarátky z dramatickej školy, ako sa chichocú.

Potom som začula čosi napravo odo mňa a zbadala som pratetu Leonoru, ako sa vo svojej spálni kníše v hojdacom kresle a v rukách drží velikánsku bábiku. Vedľa nej stála jej plachá slúžka Mary Margaret. Hlavu mala sklonenú, vzápätí ju však zdvihla a pozrela sa na mňa. Po lícach jej stekali slzy.

Kúsok ďalej vpravo odo mňa začala spievať mama.

Zavolala som na ňu a v tej chvíli sa všetci rozplynuli ako bubliny a zanechali ma v temnote.

O niekoľko okamihov neskôr som počula, že sa otvorili dvere a zazrela som pratetinho a prastrýkovho odporného sluhu Boggsa, ako kráča ku mne.

„Zaspala si," obvinil ma. „Vstávaj a vychystaj sa. Vstávaj, lebo inak prevrátim posteľ aj spolu s tebou. Vstávaj!"

Načiahol sa smerom ku mne a neustále vrieskal.

„Prestaň!" začula som tetu Victoriu, ako na mňa vykríkla. Zažala lampu na nočnom stolíku. „Prečo kričíš? Chceš sa dostať z tejto izby? Kto ťa doteperil sem hore? Ja nie. Len čo na chvíľku odídem, už obrátiš dom hore nohami. Vyzerá to tu hrozne a ja som ešte nenajala slúžku, aby ten neporiadok po tebe poupratovala."

„Ach, bože," zvolala, keď sa pozrela na ovracaný uterák pri posteli. „Toto miesto je odporné a ty smrdíš. Kde je teraz tvoja matka, keď sa všetko toto deje? Vypeká sa na slnku v nejakom letovisku pri Stredozemnom mori, popíja koktaily, počúva hudbu, zatiaľ čo ja som tu a starám sa o teba."

Zažala viac svetiel. Aspoň že je z nej už zasa teta Victoria, pomyslela som si, hoci to bola len slabá útecha.

dete naďalej otravovať mňa alebo túto rodinu, požiadam políciu, aby vás zatkla. A veci sa majú tak, že hneď ráno zavolám svojich právnikov a dám pokyn na postúpenie žaloby na súdne konanie."

„Nie," kričala som. „Austin, never jej." Hrdlo ma bolelo od úsilia a námahy, ale zo všetkých síl som aj tak volala: „Austin!"

„Ja to nechápem," počula som ho vravieť.

„Dovolíte mi, aby som zatvorila dvere, alebo mám ísť k telefónu a zavolať políciu?"

„Jednoducho tomu nemôžem uveriť," hovoril.

„To je váš problém," odvrkla.

Zúfalo som sa zdvihla na lakťoch a opäť som sa pokúšala volať, lenže prakticky som vôbec nevydala hláska. Vyšlo zo mňa iba čosi o trochu silnejšie ako šepot. Čo len urobím?

Pozrela som sa vedľa seba na hlavu figuríny a rukou som si ju pritiahla. Potom som ju zo všetkých síl, ktoré mi ešte zostávali, hodila smerom ku dverám. Nedoletela až tam, ale nahlas dopadla na dlážku o kúsok bližšie.

„Čo to bolo?" spýtal sa Austin.

„Moja hlúpa slúžka zrejme niečo rozbila," odbila ho teta Victoria. „Dobrú noc, mladý muž, a choďte už kade ľahšie."

Počula som, ako sa dvere dolu zabuchli.

Znelo to, ako keby sa zavrel vrchnák na mojej truhle.

Život na hranici smrti

Vo dverách sa zrazu objavila teta Victoria. Buď vyšla po schodoch ako duch, alebo som už bola príliš oslabená na to, aby som začula zvuky prichádzajúce odniekadiaľ mimo mojej izby.

„Aké to bolo ľahké," poznamenala s lenivým úsmevom, od ktorého sa jej tmavé oči rozžiarili zlovestným leskom. „Prečo ma to nenapadlo už skôr? Mohli sme sa obe vyhnúť všetkým tým nepríjemnostiam. Teraz, keď si myslí, že si odišla, prestane sem chodiť a máme po problémoch."

„Istý čas iba zostaneš vnútri, mimo ľudí, aby mu to nikto nemohol vyvrátiť. Nerob si starosti. Zariadim, aby si tu mala dostatok zábavy a rozličné činnosti. Čo by si vonku vôbec robila? Zajtra nájdem novú služobnú, ktorá nikomu nič ani nehlesne."

„Vlastne by som sa mala pokúsiť získať späť pani Bogartovú," pokračovala. „Keď sa dozvie, že tentoraz odišiel nadobro, možno sa rozhodne vrátiť. Už viem, čo urobím. Ponúknem jej viac peňazí, omnoho viac peňazí, a tak sa vráti. Čo ty na to? Dobre? Fajn. Vedela som, že budeš so mnou súhlasiť."

Kto s ňou súhlasil? Počula iba to, čo chcela počuť.

„A to je čo?" spýtala sa, keď na dlážke zbadala rozbitú hlavu figuríny. „Ako sa to sem dostalo? Alebo to bol ten hluk, čo sme počuli?"

Pokývala hlavou.

„Pokúšala si sa získať jeho pozornosť, však? To je hlúpe. Vieš byť naozaj hlúpe dievčatko. Nuž, neskôr tu upraceme."

„Takže," uvažovala, „čo som sa to vlastne chystala urobiť, než nás tak drzo vyrušili? Čo to bolo? Aha, poumývať ťa. Potom ti oblečieme pohodlnú nočnú košeľu a ak sa mi zajtra podarí skontaktovať s pani Bogartovou, požiadam niekoho silného, aby ťa dopravil dolu, kam patríš."

„Neznie to výborne? Nemusíš sa unúvať a ďakovať mi. Viem, že si mi vďačná," usúdila a odišla do kúpeľne znovu napúšťať vaňu.

„Moja matka má množstvo výborných solí do kúpeľa. Nejakú ti vyberiem," kričala z kúpeľne. „Mama si veľmi potrpela na kúpeľ. Kúpala sa každučký deň. Ja sa však radšej sprchujem."

„Megan je skôr ako moja matka. Rada sa máča vo vode, najmä keď si do nej dá špeciálne oleje na pokožku. Raz sa dokonca kúpala v mlieku, pretože niekde čítala, že tak robievala Kleopatra. Vieš si to predstaviť?"

Vyšla z kúpeľne, zastala a hľadela na mňa s úškrnom na tvári.

„Raz som nakukla do kúpeľne, keď si hovela vo vani. Po špičkách som sa prikradla za ňu a zatlačila som jej hlavu pod vodu ešte prv, než stihla zaprotestovať. Držala som ju tak niekoľko sekúnd, a keď sa vynorila, prskala, kašľala a plakala ako divá. Bola strašne nahnevaná. Vravela som jej, že to bol iba žart. Človek sa rád zasmeje s priateľmi. Teraz im o tom môžeš povedať a baviť sa na tom s nimi, vravela som jej. Povedz im, že som si myslela, že si potrebuješ namočiť celú hlavu. Taká bola na mňa nahnevaná, že sa so mnou niekoľko dní nerozprávala, ale bolo mi to jedno, lebo aj tak sme si zvyčajne veľmi nemali čo povedať."

„Ty by si sa nenahnevala, keby som ti zo žartu zatlačila hlavu pod vodu, však nie?" spýtala sa a vzápätí sa akoby nezúčastnene zasmiala.

Vyjavene som sa na ňu pozerala. Cítila som sa taká bezmocná, akoby mi niekto telo vylial do akejsi formy, a tam ešte nenadobudlo ucelenú podobu a energiu.

„Takže ako ťa teraz dostaneme z postele do vane?" spýtala sa a pri tej úvahe naklonila hlavu. „Ako to pani Bogartová tak hravo zvládala? Na to, ako to robil lovec bohatstva, sa ťa pýtať nebudem. Dúfam, že to nikdy neabsolvoval, a ak aj áno, nepovedz mi o tom."

„Myslím, že by som ťa mala zdvihnúť a potom ťahať, však? Rozhodne nepôjdem po vozík a nebudem ho trepať až sem hore. Aj tak by som ťa musela najprv doň dostať a potom z neho vytiahnuť, čo by bola práca navyše. Mohla by si mi to uľahčiť, keď budeš spolupracovať. Si ochotná spolupracovať?"

„Prirodzene, že si," odpovedala si sama s úsmevom. „Teraz, keď som vyriešila všetky tvoje problémy, obchodné záležitosti, otravného terapeuta a vôbec všetko, sme už zrejme priateľky. Keď sem Megan a Grant prídu na návštevu, nájdu nás v pohode debatovať v obývačke a urobí to na nich úžasný dojem. Aspoň na Granta určite. Ako poznám Megan, bude sa tváriť, že to nie je nič podstatné."

„S ňou si sa nikdy skutočne fajn neporozprávala, však? Viem, že nie, lebo je toľko vecí, o ktorých netušíš, ale ktoré by si vedela, keby si bola dala tú námahu, aby ťa skutočne urobila súčasťou tejto rodiny. Poslala ťa sem, aby si tu robila slúžku, a potom ťa s tým istým zámerom poslali do Anglicka. Ja si z teba aspoň nerobím slúžku, no nie? Spravila som ťa svojou obchodnou spoločníčkou, starám sa o teba a ochraňujem tvoje záujmy."

„Prečo ju má každý tak rád? Aj ty ju ešte máš rada, však?" spýtala sa obviňujúcim tónom. „Ani po tom, čo urobila, ti nie je ľahostajná. Prečo? Zlyháva vo všetkom, čo je dôležité, a ľudia ju napriek tomu majú radi. Aj on ju má rád. V čom spočíva jej čaro?"

„Nehovor, že je to preto, lebo dobre vyzerá," povedala

vzápätí. „Pekné tváričky sa dajú zohnať raz-dva, najmä ak je to muž ako Grant, ktorý by si mohol vyberať aj spomedzi víťaziek súťaže krásy."

Pozrela sa na vaňu.

„Tak dobre," skonštatovala. „Je načase sa do toho pustiť."

Vošla do kúpeľne a zatvorila vodu.

Srdce mi začalo búšiť, ako keby malo svoj vlastný mozog. S každým úderom volalo: ‚Nedovoľ jej, aby ťa dostala do vane. Nedovoľ, nedovoľ, nedovoľ,‘ búšilo, keď sa Victoria blížila k posteli.

„Takže dajme toto oblečenie dolu," povedala a začala ma vyzliekať. Nespolupracovala som s ňou a ona sa so mnou nehrala. Vykrúcala mi ruky, necitlivo zo mňa sťahovala šaty a o chvíľu som už bola nahá.

Poodstúpila a pozrela sa na mňa.

„Vieš, napriek všetkému si ešte vždy veľmi atraktívna mladá žena. Možno si raz nájdeš primeraného muža."

„Lenže na to sa nespoliehaj," dodala hneď. „Primeraných mužov je dnes strašne málo. Nikto nevie, aké ťažké to majú ženy s polovicou mozgu."

Povzdychla si, ako keby na svojich úzkych a krehkých pleciach niesla váhu všetkých inteligentných žien sveta.

„Takže ideme na to," vravela. „Musím sa ešte vrátiť do práce. Treba vypracovať veľké množstvo rozličných dohôd a to vyžaduje mnoho času a inteligentný rozbor. Bola by si prekvapená, koľko existuje podvodníkov, ktorí iba čakajú, aby sa vrhli na ženy, ako sme my, lebo sú presvedčení, že sme slabé."

„Ale zakaždým, keď sa do niečoho pustíme, budú prekvapení. Určite," tvrdila a zasmiala sa. „Určite budú."

Načiahla sa, že ma chytí za zápästia. Zavrtela som hlavou.

„Prosím," vravela som. „Nechaj ma tak. Zavolaj lekára. Odvez ma do nemocnice."

„Po kúpeli sa budeš cítiť lepšie," ubezpečovala ma, ale

ja som váhala. „Ako možno postihnuté telo ako tvoje premiestniť bez toho, že by človek napáchal ešte viac škody?"

Pokrčila plecami.

„No urobím, čo sa dá."

Obrátila ma, aby mohla vsunúť svoje ruky pod moje pazuchy, a potom potiahla a zošuchla ma z postele. Nohy mi padli na dlážku ako polená a takmer ju stiahli so sebou, ale udržala rovnováhu a vzápätí sa s prekvapivou silou vystrela.

Neviem, kde som nabrala toľkú energiu, ale začala som sa krútiť a vrtieť v snahe vyslobodiť sa z jej rúk. Držala ma však pevne a pomaly, ale vytrvalo ma chrbtom poťahovala smerom ku kúpeľni. Nohy sa mi nevládne vliekli po dlážke.

„Nie!" kričala som.

„No, no, no. Musíš sa umyť. Len sa pozri, ako vyzeráš! Hádam len nechceš, aby ťa niekto takto videl, však?"

„Prosím ťa, prestaň!"

Môj strach sa zmenil na úplnú hrôzu, keď sme prešli cez vchod do kúpeľne. Už ma vliekla dosť rýchlo. V zúfalej nádeji, že by sa mi mohlo podariť zabrániť jej v tom, aby ma dostala do vane, načiahla som sa k okraju umývadla a pevne som ho uchopila, omnoho pevnejšie a rýchlejšie, než by bola predpokladala. Keďže bola už rozbehnutá a ja som prudko zastala, ruky sa jej vyšmykli spod mojich pazúch a ja som cítila, ako padá dozadu, preč odo mňa.

Hornou časť tela, ktorá už nemala oporu, som prudko dopadla zátylkom na dlážku. Takmer som stratila vedomie. Začula som jej výkrik, či skôr nejakú nezrozumiteľnú nadávku a obrátila som sa, práve keď letela cez okraj vane. Hlavou prudko dopadla na mohutnú dekoratívnu mosadznú armatúru vodovodu a potom sa takmer elegantne zošuchla do vody bez akéhokoľvek špľachnutia. Z môjho uhla pohľadu na dlážke som nemohla vidieť, čo sa deje, ale nohy jej vyleteli, potom dopadli a zostali visieť cez vonkajší okraj vane, pričom zvyšok tela sa stratil pod jej okrajom.

Zastonala som a obrátila som sa na brucho. Hlava sa mi krútila a mala som pocit, akoby mi oči mali zapadnúť do hlavy. Úporne som sa snažila, aby som neomdlela, a načiahla som sa k záchodovej mise. Konala som iba silou vôle. Z môjho dokaličeného, chabého tela už vyprchala všetka energia a kosti sa mi sotva držali pokope. Napriek tomu sa mi nejako podarilo vytiahnuť sa hore, aby som sa ponad okraj vane mohla na ňu pozrieť.

Videla som, že leží tesne pod vodou, oči má zatvorené a z nosných dierok a z úst jej unikajú bublinky ako námorníci z potápajúcej sa lode. Z pravého spánku jej neustále vytekal tenký potôčik krvi a aj na vodovodnom kohútiku som videla krv. Pramienky vlasov sa jej dvíhali smerom k hladine, akoby ju chceli vytiahnuť hore. Od nárazu zrejme stratila vedomie.

Vzápätí ma sila v rukách opustila a padla som naznak na dlážku. Žalúdok mi zovrelo a ten kŕč mi zachvátil aj celú hruď, takže som takmer nevládala dýchať. Už skoro v mdlobách som sa načiahla za jej ľavou nohou, chytila ju a márne sa pokúsila vytiahnuť ju hore a von z vane. Zmohla som sa iba na to, že som jej o pár centimetrov zdvihla členok. Vzápätí sa mi prsty zošmykli z jej pokožky a ruka mi padla vedľa tela.

Úsilie zabrániť jej, aby ma dostala do vane, a energia, ktorú som vynaložila, aby som sa na ňu pozrela, ma pripravili o všetky zvyšné sily. Zastonala som, stihla som sa ešte zhlboka nadýchnuť a potom ma už obklopila tma.

Zdalo sa mi, že sa dlážka podo mnou chveje, akoby dom zasiahlo zemetrasenie. Ešte okamih to pokračovalo, až kým sa mi nepodarilo otvoriť zalepené oči. Zrak som mala zahmlený, postupne sa mi však vybavila akási silueta. Začula som nezreteľný, akoby zamaskovaný hlas. Potom sa silueta vyjasnila a ja som spoznala Austina. Volal moje meno a triasol mi plecami.

„Rain, preber sa. Rain, miláčik. Zobuď sa, zlatko. Preber sa."

„Austin," zašepkala som.

„Čo sa tu stalo? Už sem ide sanitka," vravel ešte skôr, než som stihla odpovedať, „aj polícia. Musel som prehľadať celý dom, kým sa mi podarilo nájsť fungujúci telefón."

Hovoril a pritom ma balil do deky, potom ma zdvihol z dlážky a držal ma v náruči. Hlavu som spustila na jeho hruď a zatvorila som oči. Zrejme som znovu omdlela, lebo keď som otvorila oči, ležala som v sanitke. Nado mnou sa týčil ošetrovateľ, ktorý mi práve dával injekciu.

„Hej vy tam," oslovil ma. „Ako vám je?"

„Čo sa to so mnou deje?"

„Veziete sa do nemocnice. Len spokojne ležte a my urobíme všetku prácu. Veď za to dostávame úžasné platy," povedal a ktosi za ním sa zasmial.

Opäť som zatvorila oči, kolísaná pohybujúcou sa sanitkou a pohodlnou polohou na nosidlách. Zatiaľ som nebola schopná uvažovať, ani som nechcela rozmýšľať. Keď sme prišli do nemocnice, cítila som, že ma prenášajú, ale oči som otvorila až vo vyšetrovni.

„Je úplne dehydrovaná," počula som kohosi vravieť.

„Ide o infekciu," dodal ktosi iný.

„Odvezte ju na poschodie," povedal prvý hlas.

Moje telo mi pripadalo ako nejaké vrece, ktoré obracajú, prekladajú, posúvajú a dvíhajú, až kým som sa neocitla v nemocničnej posteli, po bradu zababušená v prikrývke. Zaspávala som a prebúdzala sa, až som sa nakoniec celkom zobudila a dlhší čas som nechala oči otvorené. Biele steny a dlaždice boli zaliate lúčmi slnka. Obrátila som hlavu napravo a uvidela som Austina. Sedel na stoličke, spal so spustenou hlavou a brada sa mu opierala o kľúčnu kosť.

„Austin," volala som. „Austin."

Pomaly zdvihol hlavu a otvoril oči. Keď si uvedomil, že som ho volala a že som sa prebrala, doslova vyskočil zo stoličky a už bol pri mne.

„Rain, ako sa cítiš?"

„Neviem," odvetila som. „Čo sa stalo? Veľa si z toho nepamätám."

„Po tom, čo ma tvoja teta poslala preč, som si uvedomil, že som na chodbe za ňou zazrel tvoj vozík. Nedošlo mi to hneď. Spočiatku som uveril tomu, čo mi povedala. Totiž pokiaľ ide o to, že je rampa preč. Dávalo to zmysel. Vravel som si, že si možno chcela od všetkého utiecť, a ako ťa poznám, rozhodla si sa nezavolať mi, lebo si nechcela, aby som ti zabránil v odchode. Plánoval som, že vyhľadám tvojho otca v Londýne a poletím za tebou."

„Lenže keď som šoféroval domov, zrazu sa mi v mysli zjavil ten vozík. Ako by ťa mohli vziať preč a posadiť do lietadla bez vozíka?"

„Obrátil som auto a vrátil som sa k domu. Tentoraz som nešiel k hlavnému vchodu, ale k oknu tvojej izby, vlastne k nášmu oknu, ako som si rád myslieval," povedal s úsmevom. „Otvoril som ho a vliezol dnu. Videl som, že v zásuvkách a v skriniach máš všetky svoje veci, čo potvrdzovalo, že si neodišla. Prečo mi klamala? uvažoval som, ale najmä, kde si teraz? Čo urobila tvoja teta?"

„Potichu som prešiel celé prízemie a načúval. Najprv som si myslel, že si možno zamknutá v kancelárii, pretože dvere sa nedali otvoriť. Zaťukal som na ne a počúval, ale potom som sa rozhodol, že radšej najprv prezriem zvyšnú časť domu. Zarážalo ma, že ani ona nie je dolu."

„Po špičkách som vyšiel po schodoch. Zdalo sa mi, že som ťa počul zastonať. Vtrhol som do kúpeľne a našiel som ťa ležať na dlážke a tetu vo vani."

„Čo sa jej stalo?" spýtala som sa.

„Utopila sa. Polícia ti príde položiť nejaké otázky, ale nik súdny si nemôže myslieť, že si s tým mala niečo spoločné. Podľa toho, ako som ťa našiel, usudzujem, že ti zrejme pomáhala dostať sa do vane a asi spadla a udrela si hlavu. Je to tak?"

„Áno. Ja som sa nechcela kúpať. Bála som sa jej, Austin. Bola ku mne hrozne krutá a polovicu času nebola pri zmysloch. Rozprávala sa so mnou, akoby sa rozprávala s mojou matkou."

„Preto máš všetky tie poranenia a odreniny? Bila ťa alebo čo?"

„Nie. Pokúsila som sa ujsť z domu, chcela som sa dostať na cestu, aby ma niekto odviezol k telefónu. Usilovala som sa zavolať ti, ale keď som s vozíčkom vyšla pred dom, zistila som, že záhradníkom prikázala odstrániť rampu. Napriek tomu som sa snažila dostať na cestu, ale stratila som vládu nad vozíkom. Celé hodiny som sa plazila a pri tom som sa pooškierala. Našla ma, a keď neskôr opäť odišla, vyliezla som po schodoch na poschodie, aby som sa dostala k telefónu."

„Potom to začalo byť naozaj strašné. Bolo mi veľmi, veľmi zle, Austin."

„Ja viem. Teraz ti už horúčku zrazili a aj infekciu majú pod kontrolou."

„Mne sa vidí, že okrem infekcie je tu ešte ďalšia záležitosť."

„Aká?"

„Myslím si, že som tehotná," povedala som.

Chvíľu na mňa vyjavene hľadel, potom sa mu na perách objavil náznak úsmevu a oči mu zažiarili.

„To je možné," ozval sa. „Príliš sme prepadli vášni a opatrnosť sme nechali bokom."

„Ja sa bojím, Austin."

Prikývol.

„Poviem lekárovi, aby ťa vyšetril," rozhodol.

„Austin, raz sme sa rozprávali o tom, že niekto v mojej situácii otehotnel. Vravel si mi o nejakej tvojej klientke."

„Áno."

„Aké riziká to pre mňa znamená?" spýtala som sa.

„Porozprávame sa s lekárom. Nie som v týchto veciach nijaký expert," vravel.

„Austin, mala by som podstúpiť potrat?" spýtala som sa.

Chvíľu si ma skúmavo prezeral.

„Najprv ti niečo poviem, Rain. Chcem sa s tebou oženiť, odhliadnuc od toho, čo sa rozhodneš urobiť."

Usmiala som sa naňho.

„Ty si hotový blázon," povedala som.

„Hotový blázon, ale do teba," odvetil.

Vošla sestrička a skontrolovala rozpis liekov a teplotu. Vzápätí nato prišla lekárka. Austin vstal a čakal pri dverách.

Bola som prekvapená, že sa objavila žena, ktorá navyše vyzerala, akoby nemala ešte ani štyridsať. Vlasy mala takmer také tmavé ako ja a na tvári prívetivý, priateľský úsmev. Oči jej zakrývali okuliare s atraktívnym perleťovým rámom. Zrejme nemala oveľa viac ako stopäťdesiat centimetrov, vystupovala však dôstojne a so sebadôverou.

„Volám sa Sheila Bakerová," povedala. „Ako sa cítite?"

„Ako celá ochromená," odvetila som. Zasmiala sa, prezrela si záznamy a potom ma začala vyšetrovať. Ozvala som sa, keď mi počúvala srdce.

„Myslím, že som tehotná."

Prestala počúvať, chvíľku ma so záujmom študovala a potom sa pozrela na Austina.

„Áno? A prečo si to myslíte?" spýtala sa.

Povedala som jej, aké mám príznaky.

„Dobre, uvidíme, či to je tak," skonštatovala.

„Ak je to tak, aké komplikácie ma čakajú?" spýtala som sa. „Totiž v mojej zdravotnej situácii."

Zložila si okuliare a spustila ich na retiazku.

„Nuž, mám vaše zdravotné záznamy a vašu anamnézu, takže čo-to vám budem vedieť povedať. Je možné, že nastane takzvaná autonómna hyperreflexia, čo znamená nekontrolované reflexívne pohyby. Dôsledkami tohto syndrómu môžu byť buď iba mierne, trochu nepríjemné príznaky, alebo až život ohrozujúca možnosť vnútrolebkového krvácania. Záchvaty hyperreflexie zvyčajne nezasiahnu plod. Treba však starostlivejšie sledovať, či plod netrpí na nízky tlak, alebo hypoxémiu, čo je nedostatok kyslíka v krvi. Najlepšie bude, ak budete rodiť v nemocnici, vybavenej na prípadné komplikácie."

„Vzhľadom na miesto poranenia vašej chrbtice však nie je veľmi pravdepodobné, že sa to stane," dodala s úsmevom.

„Ale nie je to úplne vylúčené, však?"

„Nerada to vravím, ale nie je," odvetila.

„Čo ešte?" spýtala som sa. Určite je toho ešte viac, pomyslela som si.

„U žien vo vašej situácii je častejší predčasný pôrod. Začiatočné príznaky pôrodu budete cítiť a treba, aby ste ich poznali. Každý týždeň vám urobíme vyšetrenie maternice a neskoršie štádium tehotenstva budete musieť stráviť v nemocnici."

„Nepredpokladám však, že by ste museli rodiť cisárskym rezom. Niekedy sa v posledných štádiách pôrodu používajú kliešte alebo sa plod vysaje."

„Skrátka, nemáte to vo vašom zdravotnom stave o nič ľahšie ako iné tehotné ženy, ale neodrádzala by som vás od tehotenstva."

Pozrela sa na Austina.

„Toto je váš manžel?"

„Čoskoro," odpovedal. „Čoskoro manžel a dúfam, že čoskoro aj otec."

Hlboko sme si pozreli do očí, až sa doktorka Bakerová zrejme cítila nepríjemne, že sa ocitla medzi nami.

„Nuž dobre. Zatiaľ ste v poriadku. Neskôr sa tu ešte zastavím," povedala a odišla.

„Austin, si si tým všetkým istý?"

„Rovno odtiaľto pôjdem objednať pozvánky," povedal namiesto odpovede.

Zasmiala som sa.

A potom som začala rozmýšľať o svadbe.

Aká bude?

Neskoro popoludní prišli dvaja policajní detektívi. Jeden bol taký malý a tučný, až sa mi nechcelo veriť, že môže byť policajtom. Vybavili sa mi detektívi z televíznych filmov a bolo zábavné predstaviť si ho, ako naháňa zlodeja alebo vraha. Druhý detektív bol vysoký, mal kratučké tmavohnedé vlasy a veľmi profesionálne spôsoby, takže mi pripadal skôr ako agent FBI.

Opísala som, čo sa stalo. Vysoký detektív si všetko poznamenal a potom odišli. Mala som dojem, že iba dodržiavali rutinný postup, ale nerátali s nejakými prekvapeniami. Celkove sa zdalo, že je pre nich nepríjemné vypočúvať ma v nemocničnej izbe, a tvárili sa, že sú mi vďační za informácie. Ja som sa však nevedela dočkať, kedy sa to skončí. Nechcela som sa na nič pýtať, ani som netúžila počuť nejaké hrôzostrašné podrobnosti o smrti tety Victorie.

Z nemocnice ma prepustili o štyri dni. Austin ma odviezol domov, a keď sme autom dorazili k domu, videla som, že dal znovu nainštalovať rampu. Vedela som, že si do domu už nasťahoval šaty a nejaké ďalšie veci.

„Čaká na teba ešte jedno prekvapenie," povedal mi.

Keď ma po rampe vyviezol do domu, videla som, čo všetko zariadil.

„Podebatovali sme s tvojím právnikom a rozhodli sme sa pre komfortné riešenie," vravel.

Na schodisko dal nainštalovať mechanickú stoličku. Jediné, čo som musela urobiť, bolo, že som sa presunula do

stoličky, stlačila gombík a už som sa viezla na poschodie,
kde ma čakala ďalšia stolička.

„Pani domu už nebude spávať v izbe pre slúžku," prehlásil.

„No toto, Austin," zvolala som, „ty sa teda naozaj budeš o mňa starať."

„Až kým nás smrť nerozdelí," zadeklamoval. „To mi
niečo pripomenulo. Za daných okolností," pokračoval
a pohladkal ma po bruchu, „zrejme bude dobré, ak svadba bude čím skôr. A mám ešte ďalšie prekvapenie," dodal
so šibalským úškrnom od ucha k uchu.

„Austin Clarke, čo iné si vymyslel?"

„Dovolil som si osloviť istého anglického profesora
v Londýne."

Pokrútila som hlavou.

„Hádam len nechceš povedať..."

Prikývol.

„Áno, príde aj s manželkou. A zdalo sa, že ho tá správa
veľmi potešila."

Srdce mi začalo búšiť od vzrušenia.

„Austin, ty si toho toľko stihol!"

„Budeme mať iba malý obrad v kostole a po ňom menšiu hostinu tu v dome. Moja mama mi veľmi pomohla.
Všetko vlastne vybavila ona," povedal. „Dúfam, že ti to neprekáža."

„Že mi to neprekáža? Naopak, som uveličená. Mám
pocit, že omdliem," povedala som.

Zasmial sa.

„Možno som mal počkať a všetky tieto správy ti vysypať, až keď sa zložíš a budeš mať pohodlie, ale keď som už
zašiel tak ďaleko..."

„Čože?"

„Zajtra chce prísť na návštevu tvoja matka."

„Moja matka?"

„Ona a jej manžel prišli včera na pohreb tvojej tety a zostali dlhšie, aby vybavili právne záležitosti."

„Prečo sa neubytovali tu?"

„Neviem," povedal. „Možno im ten nápad nepripadal veľmi vhodný. Bývajú v hoteli. Tvoj právnik sa rozprával s Grantom a ten mi postúpil všetky informácie, ktoré máš vedieť."

„Ak sa na to necítiš, zavolám, aby návštevu odložili na niekedy inokedy. Grant mi naznačil, že na svadbu prídu."

„Naozaj?" Na chvíľu som sa zamyslela. „Ale vedia, že z Londýna príde aj môj otec?"

„Nie celkom," pripustil. „Myslel som si, že prenechám na teba, aby si to povedala matke."

„Možno sme mali radšej ujsť a zosobášiť sa tajne," vravela som si potichu.

„Prirodzene, to ešte vždy môžeme urobiť, ale myslím, že tvoj otec by bol sklamaný. Aj moja matka by určite bola sklamaná."

Prikývla som.

„Vyskúšajme túto mašinku, nech ťa vyvezie na poschodie. Nemyslel som si, že by si sa chcela vrátiť do niekdajšej izby starej mamy, takže som pre nás dal pripraviť izbu, v ktorej, ako si mi vravela, si kedysi bývala. Je to v poriadku?"

„Áno, ale bola by som rada, keby sme sa neskôr presťahovali do spálne starej mamy. Viem, Austin, že by si to želala, a nemala by som sa dať odradiť tým, čo mi urobila teta Victoria."

„Chápem," pritakal. Pomohol mi presadnúť z vozíka do mechanizovaného výťahu.

Smial sa, keď ma výťah viezol hore.

„Vyzeráš ako kráľovná, ktorá stúpa nad svojich poddaných," žartoval.

Nástojila som na tom, že si sama presadnem do horného vozíka.

„Nemôžeš nado mnou bdieť vo dne v noci," vysvetľovala som.

„Fajn. Zvládaš to dobre."

„Teraz si odpočiniem," povedala som a dovolila som mu odviezť ma do našej spálne. „Ale ak všetko bude takto fungovať, potom mi musíš dôverovať, aby som aj ja robila svoj diel práce."

„Dôverovať? Vhodnejšie slovo je požadovať," povedal, predstierajúc prísnosť. „Keď prídem domov z práce, budem požadovať, aby ma čakala teplá večera. Najmä po tom, čo som zistil, ako dobre varíš," dodal s úsmevom.

„Už sa neviem dočkať, kedy sa do toho pustím," pridala som sa.

„Teraz si však musíš odpočinúť a znovu nabrať sily. Onedlho ich budeš potrebovať. Keby si nevedela, pôjdeme na svadobnú cestu. Svadba bez svadobnej cesty je ako narodeniny bez torty."

Zasmiala som sa na jeho žartovne chlipnom pohľade, ale zároveň som aj súhlasila. Veľmi som si potrebovala ľahnúť a pospať si. Spala som ako batoľa a zobudila som sa na to, že Austin mi na podnose nesie jedlo.

„Všetko to úžasne rozváňa. Ako si to pripravil?" spýtala som sa, keď som sa neveriacky dívala na kurča, zemiaky a zeleninu.

„Použil som osvedčený recept, ktorý moja stará mama zanechala mojej mame. Volá sa ‚zabaliť a odniesť'," odpovedal.

Obaja sme sa zasmiali, cítili sme sa dobre. Austin ma chytil za ruku, usmieval sa na mňa a jemne ma pobozkal.

„Všetky naše dni sa zmenia na dni radosti," predpovedal. „Nebudeme chcieť veľmi veľa, iba šancu na to, aby sme sa mohli tešiť jeden z druhého."

„Si si tým všetkým istý, Austin, skutočne istý? Ešte vždy od toho môžeš odstúpiť," povedala som.

„Pamätáš sa? Keď si sa topila v jazere, vravel som ti, že som mal pocit, akoby som sa topil s tebou? Nuž keď som nedávno videl, ako ťa odváža sanitka, zdalo sa mi, že som tam s tebou, Rain. Je medzi nami puto. Navždy," povedal a pohľad mal taký presvedčivý a rozhodný, až mi zvieralo hrdlo. „Dúfam, že si šťastná."

„Prirodzene, že som. Nemyslela som si, Austin, že niekedy ešte budem takáto šťastná."

Pobozkal ma.

„Jedz a naberaj silu. Čoskoro budeš mamou," dodal.

Moja matka prišla skoro ráno. Pomyslela som si, že vyzerá mimoriadne dobre na ženu, ktorá prežila toľko krušných chvíľ a bolesti. Tvár mala mierne opálenú a vlasy jej priam žiarili.

Sedela som vo vozíčku a pozerala z okna spálne smerom k jazeru a ďalej k obzoru. Spomínala som na to, ako som jazdievala na koni a aký mi to prinášalo pocit slobody a šťastia. Práve som dopísala ďalší list Royovi, v ktorom som ho doslova prosíkala, aby sa mi ozval. Nemala som o ňom nijakú správu. Naposledy volal jeho vojenský advokát a informoval ma o vojenskom súde, na ktorom Roya budú súdiť.

Neviem, ako dlho bola už moja matka v izbe. Zrazu som vzadu na krku pocítila to zvláštne teplo, ten pocit, že človeka niekto za chrbtom pozoruje, a tak som sa obrátila k nej.

Len čo zbadala, ako som otočila vozík, ale nevstala, aby som sa s ňou zvítala, oči jej zaplavil smútok a ľútosť.

„Ahoj," oslovila ma. „Ako sa ti darí?"

„Dobre. A ako sa máš ty?"

Pokrčila plecami.

„Teraz žijem zo dňa na deň. Niektoré dni ubiehajú rýchlejšie, iné pomalšie. Ďalšie sa vlečú, akoby to boli celé týždne."

„To poznám," povedala som a ona prikývla.

Poobzerala sa po izbe.

„Toto bývala moja izba, vieš?"

„Viem."

„Teraz sa to nezdá pravdepodobné."

„Čo?"

„Že som tu kedysi žila a bol to môj svet. Asi je to tak dobre. Možno sa takto naša myseľ chráni pred šialenstvom. Zabúdanie niekedy nie je taká zlá vec."

Zasmiala sa a prešla k posteli.

„Myslievala som si, že by bolo fantastické, keby každý deň bol skutočne nový, ako keby sa človek každý deň znovu narodil. Jednoducho by v živote najprv dosiahol vrchol svojho rastu a potom by nastúpila takáto jeho viacnásobná existencia. Dnes by som bola Megan, zajtra... Diana. Ďalší deň Clara, a šlo by pritom o viac než iba zmenu mien. Každý deň by môj životný príbeh bol iný a aj moja osobnosť by bola odlišná. Bola by to väčšia zábava, nemyslíš?"

„Keby to bolo tak, ako by sa človek vôbec mohol zamilovať, byť súčasťou niečoho dôležitého či stať sa nejakou osobnosťou?" spýtala som sa.

„O to ide. Človek by niečo začal, ale nikdy by to nedokončil a nikdy by nebol sklamaný. Všetko by sa skončilo prv, než by prišla porážka alebo žiaľ."

„Dovtedy, kým neumrieme, sa aj tak staneme inými ľuďmi, Rain. Ja už rozhodne nie som taká, ako keď som tu bývala, ani taká, ako som bola na vysokej, dokonca ani taká, ako som bola vlani, aspoň nie teraz."

„Veď to zistíš," vravela.

„Možno som to už aj zistila," odpovedala som.

„Áno," vravela, uprene sa na mňa pozerala a kývala hlavou. „Áno, myslím, že áno. Tak či onak, som rada, že si v poriadku. Neviem si ani predstaviť, aké to muselo byť s Victoriou. Vedela byť strašne krutá. Nikdy nebola šťastnou bytosťou, nikdy. Viem, že ma nenávidela."

„Závidela ti," povedala som.

„V konečnom dôsledku je to to isté. Človek začne nenávidieť to, čo nemôže mať alebo čím nemôže byť. Teraz to platí aj na mňa," povedala takmer šeptom. Potom potriasla hlavou, akoby tým mohla striasť chmúrne myšlienky, a usmiala sa. „Takže čo to počujem, že sa chystá nejaká svadba?"

„Je to blázonko," odvetila som. „Ale milujem ho a som si istá, že aj on miluje mňa. Nik iný by niečo také nebol ochotný urobiť."

„Len netáraj," protirečila mi. „Si veľmi pekné dievča a navyše múdre."

Povzdychla si, pozrela sa na fotografiu starej mamy na bielizníku a potom sa znovu obrátila ku mne.

„Chcem, aby si vedela, že som ťa nikdy neobviňovala za smrť Brodyho. Strašne som smútila, lebo som vedela, že nesiem plnú zodpovednosť nielen za jeho smrť, ale aj za tvoj pocit viny. Bola som presvedčená, že som zničila dve zo svojich detí."

„Ani jedno z nich ťa nemôže nenávidieť, mama," povedala som.

Pousmiala sa.

„Nie. Som presvedčená, že si to musím odpykať. Nemám žiadne právo čokoľvek od teba očakávať, Rain, ale rada by som sa vrátila a pokúsila sa stať tvojou priateľkou."

„Práve to som vždy chcela," povedala som.

Ešte viac sa usmiala.

„Teším sa na tvoju svadbu."

„Musím ti niečo povedať. Vlastne dve veci, ktoré by si mala vedieť. Som rozhodnutá, že odteraz v tomto dome a v mojom srdci nebudú tajomstvá," dodala som.

„Dobre," povedala. „Pokúsim sa o to isté."

„Na svadbu príde aj môj otec," oznámila som.

„Larry?"

„Áno, a jeho manželka Leanna."

„Aha." Dlhú chvíľu bola ticho. Predpokladala som, že povie, že v takom prípade nepôjde na svadbu, ale prekvapila ma. „Nuž, zvládnem to."

„A Grant?"

„Nebude mať inú možnosť," povedala s prekvapivou istotou. „A aké je to druhé prekvapenie?"

„Som tehotná."

„Čože? Tehotná? Ale ako... ako môžeš byť tehotná?"

„Áno, mama, môžem byť a aj som," ubezpečila som ju so smiechom.

„Aha," zareagovala a jej úsmev sa vytratil.

„O čo ide? Vari to spôsobí nejakú ďalšiu hanbu?"

„Nie, nie," povedala, krútiac hlavou. „To je tá posledná vec, ktorej by som sa bála."

„Takže o čo ide?"

„Neuvedomuješ si, čo to znamená?"

„Nuž, ja viem, čo to znamená. A čo si uvedomuješ ty?"

„Budem stará mama," povedala. „Som na starú mamu primladá," zabedákala.

Vyjavene sme sa na seba pozreli.

Vzápätí sme sa rozosmiali.

A smiali sme sa, až kým ma neobjala.

Keď ma pobozkala, na tvári som pocítila jej slzy, ktoré sa miešali s mojimi.

Epilóg

Svadba sa veľmi vydarila, najmä vďaka nadšeniu Austinovej matky. Bola presne taká, ako ju opísal, skutočná južanská dáma, ktorá mi v mnohom pripomínala starú mamu Hudsonovú. Volala sa Belva Ann Clarková a mala obdivuhodný zmysel pre detaily. V kostole dala urobiť oblúkovitú výzdobu z bielych a ružových ruží a jedna z Austinových malých neterí sa predviedla ako tá najčarovnejšia kvetinárka. Belva Ann sa postarala aj o vytlačenie pozvánok a zabezpečila uvádzačov v kostole.

Matka mi pomohla vybrať si svadobné šaty a potom sa rozhodla, že s obsluhujúcim personálom naplánuje svadobnú hostinu. Okolo mňa panoval rozruch, a keďže všetko sa muselo zvládnuť veľmi narýchlo, každý deň som bola zavalená novými informáciami a rozhodnutiami.

Matka a Belva Ann si úžasne rozumeli. Obe mali posvätnú úctu k detailom, ktoré takúto udalosť mimoriadne ozvláštňovali. Chodili spolu po chodbách a pripravovali výzdobu domu na svadobnú hostinu. Úvahy nemali konca, prebrali príbory, obrúsky, farby, stuhy a dokonca aj farebné balóny, ktoré chceli zavesiť na stromy a kríky. Austin a ja sme sa čoskoro cítili ako pozorovatelia, ktorí sledujú prípravy na svadbu niekoho iného. Keď sme jeden deň zostali sami, pustil sa do napodobovania našich mám.

„No zvážme, mali by sme použiť ručne maľovaný porcelán z dovozu alebo bežný porcelán? A čo poháre na šampanské? Zrejme by bolo nekultúrne použiť plastové poháre, hoci dnes ich na takéto príležitosti používa čoraz viac ľudí. Páčia sa ti jasnočervené obrúsky? Ja neznášam papierové obrúsky. Zišli by sa aspoň bavlnené, čo povieš?" Niekedy ma pobavil tak perfektne, že som sa išla popučiť od smiechu.

„Teraz aspoň vidíš, prečo sme radšej mali ujsť a zosobášiť sa tajne," doberala som si Austina.

„Lenže ich to tak úžasne baví," vravel. „Prirodzene, mohli by sme ich nechať urobiť všetky prípravy a my by sme potom neprišli. Vyberieme sa na nejaký zájazd loďou a necháme im odkaz."

„A budeme niesť zodpovednosť za dve samovraždy? Nie, ďakujem," ubezpečila som ho.

Jediný trpký prvok v prípravách predstavovala moja nevlastná sestra Alison. Matka jej konečne povedala všetko o mne a Alison zareagovala takmer očakávaným spôsobom. Najprv tomu vôbec nechcela veriť, potom sa rozčuľovala a nakoniec prešla do ľahostajnosti a vzbury. Matka mi oznámila, že Alison pravdepodobne nepríde na svadbu.

„Mali sme s ňou veľa problémov už predtým," vravela. „Nechcem teraz zachádzať do deprimujúcich podrobností, ale dáva nám dosť zabrať, poneviera sa s pochybnou spoločnosťou a pije, dokonca sa obávame, že lieta aj v drogách. Grant si robí veľké starosti a pokúša sa všeličo podniknúť, vrátane súkromného poradenstva."

„To je mi ľúto," vravela som. „Možno raz budeme môcť byť priateľkami," dodala som, ale bolo to asi také pravdepodobné ako možnosť, že budem znovu chodiť.

Matka prikývla bez akejkoľvek presvedčivosti v očiach, a tým sme skončili.

Dva dni pred obradom priletel z Londýna môj otec s manželkou. Nástojili sme na tom, aby bývali u nás. Chcela som, aby mali možnosť lepšie sa zoznámiť s Austinom a zároveň som aj ja mala šancu lepšie ich spoznať. Pozvali sme aj moju pratetu Leonoru a prastrýka Richarda, ale oznámili, že nemôžu zrušiť záväzok zúčastniť sa na nejakom podujatí týkajúcom sa kráľovskej rodiny, čo mi vyhovovalo, či už to bola pravda, alebo nie.

Po príchode môjho otca sa moja matka u nás neukazovala. To, že sa stretnú, však bolo nevyhnutné. Pri stretnutí boli všetci veľmi zdvorilí, Grant sa dokonca pustil do dlhého rozhovoru s mojím otcom o anglickej politike. Moja matka sa poprechádzala s Leannou po dome a jeho okolí a opisovala jej rozmanité rastliny a stromy v záhrade. Napriek tomu som mala pocit, akoby sme všetci chodili po špičkách na tenkom ľade a stačil by nejaký sústredenejší pohľad, nejaké nešťastné slovo či spomienka a všetko by sa zrútilo ako domček z karát.

Chvalabohu, nič také sa nestalo a svadba pôsobila ako štart medziplanetárnej rakety, každý okamih bol bez najmenšej chybičky, dokonca aj chvíľa, keď ma na vozíčku viezli k oltáru. Bolo to pre mňa mimoriadne vzrušujúce, že ma k oltáru viedol môj skutočný otec. Austin vopred zariadil, aby moje miesto pred oltárom bolo vyvýšené, takže počas sobáša sme vlastne mali tváre zarovno. Aj obradný bozk sme zvládli bezchybne a svadba sa všetkým páčila.

Bolo veľmi nezvyklé, že v dome starej mamy Hudsonovej sa konali toľké oslavy. Veľmi dlho bol dejiskom pochmúrnych a deprimujúcich udalostí, ale so všetkými tými dekoráciami, s hudbou, s veselými hosťami a s dobrým jedlom bolo veľmi ľahké odsunúť tmavé tiene niekam, kde, ako som dúfala, budú zavreté na večné veky.

Keď už bolo po všetkom, musela som sa rozlúčiť s otcom a s jeho manželkou. Sľubovala som im, že ich čo najskôr navštívime, mala som však veľmi silné tušenie, že všetko šťastie a radosť sa môže rozplynúť ako dym vo vetre a zostane iba strohá realita, čo mi pripomenie, že som naďalej paraplegička, ktorá má pred sebou ťažký pôrod a ešte náročnejšiu úlohu matky. Musela som si sňať ružové okuliare. Aj sivá obloha je súčasťou nášho sveta a žiadna hudba, kvety ani vyberané jedlá to nemohli nadlho zmeniť.

Vďaka svadobnej ceste na Bahamských ostrovoch sme mali šancu trochu si predĺžiť ten čas blaženosti, ale keď sme sa vrátili, nejedna temná chvíľka či ťaživé okamihy zasiahli do nášho spoločného života. Austin však nikdy nedal najavo napätie alebo že by niečo ľutoval. Bol pre mňa perfektným partnerom, pretože dôverne poznal, čo prežíva človek postihnutý ako ja. Bol naďalej mojím terapeutom, dokonca aj v tehotenstve, karhal ma, ak som bola príliš lenivá, a pripomínal mi, že čím viac zosilniem, tým ľahšie s dieťaťom zvládneme pôrod.

Teraz, keď už nejestvovali hrozby tety Victorie, Austin so strýkom pokračovali v zveľaďovaní agentúry. Veľmi nerád odo mňa odchádzal do práce, ja som však trvala na tom, aby sa nevzdával svojej kariéry.

„Ak v našom manželstve bude toho, čo obetuješ ty, Austin, omnoho viac, než obetujem ja, bude ma natoľko ťažiť pocit viny, že vôbec nebudem môcť byť šťastná," vystríhala som ho.

Chápal to a plne sa ujal svojich povinností. Posledné tri mesiace tehotenstva sme na polovičný úväzok najali sestričku, aby bola pri mne. Austin našiel úžasnú asi päťdesiatročnú ženu, pani Meriweatherovú, ktorá už asistovala pri tehotenstve a po pôrode dvom paraplegičkám. Pristala na to, že keď porodím, nasťahuje sa k nám, kým ju budem potrebovať. Nebola nikdy vydatá a nemala žiadnu bližšiu rodinu. Pripadalo mi to perfektné.

S krátiacim sa časom do termínu pôrodu som bola čoraz nepokojnejšia. Našťastie sa vážnejšie komplikácie, ktoré opisovala doktorka Bakerová, u mňa vôbec nevyskytli, ale neustále som sa obávala, že by sa po všetkom tom vynaloženom úsilí a prípravách mohlo stať niečo hrozné. Ak by som toto dieťa stratila, určite by som sa už nepokúšala mať ďalšie.

Na začiatku posledného týždňa tehotenstva ma prijali do nemocnice. Tak ako to doktorka Bakerová predpokladala, rodila som klasicky a pomocou odsatia plodu. S Austinom sme sa vopred dohodli, že pohlavie dieťaťa nebudeme zisťovať. Chceli sme zažiť prekvapenie a zábavu, spojenú s hádaním. Aj Austin bol v pôrodnej sále a len čo som začula svoje dieťatko prvýkrát zaplakať, naklonil sa nado mňa, pobozkal ma a vyhlásil: „Je to dievčatko. Vyhral som."

Mená sme už vopred vybrali, dievčatko sa malo volať Summer, teda leto. Vtedy sme sa s Austinom spoznali a to ročné obdobie sme obaja mali najradšej. Austin sa trochu popredvádzal a zarecitoval zo Shakespearovho osemnásteho sonetu: „Ale tvoje večné leto nikdy nepominie."

„Vždy bude pre nás znamenať leto, teplo a pulzujúci život," prorokoval, keď som Summer vzala prvý raz do náruče.

„Dúfam, Austin, že jej budem dobrou mamou," rozmýšľala som nahlas, keď už naša dcérka bola na svete, dýchala a o chvíľu mi zaspinkala na prsiach.

„Určite to dokážeš, Rain. Kto by mohol vedieť viac než ty, aké je to dôležité?"

„Práve preto mám obavy," povedala som a jemne som kolísala Summer.

„Práve preto to zvládneš," trval na svojom.

Môj úžasný manžel, plný optimizmu, ktorý odháňal všetky moje chmúrne myšlienky, stál s úsmevom pri mne, pomáhal mi veriť v samu seba a v našu spoločnú budúcnosť.

Roy sa mi ohlásil až na jar nasledujúceho roka. Po celý ten čas bol vo vojenskom väzení a veľmi sa za to hanbil, takže nechcel, aby som o tom vedela. Keď som sa s ním telefonicky rozprávala, vôbec som netušila, ako je blízko.

„Chcel som vedieť, či si sa na mňa nenahnevala, že som doteraz nepísal alebo nevolal," priznal sa.

„Roy, nikdy by som sa na teba nevedela nahnevať, ale mal si mi dať vedieť, kde si."

„Prepáč," povedal. „A za veľa vecí."

„Kde si?"

Chvíľu váhal a potom povedal: „Asi desať minút jazdy od teba."

„Nežartuj! Ty si tu! Ach, Roy, neviem sa dočkať, kedy už prídeš. Ponáhľaj sa."

Zasmial sa a zavesil.

Summer bola vonku s Glendou, dvadsaťštyriročnou slobodnou matkou, ktorej synček Harley bol o rok starší ako Summer. Našiel ju Austin. Bola dcérou jednej z jeho klientok a veľmi sa mu pozdávalo, ako láskyplne, starostlivo a zodpovedne sa stará o svoje dieťa. Potrebovala prácu a ja som súhlasila, pretože zatiaľ som sa neobišla bez pomoci. Vedela som však, že čoskoro si už poradím sama. Austin si myslel, že bude fajn, ak Summer už v takomto útlom veku bude mať niekoho, s kým sa bude môcť hrať. Zdalo sa, že všetko funguje perfektne.

Vyviezla som sa z domu a dolu rampou, aby som počkala na Roya. Glenda a deti sa hrali pod rozložitým starým dubom, takmer dvesto metrov východne od príjazdovej cesty, kam Austin umiestnil pieskovisko a ihrisko. Zamávala som na Glendu a zakričala som jej, že na niekoho čakám, aby si nerobila starosti, a ona sa opäť venovala deťom.

Srdce mi búšilo od očakávania. Roya som nevidela už hrozne dávno. Prirodzene, cítila som aj istý nepokoj. Najmä preto, že sa kedysi tak úporne snažil presvedčiť ma, aby sme sa vzali.

Prišiel na prenajatom aute a pomaly z neho vystúpil. Ihneď som zbadala, že je omnoho chudší, ako býval, držanie tela mal však stále vzpriamené a vyžarovala z neho sebadôvera. Keď uvidel, ako tam sedím a čakám, zastal. Vedela som si predstaviť, aké ťažké musí byť preňho vidieť ma na vozíku.

Bol oblečený v civile, v bledomodrej košeli s krátkymi rukávmi a v džínsoch. Vlasy mal o trochu dlhšie, než ich mával predtým, najmä keď bol na vojenčine. Odviezla som sa bližšie k nemu, ale on iba stál a vyjavene sa na mňa pozeral.

„To ma ani neobjímeš?" spýtala som sa ho.

Usmial sa, náhlivo vykročil a objal ma. „Ako sa ti darí?" spýtal sa.

„Celkom fajn, Roy. Naozaj, mám sa dobre."

Prikývol, v očiach sa mu však jasne zračili pochybnosti.

„Fíha, toto je teda riadne veľký flek," povedal, keď sa pozrel na dom. „Ako to zvládaš?"

Zasmiala som sa.

„Mám tu viacerých ľudí na výpomoc," odpovedala som.

„To som si aj myslel."

„Čo s tebou bolo, Roy?"

Pozrel sa na zem a špičkou tenisky odkopol malý kamienok.

„Keď som sa dozvedel o tvojej nehode, hneď som sem chcel prísť, ale keďže som už v Londýne odišiel za tebou bez priepustky, neboli ústretoví a moju žiadosť zamietli. Aj tak som sa však rozhodol odísť, lenže na letisku ma chytila vojenská polícia. Odsúdili ma na tri roky, no trest mi skrátili, ale nakoniec ma prepustili pre stratu dôvery. To je na tom to najhoršie," dodal.

„To je mi ľúto. Viem, že sa to všetko stalo pre mňa."

„Vôbec nie. Všetky rozhodnutia, Rain, som urobil ja a vôbec nič neľutujem. Jediné, čo ľutujem, že som sa nedostal k tebe."

„Ale teraz si tu," povedala som. „A to je najdôležitejšie."

„Jasné."

Začuli sme detský smiech a Roy sa obrátil.

Oči sa mu zúžili a potom sa pozrel na mňa.

„Kto je to?"

„To je moja pomocníčka Glenda a jej synček Harley sa hrá s mojou dcérkou Summer."

„S tvojou dcérkou?"

Vyzeral taký šokovaný, že by ho silnejší vietor sfúkol z nôh.

„Áno," povedala som s úsmevom. „Som vydatá, Roy."

„Vydatá?"

„Môj manžel sa volá Austin Clarke."

Bolo očividné, že tomu nechce uveriť.

„Ako si to všetko zvládla, keď si..."

„Telesne postihnutá a paraplegička? Mala som z pekla šťastie, Roy. Muž, ktorý sa do mňa zamiloval a do ktorého som sa zamilovala aj ja, bol môj terapeut. Toľko si toho musíme povedať. Poď, vytlač ma hore po rampe do domu a dáme si niečo na obed."

Obrátila som vozík, ale Roy sa nepohol.

„Všetko to dopadlo dobre, Roy. Dúfam, že sa budeš tešiť spolu so mnou. A chcem o tebe všetko vedieť, aké máš plány a ako ti môžem pomôcť."

„No toto!" čudoval sa. „Mám pocit, akoby som dostal facku."

Pomykal hlavou a s fučaním vydýchol.

„Chcem, Roy, aby si nám bol nablízku, aby si bol súčasťou mojej rodiny. Ty jediný si mi zostal z dávnych čias," vravela som. Konečne sa trochu pousmial.

„Ja som za," pritakal. „Lenže som si robil väčšie nádeje."

„Vieš, zrejme nám to nebolo súdené, Roy. Napriek tomu ťa nemám o nič menej rada a rovnako ťa potrebujem. Zdedila som značnú časť veľkého podniku, ktorý vedie plno mne neznámych ľudí. Možno mi s ním pomôžeš," navrhla som.

„Neviem."

„Vieš, nerada by som ti zasahovala do nejakých tvojich plánov, ale..."

„Zasahovala do mojich plánov?" Zasmial sa. „Vyzerá to tak, že niekto do nich už zasiahol."

Chvíľu sa mi zdalo, že sa rozplače. Vtom sa ku mne so smiechom rozbehla Summer.

„Pozri sa, Roy, ako dobre už behá, a to má iba štrnásť mesiacov," vravela som.

Obrátil sa, Summer zastala a pozrela sa hore naňho.

„Ahoj, zlatko. Toto je tvoj strýko Roy."

Opatrne podišla ku mne.

„Je krásna," pochválil ju Roy.

Usmiala sa naňho a on priam zažiaril. Túlila sa mi k nohe.

„A čo keby si šla strýka vyobjímať, Summer? No choď," povzbudzovala som ju.

Spýtavo sa naňho pozrela a Roy si kľakol a roztvoril náruč.

Bez akéhokoľvek ďalšieho zaváhania sa k nemu rozbehla. Pritúlil si ju, dal jej bozk a pozrel sa na mňa.

„Mohla to byť naša dcérka," povedal.

„Ty budeš mať hromadu vlastných detí, Roy, ale Summer vždy zostane niekým, kto ti je blízky. A ja tiež. Vitaj doma," vravela som. „Poď ďalej. Odnes Summer do domu, ja pôjdem za vami," povedala som.

Iba na okamih akoby zaváhal, ale potom s ňou vyšiel po schodoch a ja za ním na vozíčku po rampe. Glenda nás nasledovala.

O pár hodín príde domov Austin a budeme všetci pokope. Akosi som dúfala, že z nás bude nová rodina, ktorú bude spájať túžba po láske a nádeji. Bála som sa hľadieť priďaleko do budúcnosti. Existovalo ešte priveľa nezodpovedaných otázok.

Je ešte šanca, že by sme nadviazali blízky vzťah s mojou nevlastnou sestrou? Podarí sa mi prehĺbiť vzťahy s mojou matkou a otcom? Bude Roy schopný vytvoriť si vlastný ži-

vot, keď bude v mojej blízkosti, v blízkosti ženy, o ktorej
sníval, že bude navždy s ním ako jeho manželka? Zostane
Austin taký plný sily a optimizmu aj naďalej?

A čo z toho všetkého zdedí Summer? Bude k nej tento
svet žičlivejší, než bol ku mne? Jej štart do života bol roz-
hodne šťastnejší. Veľmi som dúfala, že duch starej mamy
Hudsonovej a duch mamy Arnoldovej bude ochraňovať
nás všetkých, ale najmä Summer, bude jej šepkať do ucha
radostné myšlienky a naplní jej noci sladkými snami.

Pri vchode do domu som zastala a zahľadela sa smerom
k jazeru. Vietor nedovoľoval temným mrakom, aby sa pri-
blížili, a hnal ich smerom k obzoru.

„Len nech tam zostanú navždy," modlila som sa.

Ako priaznivý prísľub sa nad jazerom objavili drozdy,
chvíľu šantili a potom sa vzniesli k modrej oblohe v ústre-
ty budúcnosti.